DISGLAI
DUW

CASGLIAD O FYFYRDODAU:
TAITH DRWY'R BEIBL
MEWN MYFYRDOD A GWEDDI

GAN
DENZIL I. JOHN

CYHOEDDIADAU'R
GAIR

Cyflwynedig i aelodau
Eglwys y Tabernacl,
Caerdydd

ⓑ Cyhoeddiadau'r Gair 2014
Testun gwreiddiol: Denzil I. John
Golygydd Iaith: Mair Jones Parry
Golygydd Cyffredinol: Aled Davies
Clawr: Rhys Llwyd
Diolch i Gymdeithas y Beibl am bob cydweithrediad
wrth ddyfynnu o'r Beibl Cymraeg Newydd.

Dymuna'r cyhoeddwyr gydnabod cymorth
Adran Olygyddol ac Adran Grantiau Cyngor Llyfrau Cymru.

Argraffwyd gan Melita oddi fewn i'r Undeb Ewropeaidd

Cyhoeddwyd gan
Cyhoeddiadau'r Gair, Cyngor Ysgolion Sul Cymru,
Ael y Bryn, Chwilog, Pwllheli, Gwynedd LL53 6SH.
www.ysgolsul.com

RHAGAIR

Ychydig flynyddoedd yn ôl, gofynnodd y Cyngor Ysgolion Sul i mi drosi *Essential 100*, casgliad o fyfyrdodau Whitney T Kuniholm, i'r Gymraeg sy'n dwyn y teitl *Efengyl 100*. Yn ystod 2011, rhennais yr unedau hyn gydag aelodau'r Tabernacl Caerdydd dros y we, fel bod y deunydd myfyrdodol yn eu cyfarch yn gyson ar eu cyfrifiaduron. Cafodd y cynllun groeso da, a bu eraill yn gofyn am gael eu cynnwys yn y dosbarthiad o'r deunydd.

Credais fod yna werth i barhau gyda'r broses, a lluniais fyfyrdodau a gafodd eu dosbarthu yn ystod 2012–13 gan ddilyn trywydd o Genesis i Datguddiad, ar yr un patrwm ag *Efengyl 100*. Ceisiwyd ar y cyfan ddilyn trefn gronolegol y llyfrau, gan symud o'r Llyfrau Deddf a'r Llyfrau Hanes i weithiau'r proffwydi ac yna'r llyfrau Llên. Yn y Testament Newydd, dechreuwyd gyda'r Efengylau a'r Actau, gan symud at Epistolau Paul yn nhrefn eu hysgrifennu hyd y gwyddom, cyn symud at y llythyron eraill. Y nod oedd canolbwyntio ar y themâu ac amgylchiadau eu hysgrifennu. Gwirfoddolodd fy nghyfaill sef y Parch Hugh Matthews i lunio myfyrdodau ar y damhegion yn 2014, a bwriadwn gynnal y patrwm i'r dyfodol.

Bu'n argyhoeddiad gennyf ers tro, bod angen i aelodau'r eglwysi fod yn fwy cyfarwydd â'r Beibl yn gyffredinol, a bod colled fawr wrth weld eglwysi yn hepgor ysgolion Sul i blant ac i oedolion. Mae perygl i grefyddwyr sy'n dibynnu ar draddodiad, i roi llai o bwyslais ar brofiad ac argyhoeddiad, neu i bwyso ffydd emosiynol heb sylfaen o ddealltwriaeth oleuedig o'r Beibl. Diolch am bob llyfr sy'n esbonio natur a neges y Beibl, ac fe geir toreth yn y Gymraeg a'r Saesneg.

Dau lyfr gwerthfawr yn y Gymraeg sydd wedi bod wrth fy mhenelin ar hyd fy ngweinidogaeth yw *Arweiniad i'r Hen Destament* gan y Parchg Ddr Gwilym H. Jones ac *Arweiniad i'r Testament Newydd* gan y Parch Ddr Isaac Thomas. Os bydd y darllenydd am ddilyn ambell drywydd yn y llyfr hwn, bydd troi at y gweithiau hylaw hyn yn gymorth.

Carwn ddiolch i Sian, fy mhriod, am ddarllen drwy'r proflenni gwreiddiol wrth ystyried iaith a chystrawen a gwerthfawrogaf ei chefnogaeth ffyddlon; i'm cyfaill Hugh Matthews am ei sylwadau adeiladol a'i anogaeth gyda'r gwaith hwn, ac i Mair Jones Parry ac Aled Davies a'r tîm o wasg Cyhoeddiadau'r Gair am bob arweiniad a gofal wrth lywio'r gyfrol drwy'r broses argraffu. Cyflwynaf y gwaith i holl aelodau Eglwys y Tabernacl Caerdydd, gan ddiolch iddynt am eu cariad a'u hamynedd tuag at eu gweinidog.

Denzil Ieuan John
Mehefin 2014

GAIR DISGLAIR DUW

Perthyn i bwy?

Gweddi

Arglwydd, helpa fi i feddwl amdanat heddiw ac i geisio sylweddoli beth rwyt am i mi ei wneud yn dy enw di. Wrth i mi ddarllen dy Air, gad i mi wrando ar dy eiriau a cheisio byw yn agosach atat. Amen.

Darllen Genesis 6–8

Cyflwyniad

Bydd pum llyfr cyntaf y Beibl yn cael eu galw yn Pentateuch – y Pum Llyfr. Bydd yr Iddewon yn eu galw yn Torah, sef Llyfrau'r Gyfraith, ac ynddynt ceir portread o 'gof cenedl', sef eu syniad hwy o'u hanes. Priodolent eu bodolaeth a'u pwrpas ar y ddaear i ewyllys Duw, ac mae'r hanesion a geir yn Genesis yn ddarluniau o lwyddiant ac aflwyddiant eu hynafiaid i fyw mewn perthynas â Duw.

Ystyr Genesis yw 'creu' neu 'fywyd newydd', a chofiwn mai'r un llythrennau sydd i 'egin', 'geni', ac 'egni'. Mae ystyr y tri gair yn cael eu plethu i'r hyn a geir yn yr enw 'Genesis'.

Yn y llyfr, ceir nifer o gymeriadau yn ffurfio llinach. Ar ôl Adda, ac yn ddiweddarach Noa, daw Abraham, Isaac, Jacob a Joseff i'r llwyfan. Cyfeiria Iddewon atynt fel y 'tadau patriarchaidd' yn aml. Prif rinwedd y 'tadau' oedd eu perthynas â Duw, a sylweddolai'r Iddewon ar hyd eu hanes mai dyna oedd calon eu llwyddiant fel pobl. Roedd cefnu ar Dduw yn golygu dinistr, tra bod aros yn ffyddlon i Dduw yn golygu bywyd.

Yn hanes Noa, ceir llun o berthynas ffyddlondeb yn rhoi bywyd ac anffyddlondeb yn arwain at farwolaeth. Bydd amryw yn awyddus i dderbyn yr hanesion hyn fel datganiadau ffeithiol o hanes, tra bydd eraill yn ein plith yn eu deall fel ymdrechion, nid yn unig i gyflwyno gorffennol cenedl, ond i werthfawrogi hanfod ac anghenion Israel.

Myfyrdod

Mae gan bob cenedl ei llenyddiaeth. Ceisia hyn ddangos hunaniaeth a nodweddion y bobl. Beth sy'n nodweddu hanes y Cymry? Ai brwydrau brenhinol megis y ddau Lywelyn a Glyndŵr, ynteu nodweddion Dewi

Sant? Pa nodweddion y dylem amcanu at eu hyrwyddo a'u dysgu i'n plant ac i blant ein plant? Mae gennym gyfoeth o draddodiadau a llên gwerin sy'n bwysig i'w rhannu. Mae gennym hefyd ddiwylliant Cristnogol gwerthfawr, ac oni bai ein bod yn ei rannu gyda'r genhedlaeth ifanc, bydd ein plant yn dlotach o'r herwydd.

Gweddi

Arglwydd, diolch i Ti am dy fendithion dyddiol. Diolch am deulu ac am gymuned. Diolch am ein tras ac am hanes ein cenedl. Wrth gofio'r sawl a luniodd ein hetifeddiaeth, helpa fi i sylweddoli fy nghyfrifoldeb i'w chyflwyno i eraill. Amen.

Heb ei fai, heb ei eni

Gweddi
Arglwydd Dduw, diolch i ti am dy drugaredd. Gwn nad wyf yn deilwng o'th fendithion, ond wrth i mi dreulio y rhan yma o'r dydd yn dy gwmni heddiw, helpa fi i estyn fy llaw tuag atat wrth ofyn dy fendith. Amen.

Darllen Genesis 27–29

Cyflwyniad
Pan oedd y grefydd Iddewig yn cyfeirio at Dduw Abraham, Isaac a Jacob, cawn y syniad eu bod yn gweld y tri yma fel pe baent yn bobl i'w dyrchafu a'u hefelychu. Pa mor dda oeddent ar derfyn dydd? Yn y darlleniad heddiw, gwelwn fod Jacob yn ddigon parod i dwyllo ac iddo 'ddwyn' oddi ar ei frawd Esau y bendithion a'r breintiau a oedd yn eiddo i Esau, ei frawd hŷn. Serch hynny, cofnodwyd breuddwyd hynod Jacob mewn lle a alwodd yn 'Bethel' (28:19) ac amdano'n ymgodymu ag 'angel' yn Penuel (32:22–32). Prin fod Isaac yn berffaith chwaith, ac roedd hyn yn wir am bob un o gymeriadau'r Hen Destament.

Myfyrdod
Wrth i'r Beibl gofnodi hanes y cenhedloedd a'r cymdeithasau, sylwn fod Duw yn arfer trugaredd ac yn adfer pobl er eu beiau. Bydd rhai pobl yn eu gweld eu hunain yn well nag eraill, ac yn arfer math o snobyddiaeth moesol. Gobeithio bod y nodwedd hon yn diflannu o'n tir, ond mae'n brigo i'r wyneb yn or-aml. Pa mor aml y clywsom ddyfynnu pobl nad ydynt yn ymwneud â bywyd eglwys yn honni nad ydynt yn ddigon da i fod yn rhan o eglwys? Dod i achub pechaduriaid a wnaeth Iesu a dewisodd gwmni'r sawl a oedd ar ymylon cymdeithas (Marc 2:17).

Prin fod unrhyw un o arwyr hanes yn sant mewn gwirionedd; wedi'r cyfan mae'r hen ddihareb yn wir, 'heb ei fai, heb ei eni'. Wrth ddarllen hanes rhai o enwau amlycaf gorffennol y Tabernacl, Caerdydd, mae'n amlwg nad oeddent yn ddi-fai. Pregethodd Hugh Matthews flynyddoedd yn ôl ar yr adnod lle mae Iesu'n dweud wrth Pedr, 'Ti yw Pedr, ac ar y graig hon yr adeiladaf fy eglwys' (Mathew 16:18). Pwysleisiodd y pregethwr fod Iesu yn defnyddio pobl fregus fel y Pedr a wadodd Iesu deirgwaith cyn dydd y croeshoelio.

Y rhyfeddod yw bod Jacob wedi cael profiad pen-y-mynydd, drwy gyfrwng ei freuddwyd, a sylweddoli pwysigrwydd y berthynas rhyngddo a Duw.

> Os gwelir fi, bechadur,
>> ryw ddydd ar ben fy nhaith,
> rhyfeddol fydd y canu
>> a newydd fydd yr iaith,
> yn seinio buddugoliaeth
>> am iachawdwriaeth lawn
> heb ofni colli'r frwydyr
>> na bore na phrynhawn.
>>>> (Casgliad Harri Siôn, *Caneuon Ffydd* 718)

Gweddi

Diolch, Arglwydd, dy fod yn croesawu pobl wamal ac anghyson bywyd i brofi dy fendithion ac i hyrwyddo gwaith dy ras yn ein byd. Maddau i mi am bob adeg y bûm yn achos siom i ti, a diolch am fy ngwahodd o'r newydd i eistedd wrth dy fwrdd a rhannu ym mreintiau dy aelwyd. Amen.

Cymerwch a rhennwch yn eich plith

Gweddi

Arglwydd, gwyddost fy mod i'n dymuno dy adnabod yn well a byw yn agosach i ti. Caniatâ i mi heddiw wneud hynny drwy fod yn fwy agored i ti yn fy mywyd. Amen.

Darllen Genesis 46

Cyflwyniad

Roedd credo'r Israeliaid cynnar yn ymwybodol iawn fod Duw yn darparu ar gyfer pobl ac nad oedd synnwyr dynol yn debygol o weld beth oedd ehangder cynllun Duw. Pwy feddyliai y byddai gwerthu Joseff i'r Eifftiaid yn arwain at iachawdwriaeth pobl Jacob ymhen degawdau i ddod? Realiti trist y bywyd dynol yw galar a cholled, cenfigen ac ymffrost. Yn yr un modd mae natur yn profi cyfnodau o gynaeafu sylweddol a chyfnodau o gynaeafu gwael. Cyfrifoldeb dyn yw dwyn trefn er mwyn sicrhau darpariaeth ar gyfer y cyfnodau anodd drwy gynilo yn ystod y cyfnodau llewyrchus. Onid yw hyn yn wir ym mhob oes, ac ym mhob gwedd ar fywyd?

Gwelodd y ddynoliaeth ar hyd y canrifoedd a'r cyfandiroedd sefyllfaoedd lle roedd sychder tir yn arwain at newyn. Arweiniodd hynny at weld mudo pobl o wlad i wlad a hynny yn achosi gwrthdaro rhwng y bobl gynhenid a'r ymfudwyr. Y wers a geir yn naratif Joseff yw bod modd goresgyn y tensiynau dynol drwy arfer tegwch a chyfiawnder, trugaredd a lletygarwch. Bu lletygarwch yn ffenomen gyson ym meddylfryd yr Iddew ac roedd arfer brawdoliaeth gyfrifol yn fesur o'u dynoliaeth.

Gwedd arall a ddaw i'r golwg yn hanes Joseff yw'r modd y mae'r prif gymeriad yn maddau i'w frodyr am ei werthu i'r Ismaeliaid (Genesis 37:25). Deallodd Joseff yn ddiweddarach fod hyn yn rhan o gynllun Duw ar gyfer ei bobl. Prin y sylweddolwn gyfraniad yr unigolyn yng nghyddestun drama'r dyrfa eang; dim ond yn achlysurol y daw hynny i'r golwg ar lwyfannau lleol a byd-eang. Weithiau bydd dioddefaint un yn gyfrwng achub y llawer.

Myfyrdod

Yng nghyd-destun y ffydd Gristnogol, bu bywyd Iesu yn fodd o achub llawer mwy na phlant Jacob, cenedl Israel. Rhannodd ohono'i hun mewn ffordd unigryw. Erys y ddelwedd o gynhaliaeth y bara, ond daeth ystyr newydd i'r gair pan ddywedodd Iesu mai ef yw 'bara'r bywyd' (Ioan 6).

Mae asiantaethau dyngarol fel Cymorth Cristnogol a Tearfund yn awyddus i fod yn gyfryngau i rannu o gyfoeth a digonedd cymunedau fel Cymru â chymdeithasau sydd â'u hysguboriau yn wag. Drwy eu cefnogi, bydd siawns i hyrwyddo tegwch a chyfiawnder ledled byd.

Gweddi

Diolch, Arglwydd, am hanes Joseff, a'r gwersi a ddysgwn am berthynas pobl â'i gilydd. Rwyt ti'n un sy'n hyrwyddo trefn a chyfiawnder yn y byd, ac yn galw arnom i weithredu hynny ym mhob lefel o fywyd. Gweddïwn am lwyddiant ymdrechion pob asiantaeth ddyngarol a fydd yn rhyngu dy fodd ac yn gweithredu'r gwerthoedd Cristnogol yn ein byd. Amen.

Diosg dy 'sgidiau

Gweddi

Arglwydd, rhyfeddwn fel yr wyt yn dy amlygu dy hun ym mhob man ac ym mhob cyfnod. Ni allwn ddeall sut yr wyt yn effro i bob person sy'n bod, ac ar yr un pryd. Helpa ni i sylweddoli dy fod gyda ni nawr, ac am i ni wrando arnat. Amen.

Darllen Exodus 1–2

Cyflwyniad

Sut bynnag y bydd pobl yn ystyried hanesyddiaeth Llyfr Genesis, bydd Llyfr Exodus yn haws i'w leoli fel rhan o hanes ffeithiol. Wedi'r cyfan, nid oes amheuaeth fod Pharo wedi awdurdodi codi'r pyramidiau a defnyddio'r caethweision Iddewig i wneud hynny. Mae'n anodd bod yn hyderus wrth gynnig dyddiadau i gyfnod pobl Israel yn yr Aifft. Cynigir cyfnodau gwahanol wrth ddyddio'r amser yr aeth Jacob a'i deulu i'r Aifft, ac yna i Foses arwain y bobl allan o gaethiwed. Nid yr union ddyddiad sy'n bwysig, ond bod cof cenedl Israel yn ymwybodol fod eu cyndadau wedi dioddef bod yn gaethweision a bod Duw wedi peri iddynt gael eu rhyddhau o'r statws iselradd hwnnw. Yno, mae awduron llyfr Exodus yn cyflwyno'r hanes, gyda'r portread o ddychymyg a blaengarwch mam a merch i arbed Moses. Ceir y pwyslais yn yr hanes hwn fod llaw Duw yn amlwg wrth arbed unigolyn, yn gymaint â bod Duw yn achub cenedl.

Ystyr yr enw Exodus yn amlwg yw 'gadael' neu 'mynd allan'. Cyn ystyried y modd y trefnwyd yr Exodus allan o'r Aifft, mae angen cofio i Dduw baratoi Moses ei hun. Byddai angen iddo fod yn gyfarwydd â llys Pharo, a hefyd yn deall traddodiad y tadau Hebreig. Aeth golygyddion y llyfr ati i'n cynorthwyo i werthfawrogi'r hyfforddiant a gafodd Moses, a bod llaw Duw yn amlwg yn y paratoi a'r galw. Dangosir hefyd fel y bu ystod eang o bobl â rhan yn y paratoi, yn wŷr a gwragedd, pobl werinol ac eraill o dras freintiedig. Ceir yr un elfennau ym mharatoad eraill o brif gymeriadau hanes Iddewiaeth.

Myfyrdod

Gellir dweud yr un peth am bobl ffydd yng Nghymru, fel pob cenedl arall. Wrth edrych yn ôl dros ysgwydd hanes gwelir bod Duw yn trefnu datblygiad pobl mewn ffordd na all dyn ei deall na'i gwerthfawrogi. Ceisiodd Moses wrthod yr alwad olaf i ddychwelyd i'r Aifft. Rhoddodd o leiaf dri rheswm pam na ddylai fynd, ond roedd gan Dduw ateb iddo bob tro. Efallai bod llaw Duw ar bob un ohonom i gyflawni dyletswyddau penodol a'n bod yn fyddar i'r alwad, neu yn amheus o'n haddasrwydd i ymateb. Bydd rhai am ddweud nad ydynt yn deilwng, neu yn ddigon da, i gyflawni rhyw ran o waith eglwys. Bydd hanes Moses yn ein hatgoffa bod Duw yn un sy'n cyfeirio ac yn hyfforddi'r sawl mae ef eisoes wedi rhoi ei law arnynt. Weithiau bydd Cristion yn synhwyro bod person arall yn cael ei feithrin gan Dduw, fel y bu i Eli ddeall fel yr oedd Duw yn galw Samuel (1 Samuel 3). Codwyd nifer o frodyr a chwiorydd i'r weinidogaeth Gristnogol yng Nghymru yn ystod degawd cyntaf yr unfed ganrif ar hugain. Wrth edrych yn ôl, gwelwn law Duw ar y cyfeillion hyn. Wrth edrych ymlaen, rhown ein hunain yn agored i Dduw ein defnyddio yn unol â'i bwrpas ef, wrth estyn terfynau ei deyrnas.

Gweddi

Diolch, Arglwydd, dy fod wedi galw a chyfeirio pobl i waith yn dy eglwys ar hyd y canrifoedd. Rhof fy hun yn agored i ti fy nefnyddio ym mha fodd bynnag rwyt yn ei ddymuno. Galw arweinwyr o'r newydd i'th eglwys yng Nghymru heddiw, a rho fodd i ni glywed dy lais ac ymateb i'th anogaeth. Amen.

Rhyddid o'r diwedd

Gweddi

Arglwydd Iesu, gwyddost fy mod yn ei chael yn anodd weithiau i fyw yn ôl dy esiampl. Helpa fi heddiw i agor y Beibl ac i geisio dy arweiniad. Maddau i mi am feddwl weithiau bod bywyd yn boen ac am achwyn am fy sefyllfa. Tyrd gyda mi i ddathlu'r profiad o wynebu heddiw ac i gwrdd â phob amgylchiad fel cyfle i'th gyflwyno di i eraill. Amen.

Darllen Exodus 13

Cyflwyniad

Mae Llyfr Exodus yn sôn yn bennaf am adael yr Aifft. Bu disgynyddion Jacob, sef y bobl a ddaeth yn genedl Israel a chyndadau cenedl yr Iddewon, yn mwynhau cefnogaeth gynnar yr Eifftiaid, ond buan yr aethant yn gorff a achosodd bryder i'r Eifftiaid, ac fe gawsant eu trin fel caethweision. Dychwelodd Moses yng nghwmni ei frawd Aaron, a hwythau yn eu tro yn cynnig arweiniad i henuriaid Israel ac yn galw am ryddid. Bu naw pla erchyll, gyda'r nod o berswadio Pharo i'w rhyddhau, ond daliodd hwnnw at ei safbwynt, nes daeth y degfed pla. Ym mhennod 11 cawn ddarogan marwolaeth y cyntafanedig. Yn y bennod sy'n dilyn, cofnodir y bydd y Pasg yn ymwneud â phryd bwyd ar frys, ac nad oedd gweddillion y cig i'w cadw ond eu taflu i'r tân. Roeddent i fwyta bara croyw, sef bara heb furum, nad oedd wedi ei gymysgu yn y ffordd arferol am fod hynny yn broses araf, a daeth y Pasg a Gŵyl y Bara Croyw yn fodd i gofio Duw yn gwaredu ei bobl. Roedd pobl Israel i daenu'r gwaed ar gynor drysau eu cartrefi, fel na fyddai ymweliad angel marwolaeth yn lladd eu cyntafanedig hwy.

Myfyrdod

Ceir cysgod yma o farwolaeth plant yn dilyn gorchymyn Herod. Onid yw'n arswydus i feddwl fel roedd bywyd plant, a gwragedd hefyd, yn cael ei ystyried yn llai gwerthfawr na bywyd dynion, ac mewn sefyllfa o ryfel roedd bywyd dynion yn ddigon rhad hefyd? A yw gwerthoedd y ddynoliaeth wedi aeddfedu ar draws y canrifoedd? Pa mor wareiddiedig yw gwareiddiad go iawn?

Mae'n ddiddorol fod Iddewon yn cofio'r digwyddiad syfrdanol hwn ar hyd eu hanes. Hyd heddiw mae'r Pasg yn gofnod iddynt o law Duw yn achub. Mae deall yr Eglwys Gristnogol hefyd yn defnyddio'r un elfennau mewn cyd-destun hanesyddol gwahanol i gofio bod yna bŵer amgenach na hwy eu hunain yn weithredol er mwyn newid amgylchiadau dyn. Pan fyddwn yn dathlu'r Pasg, byddwn yn cofio bod Duw wedi darparu modd i ddyn fod yn rhydd. Rhydd o beth yw'r cwestiwn. Dyna lle mae'r drafodaeth am fywyd fel carchar; sylweddolir bod meidroldeb dyn yn ei gaethiwo. Mae Paul wedi deall y drafodaeth hon ac yn 1 Corinthiaid 15 darllenwn beth oedd yn ei feddwl ef.

Argyhoeddiad y Cristion yw bod Iesu yn cynnig drws agored o garchar ein cyflwr meidrol ac yn ein gwahodd i brofi bywyd gwell. Bydd llawer o'n hemynau yn sôn am wynfyd nefolaidd, ond mae'r drafodaeth Gristnogol yn sylweddoli bod Duw yn cynnig ffordd allan o bob math o garchardai. Onid carchar yw casineb a'r awydd i ddial? Carchardai eraill yw hunandosturi a hunangyfiawnder. Pa faint mwy sy'n dod i'r meddwl? Ble mae'r allwedd i agor drysau'r carchardai hyn, a sut mae cerdded allan? Iesu a ddywedodd ei fod yn cynnig rhyddid, a bod y sawl sy'n ei ddilyn ef yn derbyn bywyd newydd.

Gweddi

O Dduw trugarog, diolch i ti am rannu'r oriau golau a'r adegau tywyll gyda mi. Gweddïaf dros y sawl sydd mewn carchar ac yn meddwl am eu teuluoedd a'r sawl sy'n dal ati gyda dyletswyddau bywyd. Bydd eraill mewn carchar afiechyd, neu yn gaeth i sefyllfaoedd anodd fel priodas ddi-gariad neu gyfrifoldebau o ofalu am eraill nad ydynt yn gwerthfawrogi'r straen. Cofiaf hefyd am y sawl sy'n gaeth i gyffuriau o bob math. Agor y drysau, a helpa ni i anadlu awyr iach dy Ysbryd sanctaidd di. Amen.

Pan godai'r cwmwl

Gweddi
Arglwydd Iesu, diolch i ti am adael i mi dreulio amser yn dy gwmni heddiw. Plygaf yn wylaidd wrth dy ddrws a churo am dy gwmni. Helpa fi i werthfawrogi a mwynhau'r fraint. Amen.

Darllen Exodus 40

Cyflwyniad
Erbyn diwedd Llyfr Exodus gwelir bod y sawl a deithiai tu ôl i Foses ac Aaron wedi datblygu trefn addoliad. Roedd y daith yn bell, ac mae'n rhesymol credu bod y gwŷr ifanc a adawodd yr Aifft ac a aeth drwy'r Môr Coch wedi mynd yn arafach eu cam ugain mlynedd yn ddiweddarach. Roeddent wedi cofio'r elfennau amrywiol o grefydda yn yr Aifft, ac wedi'r cyfan ni fu ganddynt gartref ysbrydol. Dros y blynyddoedd o deithio ac arfer dilyn y Ddeddf fel y cyfeirid at y Deg Gorchymyn, roedd y bobl yn barod i adeiladu pabell symudol a'i galw yn Tabernacl. Dyma oedd Pabell y Cyfarfod. Ym mhennod 33, ceir portread o Foses yn adeiladu pabell arbennig er mwyn iddo gael cymdeithas gyda Duw. Byddai ei bobl yn gwylio Moses yn mynd i mewn ac yn gweld cwmwl yn aros uwchben y babell. Gwyddent fod Duw yn cyfarwyddo eu harweinydd ac roeddent yn ymddiried ynddo. Ym mhennod 35 gwelir bod angen adeiladu pabell arbennig ac mai'r crefftwyr fyddai yn ymgymryd â'r gwaith. Daeth y dydd pan oedd y cyfan yn barod ac agorwyd hi a'i chysegru. Roedd trefn ar y patrwm addoli ac roedd y fendith sanctaidd wedi ei rhoi.

Myfyrdod
Bydd gan bob corff ei drefniadaeth ei hun ac fe all addasu a newid ond yr un yw'r bwriad. Gwaith dyn oedd adeiladu'r babell ond derbyn bendith Duw ac arweiniad Duw oedd yn bwysig. Roedd y babell yn symud gyda'r bobl ac fel pob pabell symudol arall roedd y fendith yn dod yn y cyd-gyfarfod. Bydd pabell yr Eisteddfod Genedlaethol yn un symudol. Nid y babell yn ei ffurf a'i lleoliad yw canolfan diwylliant y genedl, ond wrth i'r Cymry ymgasglu mae yna ddarganfod a dathlu arbennig. Er mor bwysig

yw dathlu diwylliant y Cymry mae'r hyn a ddigwydd ar y maes yn bwysicach, fel y bydd ffrindiau, hen a newydd, yn mwynhau'r cymdeithasu. Yn yr un modd, roedd yr Hebrewyr cynnar yn dathlu eu cymdeithas gyda Duw ac yn gwybod bod presenoldeb y cwmwl o'u cwmpas yn cadarnhau eu bod yn gymuned arbennig. Roedd y dathlu yn gynhaliaeth ac yn gyfeiriad iddynt, ac roeddent wrth eu bodd. Dros y degawdau a'r canrifoedd, roedd eu ffyddlondeb yn amrywio, ond wrth gofio'r Pasg, Gŵyl y Bara Croyw a Gŵyl y Tabernaclau, roeddent yn effro i'w gorffennol ac yn ymddiried eu dyfodol i'r Arglwydd.

Man cyfarfod yw Iesu hefyd, ac wrth i'r eglwys gyfarfod yn ei enw, daw'r fendith ddwyfol ar y cynulliad. Dyna sy'n gwneud pob oedfa yn werthfawr, a phob gweddi yn bwysig. Nid defod yw gweddi ond profiad ac atgyfnerthu, fel Moses gynt yng nghwmni Duw ym Mhabell y Cyfarfod. Nid proses o edrych yn ôl yw crefydd, ond profiad o symud ymlaen. Mae'r frawddeg hon o Exodus 40:36 yn arwyddocaol, 'Pan godai'r cwmwl oddi ar y tabernacl, fe gychwynnai pobl Israel ar eu taith.'

Gweddi

Diolch, Arglwydd, am fy nerbyn yng nghyntedd dy bresenoldeb. Aros gyda fi weddill y dydd ac i'r dyfodol. Bydd yn oleuni o'm cwmpas a chadarnha fy ffydd, yn enwedig pan fydd yn gwanhau o dro i dro. Cynnal fi yn dy ras a bydd drugarog wrthyf. Amen.

Euogrwydd fel mynyddoedd byd

Gweddi

Arglwydd Iesu, gwyddost fy mod am fyw yn agosach atat a mwynhau dy fendithion. Weithiau mae bywyd yn ymddangos yn anodd, a disgwyliadau bywyd yn drwm. Helpa fi i i weld yr holl ddisgwyliadau hyn yng nghyd-destun dy gariad di. Amen.

Darllen Lefiticus 5:14–6:7; Mathew 5:43–48

Cyflwyniad

Prin y bydd unrhyw un yn darllen darnau o Lyfr Lefiticus fel rhan o ddefosiwn oedfa. Cyfeirir at y llyfr fel y drydedd ran o lyfrau Moses, sef y Pum Llyfr (Pentateuch). Ar sawl gwedd, mae'r llyfr yn ymddangos fel cyfres o ddeddfau ac amodau. Mae'n fwy na thebyg y byddai gweinyddwyr bywyd y Deml yn gyfarwydd â holl gymalau Deddf Moses. Er na ellir disgwyl i'r rhan fwyaf ohonom fod yn gyfarwydd â llyfr deddfau Prydain, ymddiriedwn fod y cyfreithwyr a'r barnwyr yn deall yn iawn sut mae trafod yr amrywiol gymalau. Rhennir y 27 pennod yn Llyfr Lefiticus i bum adran sef deddfau defodau aberthau (1–7); sefydlu addoliad (8–10); Deddfau Puredigaeth (11–16); Deddfau Sancteiddrwydd (17–26); ac mae'r bennod olaf (27) yn ailadrodd thema'r drydedd adran.

Byddai'n hawdd osgoi'r llyfr yn llwyr, ac aros gydag adrannau naratif yr Hen Destament, ond mae ystyried y deddfau yn rhoi cefndir a chyd-destun nifer o'r adrannau yn y Testament Newydd. Er eu bod yn anniddorol ynddynt eu hunain, mae'n fuddiol aros gyda'r syniad o ddeddfau oherwydd rhoddant gyfle i fyfyrio ar y cwestiynau sy'n trafod sylfeini cyfraith a threfn pob gwlad. Bydd pob cymdeithas yn gorfod trafod ymddygiad gwael eu brodorion, ac mae'r gwledydd Mwslimaidd yn llai goddefol na gwledydd sydd â chanran uwch o Gristnogion yn eu mysg.

Myfyrdod

Mewn nifer o wledydd mwy haearnaidd eu system o gosbi na Phrydain, mae dioddefaint corfforol a phenyd eiddo yn adlewyrchu nodweddion Llyfr Lefiticus. Mae'n siŵr y byddai llywodraeth gwledydd fel Saudi

Arabia yn hawlio bod llai o droseddu yn digwydd yn eu mysg nag sydd mewn gwledydd gorllewinol.

Mae euogrwydd a phenyd yn eiriau pwysig yn ein hemynyddiaeth a hynny am fod y delweddau Hebreig wedi llifo i iaith ein crefydd. Pan fyddwn yn sylweddoli mor annheilwng ydym o gael cwmni'r sanctaidd a'r dwyfol teimlwn yn euog. Defnyddir y term 'pechod' i ddynodi ein cyflwr bydol a hunanol. Does unrhyw beth y gall dyn ei ddweud na'i wneud i hawlio cymundeb gyda Duw. Am fod Duw yn Dduw cariad, sy'n barod i faddau ein gwendidau, mae modd cael yr hyn a alwn yn brofiad ysbrydol. Sut bynnag, roedd yr Iddew yn deall cosb a'r angen am offrwm ac aberth. Mae Iesu'n gwahodd pobl i gredu ac ymddiried ynddo a bod hynny'n ddigon i bob credadun brofi Duw a derbyn ei gynhaliaeth a'i fendith.

Iesu a ddywedodd, 'Cymerwch fy iau arnoch a dysgwch gennyf, oherwydd addfwyn ydwyf a gostyngedig o galon, ac fe gewch orffwystra i'ch eneidiau' (Mathew 11:29).

Gweddi

Diolch i ti, Iesu, am gynnwys yr holl gyfreithiau oddi fewn i'r anogaeth i garu Duw a charu cymydog. Maddau i ni am boeni gormod am fanylion crefyddol a cholli golwg ar y fraint fawr o brofi dy gariad di. Amen.

Dry'n ganu wrth dy groes

Gweddi

Deuaf Arglwydd yn wylaidd ger dy fron heddiw, yn gofyn am dy arweiniad a'th gymorth i ddarllen adran sy'n ymddangos yn anodd. Agor fy llygaid i'th weld o'r newydd ac i ryfeddu atat. Amen.

Darllen Lefiticus 10; Y Llythyr at yr Hebreaid 9

Cyflwyniad

Yn yr uned ddiwethaf, nodwyd y ddeddfwriaeth a ddaeth i geisio trefn i'r genedl Hebreig. Y mae'r sawl sy'n derbyn maddeuant am eu camweddau yn reddfol am ddiolch i'r sawl sy'n maddau ac yn cynnig cyfle newydd arall. Yn y tair pennod – Lefiticus 8–10 – gwelwn fel roedd Aaron a'i feibion wedi eu dewis a chael hyfforddiant i fod yn offeiriaid ac i arfer yr aberthau roedd y Ddeddf yn eu nodi fel ffordd i'r Israeliaid wneud Iawn am eu pechodau.

Myfyrdod

Bydd llawer un yn ei chael yn anodd deall a derbyn geirfa a delweddau yn y Testament Newydd ac yn ein hemynyddiaeth sy'n sôn am 'aberth' a 'Iawn', gan gredu mai Paul a luniodd y cyfan. Mae gwreiddiau'r iaith a'r ddiwinyddiaeth ynghlwm yn yr Hen Destament, ac o ddeall rhywbeth am gefndir y dyhead Hebreig i fod mewn perthynas gymodlon â Duw, fe ddaw hi'n haws deall a derbyn rhywfaint ar eirfa sy'n aml yn waedlyd ac atgas.

Beth a olygir wrth sôn am 'waed dy groes sy'n codi i fyny'r eiddil yn goncwerwr mawr' (William Williams, *C.Ff.* 494)? Ymddangosodd Duw ar ffurf person yn Iesu Grist, gan wynebu holl anawsterau bywyd fel person dynol. Nid oedd modd i bobl ddynol gael perthynas barhaol â Duw am mai marwolaeth oedd diwedd pob dyn. Drwy herio a threchu marwolaeth ar y Groes ac yn yr Atgyfodiad, mae Iesu yn cyflawni'r hyn roedd pobl yn ei gael yn amhosibl, ac felly yn gwahodd y sawl a gredai ynddo i'w ddilyn a chael profi perthynas â Duw. 'Daeth Iesu Grist o'r nefol dir, a llond ei galon fwyn o gariad at drigolion llawr, a marw er eu mwyn.' (Gomer,

Llawlyfr Moliant 38). Nid oedd angen defod ac aberth ar y sawl a dderbyniai Iesu fel ei Arglwydd a'i fywyd.

Yn y Llythyr at yr Hebreaid (penodau 7–8), dywed yr awdur fod Iesu yn Apostol ac yn Archoffeiriad, ac fe ganodd Elfed, 'Nid oes i ni offeiriad ond Iesu Grist ei hun' (*C.Ff.* 613). Bydd y sawl sydd o gefndir Pabyddol, ac i raddau llai yr Anglicaniaid, yn credu bod i'r offeiriad swyddogaeth anhepgorol. Mae'r sawl sydd o argyhoeddiad anghydffurfiol yn dadlau nad oes angen offeiriad i fod yn ganllaw rhwng dyn a Duw. Yr hyn sydd ei angen ar bob un sy'n sylweddoli ei fod yn amherffaith ac mewn angen am faddeuant Duw am ei bechod, ac yn credu bod Iesu yn bont rhyngddo a Duw, yw cydnabod hynny. 'Nesáu at Dduw sydd dda i mi', ac yn y profiad o addoli fe ddaw'r credadun i berthynas fyw â Duw Abraham, Isaac a Jacob, Duw a Thad ein Harglwydd Iesu Grist. Os bu testun rhyfeddod erioed, dyna fe. Mae addoliad yn weithred o daflu beichiau bywyd wrth draed y Duw sy'n ein caru, ac wedi ei gwneud yn hawdd i ni ei dderbyn heb boeni am fecanwaith cymhleth addoliad fel sydd yn Llyfr Lefiticus.

Gweddi

Arglwydd Iesu, diolch i ti am ddod i'r byd i ddangos Duw i ni, ac am ddod i'm bywyd a'm helpu i, i fwynhau dy gwmni. Maddau i mi am feddwl weithiau bod angen geiriau arbennig a ffurf arbennig i'th addoli. Plygaf o'th flaen a'th addoli'n wylaidd a llawen. Amen.

Y glân na ellir ei faeddu

Gweddi

Nefol Dad, mae arnaf ofn dod yn agos atat, fel Moses gynt, gan fy mod yn sylweddoli dy fod yn sanctaidd. Helpa fi heddiw i ddod atat er fy meiau. Amen.

Darllen Lefiticus 26:1–13; Eseia 6

Cyflwyniad

Yn rhan olaf Llyfr Lefiticus, pwysleisir bod Duw yn Sanctaidd a'i fod yn galw ar y genedl i fod yn sanctaidd. Roedd pobl Israel wedi sylweddoli bod dyn yn ei natur yn hunanol a drwg ac yn medru troi'r sefyllfa harddaf i fod yn hyll a baeddu'r dŵr llonydd a glân. Mae'r deddfau sy'n cael eu tadogi i Foses yn pwysleisio'r ymwybyddiaeth honno, a phwrpas yr holl orchmynion yw lleihau'r cyfleoedd i ddyn bechu yn erbyn Duw. Penllanw'r ddeddfwriaeth yw dweud bod modd i ddyn dderbyn bendith o law Duw drwy fod yn ufudd iddo. Dywedir yn Lefiticus 26:12 bod Duw ar gael ac 'yn rhodio yn eich mysg'. Prin fod modd iddo fod yn agosach. Nid y Duw pell, anodd ei weld a'i amgyffred, sydd yma, ond un sy'n ymwybodol o amgylchiadau'r bobl.

Myfyrdod

Un o'r elfennau sy'n nodweddu'r anufudd-dod yw byw fel pe bai Duw yn absennol o'i fyd, sef y dybiaeth nad yw yn gweld a chlywed unrhyw beth a'i fod yn ddi-hid o bobl daear. Dywed David Jones, yr emynydd, fod 'Duw yn llond pob lle, presennol ymhob man; y nesaf yw efe o bawb at enaid gwan' (*C.Ff.* 76), a gwerthfawrogwn yr un sicrwydd yn y llyfr hwn. Ynghanol cymalau'r ddeddf, cawn bortread o natur sanctaidd Duw.

Tybed a fyddem ni yn gweld ein deddfwriaeth fel portread o Dduw? Os byddwn yn gyrru'n gyflymach na'r hyn a ganiateir ar hyd darn o ffordd, a bod y camerâu cyflymdra yn nodi hynny, byddwn yn fwy tebygol o sôn am ein lwc wael, ond ai pechu yn erbyn Duw yw hynny? Byddwn yn clywed pobl yn defnyddio enw'r Arglwydd fel rheg, a phrin y bydd Cristnogion, heb sôn am anffyddwyr, yn poeni llawer am y peth fel gwarth ar grefydd. Yn y sefyllfaoedd hynny, mae'n ymddangos fod Duw yn ddigon pell o feddwl neu gredo'r rhegwr. Pa mor wir yw sôn am bob arwydd o wendid fel pechod yn erbyn Duw? Bydd y rhan fwyaf ohonom yn colli tymer, neu weithiau yn gwneud yn fach o berson. Gallwn deimlo cywilydd yn ddiweddarach, ac o bosibl fod ag awydd i ymddiheuro, ond ymddiheuro i bwy? Byddwn yn barod i gynnwys cymal mewn gweddi gyhoeddus a gweddi bersonol sy'n 'cyffesu ein pechod', ond beth a dybiwn oedd ein pechod? Ai drwg yn erbyn person arall, neu fod y drwg hwnnw hefyd yn bechod yn erbyn Duw? Argyhoeddiad yr Hebrewyr cynnar oedd credu bod pob pechod yn bechod yn erbyn Duw. Beth amdanom ni heddiw?

Mae Iesu yn deall ein natur ddynol bechadurus, ac yn awyddus i fod wrth ein hochr. Cawn ddarlun ohono yn golchi traed ei ddisgyblion yn ystod yr Wythnos Sanctaidd, a hynny fel llun ohono yn arfer maddeuant. Mae'r Duw sanctaidd yn gariad pur sy'n medru maddau i'r pechadur pennaf sy'n sylweddoli ei weithred a'i gyflwr. Natur Duw a ddaw i'r golwg a'i fod ef am 'drigo yn ein plith' neu fel y dywed Lefiticus 26:12, 'Byddaf yn Dduw i chwi a chwithau'n bobl i minnau.'

Gweddi
Diolch, Arglwydd, dy fod yn fy ngharu er fy meiau, ac yn barod i'm golchi'n lân er fy mod yn dwyn arogleuon hyll y byd. Maddau i mi fy ngwendidau hunanol, a helpa fi i faddau i bobl sy'n codi fy ngwrychyn i. Amen.

Pwy sydd yn y sedd yrru?

Gweddi

Gwyddost Arglwydd ein bod yn aml yn teimlo fel defaid yn crwydro yn ddigyfeiriad, ac yn ofni bod ar goll. Helpa fi heddiw i fod yn sicrach o gyfeiriad fy mywyd drwy ddilyn Iesu. Amen.

Darllen Numeri 11:1–30

Cyflwyniad

Nodwyd wrth aros gyda Llyfr Lefiticus bod y golygyddion a ddaeth â'r defnyddiau hyn ynghyd yn awyddus i roi trefn ar hanes, a hynny fel bod eu safbwyntiau a'u blaenoriaethau hwy yng nghyfnod yr ysgrifennu, ganrifoedd yn ddiweddarach, yn cymeradwyo awdurdod a thraddodiad hynafol oes Moses. Yn Llyfr Numeri, cawn adroddiad o hanes y genedl yn teithio o gyfnod yr anialwch. Ceir cyfres o gŵynion yn erbyn Duw a Moses yn yr adroddiadau hyn. Gellir deall y natur ddynol yn chwilio am drefn ynghanol y cyfnod o deithio blinedig. Gwnaeth llenyddiaeth sawl cenedl yr un peth dros y canrifoedd, a hawdd deall fel mae angen gwreiddio gwerthoedd heddiw yn hanes ddoe.

Myfyrdod

Peth diddorol yw trefn. Beth sy'n achosi i ddefaid gerdded mewn trefn wrth symud ar hyd llethrau'r mynydd? Yn yr un modd, mae gwylio morgrug yn gweithio'n galed ac yn cario llwyth, llawer mwy na hwy eu hunain, yn ysbrydiaeth. Ym mis Awst 2010, bu 33 o fwyngloddwyr yn gaeth o dan ddaear ym Mhwll San José, Chile, ac nid oedd ganddynt ond dwy lond llwy de o gig tuna, llymaid o laeth a hanner bisgeden yr un i'w rannu bob deuddydd. Y fath drefn ynghanol arswyd eu sefyllfa!

Roedd Israel yn siŵr o sylweddoli nad oedd y ffordd ymlaen yn glir, ac wrth adrodd yr hanes gwelir eu bod yn awyddus i sicrhau trefn foesol ac ysbrydol. Yn y crwydro cynnar, dangosir bod y drefn honno wedi ei sefydlu, ac mai dyna oedd ewyllys Duw ar eu cyfer. Bu'r genedl mewn sawl argyfwng dros y canrifoedd, ac wrth gofio'r profiadau hyn yn yr anialwch, byddent yn debygol o ddeall beth oedd ewyllys Duw ar eu cyfer, a hynny ynghanol pob argyfwng.

Yn gynt yn y llyfr cawn ddeall bod llwyth y Lefiaid wedi eu dewis i weithredu fel offeiriaid, a'u bod hwythau i gynnig trefn ac arfer da ar gyfer pob sefyllfa. Yn yr unfed ganrif ar hugain, nid yr offeiriaid fyddai yn cael y cyfrifoldeb o arwain. Troi at wleidyddion neu filwyr a wna gwledydd mewn argyfwng gan amlaf. Prin fod trigolion yr Aifft a Libya wedi gwneud hynny yng ngwanwyn 2011.

Ni wnaeth Paul annog caethweision yr eglwys fore i godi mewn gwrthryfel, ond yn hytrach hyrwyddo chwyldro oddi fewn i'r eglwys, a dyna a ddaeth â meddylfryd newydd i fri. Galw offeiriad i arwain a wnaed yn ystod y crwydro yn yr anialwch, ond mae'r eglwys Gristnogol yn gweld Iesu fel yr offeiriad sy'n cynnig arweiniad ac esiampl. 'Carwch eich gilydd fel y cerais i chwi,' oedd ei eiriau ef.

Pwy yw ein hoffeiriad ni? Ai dyn, ai Duw? Gwelwn fod y sawl a ddilynodd Moses yn barod i ganiatáu i'w gwendidau ddod i'r amlwg. Mae bywyd person sy'n arfer crefydd yn dod â ffocws y tu allan i'r person ei hun. Mae'n siŵr y gall sawl crefydd gynnig hynny, ac efallai bod yoga yn fodd i lonyddu enaid. Mae Cristnogaeth, nid yn gymaint yn cyfeirio sylw'r enaid at wrthrych oddi allan iddynt eu hunain, ond yn gwahodd Duw i mewn i'w bywyd a derbyn ei anadl ef.

Gweddi

Anadla, anadl Iôr,
llanw fy mywyd i,
fel byddo 'nghariad i a'm gwaith
yn un â'r eiddot ti. Amen.

(Edwin Hatch, *cyf.* Alun Davies, *C.Ff.* 567)

Cerdded gyda Caleb

Gweddi

Arglwydd Iesu, gwyddost fy mod am dreulio mwy o amser yn dy gwmni a dod i'th adnabod yn well. Helpa fi heddiw i glosio atat a dysgu mwy amdanat. Amen.

Darllen Numeri 13:1–14:25

Cyflwyniad

Rhwng penodau 13 a 21 ceir adroddiadau am ail gyfnod y daith yn yr anialwch, cyn i'r Israeliaid gyrraedd gwastatir Moab. Yn yr adran hon ceir tystiolaeth i Foses anfon ysbïwyr o'i flaen i ystyried grym y bobl a feddiannai diroedd Canaan, ac ni chafodd adroddiadau cyson na ffafriol (13:31). Fel sydd yn digwydd yn aml, nid yn unig yn hanes Israel, ond yn hanes pob gwlad, pan fo anhapusrwydd ac ofn mae'r bobl yn aflonyddu ac yn grwgnach a bygwth dial. Ym mhennod 14 gwelwn Moses ac Aaron yn eiriol dros y bobl, ac mae'r arweinwyr eraill fel Josua a Caleb yn datgan bod yr Arglwydd o'u plaid, ac na ddylid ystyried dychwelyd i'r Aifft.

Myfyrdod

Profiad anodd i bawb yw cydnabod rhwystredigaethau bywyd. Weithiau byddwn yn gweld bai arnom ein hunain, ac yn aml gwelwn fai ar eraill am nad ydynt yn gweld y sefyllfa fel y gwelwn ni'r hyn sydd o'n blaen. Pan fydd tîm ar y cae chwarae yn ymladd ei gilydd maent wedi colli'r gêm yn llwyr. Dyna'r adeg mae angen troi at y capten a'r hyfforddwr am arweiniad ac ysbrydoliaeth, nid yn unig er mwyn dod o hyd i farn a chyfeiriad cyffredin, ond rhag i unrhyw un llais droi'n gas a dialgar. Yr un gwirionedd sydd ar bob llwyfan, boed yn waith neu bleser, brwydrau neu genhadaeth. Golygfa drist yw honno lle bydd angen rhannu bwyd ac adnoddau mewn ardal a ddioddefodd drasiedi, megis un yn dilyn corwynt neu ddiffyg cynhaeaf, a gweld y brwydro ymysg y dioddefwyr eu hunain.

Yn yr adran dan sylw, ynghanol y grwgnach a'r anghydweld, mae gweddi yn cael ei hoffrymu a cheir addewid o faddeuant. Bydd rhai yn cofio'r cymeriad Caleb fel un o'r anifeiliaid hoff a rhyfedd ar raglen deledu i blant flynyddoedd yn ôl. Yn Numeri 14:24 ceir darlun o Galeb arall, un a oedd yn ymddiried yn Nuw ac yn barod i gynnig arweiniad i'r bobl er bod y llif yn ei erbyn.

Rhan o gredo a thraddodiad llafar Israel oedd bod y sawl a fyddai'n grwgnach yn erbyn Duw yn marw yn yr anialwch, tra bod y sawl a fyddai'n ffyddlon fel Caleb a Josua yn cael gweld 'gwlad yr addewid'. Mae'n siŵr bod pobl Israel wedi clywed am Caleb a Josua droeon er nad oes cofnodion amlwg am y naill na'r llall yn llenyddiaeth ddiweddarach y genedl. Josua a ddilynodd Moses fel arweinydd, ac mae llyfr wedi ei neilltuo i gofnodi hanes ei anturiaethau.

O'r deuddeg a aeth, ar orchymyn Moses, i ysbïo ar dirwedd Canaan, daeth deg yn ôl â neges negyddol tra bod Caleb a Josua wedi gweld y posibiliadau ac yn annog bod yn hyderus. Ai gweld y botel hanner llawn a wnawn ni neu sylwi ar fesur yr hyn sy'n wag? Wrth gwrs, mae'n dibynnu ar yr amgylchiadau. Dysgodd y brenin Canute ei wers wrth geisio gorchymyn y môr i aros. Bydd gan y realydd lawer mwy o ddirnadaeth ar beth sydd orau i'w wneud na rhywun sy'n barhaol negyddol, neu yn or-barod i wisgo sbectol euraidd. Yr hyn sy'n wahanol o safbwynt Cristnogaeth yw bod Duw o'n plaid. Ceir galwad i hyrwyddo'r cadarnhaol ac annog pobl i ymddiried yng ngallu Duw beth bynnag yw grym y gelyn.

'Mae nos a Duw yn llawer gwell na golau ddydd a Duw ymhell.'
(Penrith, *C.Ff.* 77)

Gweddi

Arglwydd, ymddiriedaf yn dy rym a'th allu. Maddau i mi am fethu gweld y posibl pan wyt ti wrth fy ymyl. Tro di ein nos yn ddydd, ac arwain fi i gerdded yng ngoleuni dy lewyrch. Amen.

Pwy wyt ti, Arglwydd?

Gweddi

O Dduw'r Ysbryd Glân, tyrd i'm bywyd heddiw a helpa fi i ddeall yn gliriach maint dy rym a'th allu. Agor fy llygaid i weld dy ogoniant ac i ryfeddu ar dy fawredd. Amen.

Darllen Numeri 22–24; Actau 9:1–19a

Cyflwyniad

Nodwyd eisoes bod y llyfr yn dilyn taith pobl Israel ac yn gorffen gyda'r cyfnod y daeth y genedl i dir pobl Moab. Mae'r drydedd adran yn ymestyn rhwng penodau 22 a 36. Ynddynt ceir hanes ail gyfrifiad, pennod 26, gan y byddent yn awyddus i wybod faint o bobl oedd yn y fintai helaeth hon, a'r modd y bu Duw yn eu gwarchod rhag byddin Moab. Ni ddylid rhoi gormod o bwyslais ar y niferoedd a deithiodd, gan fod y copïwyr yn medru camnodi, ond byddai'n deg dweud bod nifer sylweddol o bobl, yn cynrychioli llwythau Israel, yn crwydro'r anialwch dros gyfnod maith. Ym mhenodau 22–24 ceir hanes Balac, brenin Moab, yn gweld y perygl roedd Israel yn ei achosi iddo, gan gydnabod bod Israel yn gryfach na'r Moabiaid. Galwodd ar Balaam, y swynwr, i felltithio Israel a'u gyrru o ddyffryn Moab.

Myfyrdod

Mae bywyd yn ei natur yn gyfarwydd â gwrthdaro – dau blentyn eisiau yr un tegan, dau fachgen am gwmni yr un ferch, pobl yn hawlio tiroedd pobloedd eraill. Ffin denau sydd rhwng cystadleuaeth iach a gwrthdaro heriol ac anodd. Bydd hyd yn oed y robin goch sydd wedi ymsefydlu mewn gardd yn gwneud ei orau glas i gadw aderyn tebyg i ffwrdd. Pan na fydd gan awdurdodau un wlad y modd i herio pobl eraill sy'n bygwth eu tiriogaeth, bydd yn chwilio am ddylanwadau gwahanol. Pa mor aml y gwelwyd y defnydd o enllib a chelwydd yn fodd i bardduo gelyn? Bydd gweisg yr unfed ganrif ar hugain yn cyflwyno'r gelyn, beth bynnag yw llwyfan yr ymryson, fel ymgorfforiad o'r diafol. Ceir mewn sawl diwylliant yr arfer o wyngalchu un blaid a phardduo'r llall.

Galwodd Balac y brenin ar Balaam y swynwr i felltithio Israel, a defnyddio'r ysbrydion i aflonyddu a herio'r Israeliaid. Ceir datganiad yn Saesneg bod rhoi enw drwg i gi cystal â'i grogi. Yn ddiddorol, mae asen Balaam yn synhwyro presenoldeb dwyfol ar dri achlysur, fel bod Balaam yn cael niwed ac yn curo'r asen. Erbyn i Balaam gyrraedd palas Balac, roedd yn gwybod na allai felltithio pobl Dduw. Erbyn diwedd y bennod roedd Duw wedi dirymu pobl Moab heb golli gwaed.

Pa sawl melltithiwr a heriodd yr eglwys Gristnogol a brofodd dröedigaeth fawr? Pa sawl gormeswr a aeth yn genhadwr, a pha well enghraifft na Saul o Darsus yn troi yn Apostol Paul y cenhadwr tanbaid? Ni ddylem feddwl mai dim ond mewn gwledydd eraill yn y gorffennol y ceir enghreifftiau o Dduw yn sefyll fel angel o flaen person a throi ei fyd wyneb i waered. Byddwn yn siŵr o wybod am lawer enghraifft o bobl y tröedigaethau dramatig, neu bobl a giliodd yn llwyr o'r eglwys ond a ddaeth yn ôl fel C. S. Lewis i fod yn genhadon eithriadol yn nhystiolaeth yr eglwys. Mae pobl fel Alistair McGrath, un a oedd yn anghredadun ymroddedig, bellach yn athro Diwinyddiaeth yng Ngholeg y Brenin, Llundain, ac wedi cynnal dadleuon cyhoeddus gyda phobl fel Richard Dawkins a Christopher Hitchens. Os cafodd McGrath dröedigaeth, oni allwn obeithio am weld Dawkins a Hitchens yn profi'r un chwyldro ysbrydol? Pa mor gyson y byddwn yn gweddïo dros ein ffrindiau a'n cydnabod i ddod i'r un man o argyhoeddiad ysbrydol â ni?

Gweddi

Arglwydd, diolch i ti ein bod wedi profi dy gwmni a chlywed dy lais. Does yna ddim byd i'w gymharu â phrofi'r sicrwydd o wybod bod Efengyl Iesu yn wir ac yn berthnasol i'n bywyd ni. Helpa fi i rannu ffydd gydag eraill, a hynny er dy ogoniant di. Amen.

Y Daith o'r Gorffennol i'r Dyfodol

Gweddi

Arglwydd Dduw ein tadau, mae'n anodd sylweddoli bod ein hynafiaid wedi galw ar dy enw a cheisio dy arweiniad a'th fendith fel y gwnawn ninnau heddiw. Wrth i mi feddwl am neges y darlleniad, helpa fi i weld dy fod yn barod i'm helpu fel y gwnaethost yng nghyfnod Moses a phob un o'm tylwyth ar hyd y daith o'r gorffennol hyd heddiw. Amen.

Darllen Deuteronomium 4:1–40

Cyflwyniad

Fel gyda llawer o lyfrau'r Hen Destament, mae'r academyddion yn ei chael yn anodd dyddio Llyfr Deuteronomium. Dadleuir gan amryw bod y gwaith wedi ei ddarganfod yn y Deml ar adeg ei hailadeiladu gan Joseia tua 621CC. Bydd rhai yn awgrymu bod y Pum Llyfr wedi eu claddu yn adeilad yr hen Deml, ac eraill yn tybied mai dogfen Deuteronomium yn unig oedd yno. Ymdrech oedd y cyfan i ddyrchafu enw Duw – Yahwe yng nghredo a chrefydd y bobl. Gwelodd y brenin Joseia, gŵr ysbrydol a duwiolfrydig, ei gyfle i hoelio sylw ei bobl ar berson ac ewyllys Duw. Mae'r llyfr yn cael ei ystyried fel llif o'r gorffennol i'r dyfodol, gan gario gwirionedd a gwerthoedd sy'n fythol berthnasol.

Myfyrdod

Dywedir mai Moses a lefarodd y geiriau yn yr anerchiadau a groniclir yn y llyfr hwn. Efallai mai eraill a wnaeth, a'u gosod ar wefusau Moses, er mwyn cyflwyno ffydd yr arweinydd cadarn i'r cenedlaethau a fyddai'n blant yr yfory. Cofiwn am Enid P. Roberts, darlithwraig yn y Gymraeg yng Ngholeg Prifysgol Cymru, Bangor, yn annog ei myfyrwyr i adrodd hanesion y genedl i'w plant. Clywais rai yn dweud bod Norah Isaac, un arall o fawrion y byd addysg, wedi pregethu ar yr un testun. Mae'n siŵr y byddai llawer i 'Foses' Cymraeg arall wedi dweud yr un peth. Nid y pregethwr sy'n bwysig, wedi'r cwbl, ond cynnwys y bregeth.

Cofio Duw ac ymddiried ynddo oedd pwyslais y sawl a gofnododd gyfnod Israel yn yr anialwch. Byddai'r hanes yn cyflwyno sylfeini crefyddol y genedl, ac roedd gan Joseia ddiddordeb mawr mewn gwneud hynny. Tebyg iawn fod rhywrai eraill, fel y brenin Heseceia a'r proffwyd Jeremeia, wedi rhannu'r un weledigaeth, ac i'r neges gael ei chyflwyno o gyfnod i gyfnod.

Mewn cyfnod o drai crefyddol, mae perygl i'r gweddill ffyddlon ddigalonni drwy dybied bod y dystiolaeth a'r gymuned Gristnogol yn dod i ben yn eu cyfnod hwy. Nid bod cyfiawnhad i fod yn ddifater ynglŷn â'n tystiolaeth a'n cymdeithas eglwysig, ond bod Duw yn fwy na hanes, ac na fydd yn ei adael ei hun yn ddi-dyst. Byddai Joseia yn medru darllen arwyddion amserau ei gyfnod, a gweld bod gofid gwleidyddol ar y gorwel. Wrth gyflwyno deunydd fel Llyfr Deuteronomium i'w bobl, byddai yn cadarnhau addewid Duw o'r newydd, fel y bu hanes yn adrodd yr un gwirionedd ar draws y canrifoedd.

Mae cerdded y llwybr o'r gorffennol i'r dyfodol yn ein hatgoffa ein bod yn ddolen mewn cadwyn, neu yn gam ar y daith; mae presenoldeb Duw ei hun yn Iesu Grist yn medru goresgyn pob arswyd.

Gweddi

 Arglwydd, melys ydyw cerdded
  Ar y ffordd tua Seion fryn,
 Teithio hon y bu ein tadau
  Yn finteioedd heirdd cyn hyn.
   Hapus ydym
 O gael rhodio yn ôl eu traed.
    (David Davies, Penarth, *Llawlyfr Moliant* 480)

Os rhannu, rhannu'n deg!

Gweddi
Weithiau, Arglwydd, bydd gofidiau bywyd yn ormesol ac yn cau amdanaf. Helpa fi heddiw i flaenoriaethu yr hyn sydd o wir bwys, ac i sylweddoli dy fod yng nghanol fy mywyd a'm byd. Amen.

Darllen: Deuteronomium 10

Cyflwyniad
Wrth i awduron Llyfr Deuteronomium atgoffa Israel o'r gorffennol, gwelir bod cyfnod derbyn y Deg Gorchymyn yn gam pwysig i ddealltwriaeth y genedl o natur a pherson Duw. Bu'r daith yn un a fu'n crisialu ymwybyddiaeth y genedl bod eu ffydd a'u bodolaeth hwy yn dduw-ganolog. Yn ein darlleniad heddiw, nodir yr hyn sy'n gyfamod rhwng Duw a'r genedl, perthynas sy'n un ganolog i ddealltwriaeth y genedl Iddewig hyd heddiw. Pan wrandawn ar ddadleuon Israel heddiw am ei hawl i diroedd penodol, byddant yn cyfeirio at y ffaith mai Duw eu crefydd a'u harweiniodd yno, ac y byddai ildio eu hawl ar y tir yn sarhad yn erbyn Duw.

Myfyrdod
Cred yr Iddewon yw bod Duw wedi galw cenedl i fod yn bobl o hunaniaeth benodol gyda'i gilydd i ffurfio perthynas gydag ef. Gallai rhai feddwl y byddai Israel yn ei gweld ei hun yn genedl well nag unrhyw genedl arall, a byddai'n hawdd iddynt i weld y cyfle i ymddangos yn drahaus o genhedloedd eraill. Er clod i'r Iddewon, ni ddigwyddodd hynny ar hyd y canrifoedd. Yn eu cyfnodau o lwyddiant ac o aflwyddiant, nid yw'r meddwl Iddewig wedi arfer snobyddiaeth dros genhedloedd eraill. Os rhywbeth maent wedi profi siom a dioddefaint heb golli ffydd na thybied bod Duw wedi eu hanghofio.

Mae'r darlleniad yn debyg i'r adran gyfarwydd yn llyfr y proffwyd Micha 6:8. Galwad i ofni a pharchu Duw, a bod yn ufudd iddo gan gerdded ei lwybrau. Ceir galwad i'w garu am fod Duw yn Waredwr, ac anogaeth i garu cenhedloedd eraill am mai dyna yw ewyllys Duw. Onid yw hi'n hawdd sylweddoli bod Iesu wedi dod i gyflawni'r gyfraith, ac nid i ddileu unrhyw elfen ohoni? Er bod y cyfreithiau yn ymddangos fel rheolau manwl ac anodd, gwir bwrpas y cymalau hyn yw arwain pobl at berthynas gynhaliol a chynnes gyda Duw. Dywedodd Iesu fod deddfau'r genedl yn plethu i lunio dwy wir reol, sef yr angen i garu ac ymroi i Dduw ac i garu cyd-ddyn yn yr un modd. Pa ddeddfwriaeth all wella ar hynny?

Bydd y ffydd Gristnogol yn ystyried bod Duw yn cynnig gwahoddiad i bawb rannu yn y cyfamod a estynnodd i Israel. Credu yn Iesu Grist yw'r cam cyntaf, er mwyn sicrhau bendith a chymdeithas ddiddiwedd gyda Duw. Mae canlynwyr Iesu yn galw am gyfiawnder i'r gweddwon a'r amddifad, y dieithryn a'r sawl a fu'n elynion. Wrth i ni ofyn i'r Iddewon cyfoes beth mae hynny yn ei olygu ar y Llain Orllewinol gallant hwy ofyn i ni a fyddwn yn gweithredu cyfiawnder ac yn rhannu o'n heiddo gyda'r amddifad a'r diymgeledd yn ein byd.

Gweddi

Diolch, Arglwydd, dy fod yn Dduw amyneddgar. Dymunaf gerdded ar hyd dy lwybrau heddiw gan afael yn dy law, ac yn ymwybodol dy fod yn sylweddoli bod pob gair a gweithred, pob bwriad a syniad yn fy mywyd i, yn amlwg i ti. Amen.

Ymlaen mae Canaan

Gweddi

Arglwydd, gwyddom ein bod ar daith bob dydd, heb syniad pwy fyddwn yn ei gyfarfod, beth a deimlwn na beth a ddisgwylir oddi wrthym. Gafael yn ein llaw a'n tywys ar hyd ffordd y gwirionedd a'r bywyd. Amen.

Darllen Deuteronomium 28:1–14

Cyflwyniad

Mae'r llyfr hwn yn ceisio dangos bod yr Israeliaid ar daith. Ar draws y Pum Llyfr, gwelir bod Moses yn arweinydd a ymddiriedodd yn Nuw ar hyd y ffordd. Wrth adrodd yr hanesion hyn o genhedlaeth i genhedlaeth, byddai'r Iddewon yn sylweddoli mai Iafe, Duw Abraham, Isaac a Jacob, oedd yn arwain mewn gwirionedd. Mae'r daith yn mynd o gaethiwed i ryddid, o fod yn fugeiliaid i fod yn amaethwyr gyda sgiliau newydd. Roedd Canaan yn wlad yr ymsefydlu a bwrw gwreiddiau. Cyn diwedd y llyfr cawn glywed bod Josua wedi cael ei ddewis i fod yn olynydd i Moses.

Mae'r hanes yn sanctaidd am fod y ddeddf yn sanctaidd – yn rhodd gan Dduw. Fel y nodwyd mewn pennod flaenorol, roedd y Ddeddf yn fwy na chyfres gymhleth o reolau, roedd yn fynegiant o ewyllys Duw ac addewid Duw i'w bobl. Dyna sylfaen eu gobaith, a sicrwydd eu hyfory.

Myfyrdod

Ffenomen ryfedd am y Cymry yw eu bod yn holi o ble y daeth y dieithryn ac i bwy mae yn perthyn. A yw o bwys? Wedi'r cyfan yr heddiw sy'n cyfrif. Os oes yna werth i gwrdd â pherson ar un o groesffyrdd bywyd, y presennol byr yw'r unig wir realiti. Pa ots beth oedd gorffennol y cwmni newydd, a phwy a ŵyr i ble y bydd y daith yn ein harwain? Beth bynnag yw gwir gymhelliad yr holi, mae gorffennol pob un yn greiddiol i'w heddiw. Dim ond wrth ddeall y dylanwadau a fu ar orffennol y disgybl y gall yr athro gynnig addysg effeithiol. Bydd pob meddyg am wybod beth oedd stori ddoe cyn cynnig triniaeth heddiw. Roedd yr Iddewon yn ystod eu profiadau ar y daith yn adrodd y cyfamod rhwng eu cyndadau a Duw er mwyn eu hysbrydoli yn ystod eu rhan hwy o'r daith.

Pobl nomadig oedd cyndadau'r Iddewon, ac roedd y wedd deuluol, plant Jacob, yn arwain y preiddiau i'r tiroedd gwelltog. Yng Nghanaan, roedd y tir yn bwysig, y dinasoedd yn cynrychioli'r sicrwydd caerog, ac, yng nghanol y caerau, roedd y ddisgyblaeth ysbrydol yn cadarnhau hunaniaeth a diogelwch rhag y dylanwadau estron.

Profodd y rhan fwyaf o genhedloedd newidiadau ar y daith. Gall y Cymry sôn am oes y tywysogion a chyfnodau dan ddylanwad grym estronol. Pan fydd Dafydd Iwan yn canu ein bod 'yma o hyd', daw emosiwn balch a hyderus i'r galon. Serch hynny, byddwn fel cenedl yn barod i gofleidio agweddau meddwl Eingl-Americanaidd heb boeni llawer a fydd hynny yn tanseilio unrhyw hunaniaeth neu werthoedd cynhenid.

Mae i grefydd sawl gwerth. Gall ddwyn i gof y graig y'n naddwyd ni ohoni. Bydd yn ein hatgoffa o droeon yr yrfa sy'n berthnasol i ni. Mae hefyd yn estyn golau a gwirionedd a fydd yn hanfodol wrth i'r presennol gerdded ymlaen i'r yfory ac ymsefydlu yn y Ganaan newydd. Yr un yw'r sanctaidd yn y tri chyfnod, ac, fel Israel gynt, mae i bob un ohonom gyfle a chyfrifoldeb i gynnig gwaddol ein gorffennol a'n presennol fel etifeddiaeth i'r genhedlaeth a ddaw.

Gweddi

Iesu ein ddoe a'n heddiw, molwn di, dy fod yn barod i gerdded ymlaen i'r yfory gyda ni. Wrth i ni edrych yn ôl yn ddiolchgar ac edrych ymlaen yn obeithiol, gweddïwn y bydd ein perthynas â thi yn dyfnhau mewn ffydd a chariad sanctaidd. Amen.

Cartref o'r diwedd

Gweddi

Gwyddost, Arglwydd, fel mae byw ynghanol pethau'r byd yn debyg i anadlu awyr afiach hunanoldeb. Diolch i ti am ganiatáu i mi gael treulio amser gyda thi, wrth i mi geisio clirio meddwl ac enaid ac anadlu awyr iach dy fendithion. Helpa fi heddiw i ymdawelu yn dy gwmni di. Amen.

Darllen Josua 4:1–5:1

Cyflwyniad

Mae'r ddysgeidiaeth Iddewig a'r esboniadaeth Feiblaidd yn gweld Pum Llyfr cyntaf y Beibl fel un uned, ac yn ystyried Llyfr Josua fel y cyntaf o'r llyfrau hanes. Mae'n anodd dyddio adrannau cynnar yr Hen Destament i sicrwydd, ond mae'n debygol fod cyfnod Josua yn digwydd yng nghanol y drydedd ganrif ar ddeg Cyn Crist. Prin fod modd gosod ffiniau pendant i gyfnodau hanes unrhyw wlad, ond mae yna ddigwyddiadau sy'n cynrychioli'r bylchau sydd rhwng y caeau. Gelwir cyfnod Josua yn gyfnod y goresgyniad a'r ymsefydlu, er y byddai hyn wedi digwydd dros gyfnod o amser. Er bod y testun yn cyfleu bod Duw wedi gyrru'r Canaaneaid, yr Amoriaid a'r brodorion eraill allan o'r wlad, mae'n fwy tebygol fod mewnlifiad yr Israeliaid wedi ymblethu'n raddol gyda'r amrywiol fângenhedloedd a drigai yng Nghanaan. Aeth y bobl nomadig a fu'n gaethion yn yr Aifft yn amaethwyr sefydlog ar dir penodol. Mae eu hanes yn rhoi pwys mawr ar y gred mai Duw a'i rhoddodd a Duw a'i rhannodd.

Myfyrdod

Roedd croesi'r Iorddonen yn sicr o fod yn ddigwyddiad pwysicach na thaith ddaearyddol, roedd yn golygu cerdded pont o fod yn ddigartref i fedru hawlio cartref sefydlog. Bu'r daith drwy'r anialwch yn un hir a diflas, yn un a heriodd y sawl a ddilynodd Moses ac Aaron, a dywedir yn y llyfr hwn bod yr holl filwyr a adawodd dir Pharo wedi marw yn yr anialwch. Bu'n daith o ddilyn credo sylfaenol yn arweinyddiaeth a darpariaeth – Duw Abraham, Isaac a Jacob. Yn ystod y daith, cadarnhawyd hunaniaeth y genedl a'i pherthynas â Duw.

Roedd cyfarwyddyd Duw drwy Moses wedi gofyn i ddeuddeg cynrychiolydd o lwythau Israel godi cerrig o wely'r afon ac adeiladu cofeb i'r croesi. Cawn Samuel yn gwneud rhywbeth tebyg i goffáu buddugoliaeth Israel yn erbyn y Philistiaid (1 Samuel 7:12). Mae gan y rhan fwyaf ohonom ddyddiadau cysegredig sy'n cofio digwyddiadau arbennig. Bydd ambell leoliad yn bwysig ac yn dwyn atgof personol o'r cysylltiadau.

Bydd carreg fedd yn golygu mwy na nodi lleoliad a rhannu gwybodaeth, ac onid oes arwyddocâd amgenach i fodrwy briodas na bod yn addurn ar fys? Bydd torri bara a rhannu cwpan gwin yn gymorth i gofio'r argyhoeddiadau dyfnaf a feddwn.

Bydd y cyfryngau cofio yn anogaeth ac yn ysbrydoliaeth. O bob dodrefnyn sy'n fy meddiant, mae un cwpwrdd sy'n werth llawer mwy na phopeth arall am mai fy nhad-cu a'i saernïodd. Bydd canu emyn penodol yn fy atgoffa o'm tad, ac mae'r olygfa o gylchdro Pen-blewyn, sydd i'r de o Glunderwen ac yn edrych at y Preseli, yn eithriadol gyffrous i mi, bob tro. Hawdd deall cerdd Waldo sy'n cyfarch y mynyddoedd hyn.

Bydd y briwsion bara ar y bwrdd i'w cynnig i'r adar, neu eu rhoi yn y bin gwastraff. Ond tybed a fyddwn yn dal gafael ar un briwsionyn heddiw a chofio am yr hwn a ddywedodd mai ef yw Bara'r Bywyd? Tybed?

Gweddi

Diolch, Iesu, am estyn y bara a'r gwin i mi. Helpa fi i gofio mai rhoi fu dy hanes erioed, a'th fod yn fy ngwahodd i ddilyn dy esiampl. Er maint fy serch tuag at deulu, cymuned a chenedl, arwain fi i ddyfnhau fy ymrwymiad i ti, bob dydd o'm hoes. Amen.

Darllen y 'Sat Nav' ysbrydol

Gweddi

Arglwydd Iesu, plygaf wrth ddod ger dy fron a gofyn am dy arweiniad heddiw. Maddau i mi am feddwl fy mod yn gwybod ble i fynd a beth i'w wneud heb feddwl am dy ewyllys di ar fy nghyfer. Dymunaf dreulio'r amser hwn yn gwrando arnat ac yn myfyrio ar dy air. Amen.

Darllen Josua 10:15–27; 18:1–10

Myfyrdod

Mae'n anodd i Gymry'r unfed ganrif ar hugain ddychmygu'r teimladau o weld eu gwlad yn cael ei goresgyn, a sut y dylid ei hamddiffyn pe byddai angen. Gwelwyd digon o luniau ar y teledu dros y blynyddoedd diweddar o ryfeloedd cartref a'r modd bwystfilaidd y bu pobl yn trin y gelyn. Mae'r lluniau cyfredol o Syria yn arswydus, er prin fod darluniau dymunol yn bod o unrhyw oresgyniad. Erys delweddau'r brwydro a fu llynedd yn Libya yn y cof, ac yn gynharach yn Afghanistan ac Irac. Maent yn dystiolaeth o farbareiddiwch dyn at ei gyd-ddyn. Dyna yw rhyfel. Goresgynnodd Israel diroedd y bobl a drigai yng ngwlad Canaan, ac nid yw'r darluniau yn llai hyll am eu bod yn portreadu pobl Dduw yn goresgyn tiroedd cenhedloedd eraill. A fu i'r ddynoliaeth wareiddio yn ystod y cyfnod ers dyddiau Josua?

Mae'r penodau sy'n dilyn yn adrodd hanes y rhannu tir. Byddai'r haneswyr Hebreig am ddangos tegwch y broses, ac i bob llwyth gael ei gyfran yn deg. A fu tegwch erioed? Yn 17:14–18 gwelwn fod llwyth Joseff yn awyddus i gael mwy o dir, gan eu bod yn llwyth niferus. Does dim angen gradd i sylweddoli bod perygl i anghydfod ymddangos ac y gallai heddwch chwalu'n hawdd. Yr un ffenomen a welwyd yn Actau 6, pan oedd un grŵp o bobl yn tybio bod yna annhegwch wrth rannu yn yr Eglwys Fore.

Nodwedd hunanol sydd i bob dyn, – greddf naturiol ond hunanol. Dyna a eilw'r Beibl yn bechod. Byddwn yn awyddus i amddiffyn ein hawliau ac i fynnu ein siâr o bob dosbarthiad, boed yn fwyd neu arian. Tybed a gafodd William Penn drafferthion wrth ymgodymu â'r ymfudwyr yn niwedd yr ail ganrif ar bymtheg ym mhellafoedd Pennsylvania?

Mae'r broses o ymsefydlu yn gofyn am strwythurau, ac aeth cyfraith a threfn yn fwy ffurfiol. Cyn hir gwelwn fod y llwythau yn gofyn am arweinyddiaeth wahanol, a blodeuodd cyfnod y Barnwyr ac yna sefydlu brenhiniaeth. Yn yr adrannau hyn o Lyfr Josua, mae'n amlwg bod oes y Patriarchiaid wedi dod i ben, ac yn hanes Josua gwelwn yr olaf o arweinwyr y pererinion. Pa un tybed yw'r arweinydd cryfaf, yr un sy'n credu yn ei nerth ei hun fel arweinydd, neu'r sawl sy'n ymddiried mewn nerth cryfach ac yn ceisio arweiniad dwyfol?

Gweddi

Arglwydd, diolch am y sawl sy'n arweinwyr ein cymdeithas a'n byd. Gweddïwn y byddant yn ceisio dy fendith a'th arweiniad wrth wynebu penderfyniadau mawr bywyd. Helpa hwy i ymddiried ynot. Gwyddom fod gan bawb gyfle i gynnig arweiniad i eraill a gweddïwn y byddwn ni yn ddoeth a chyfrifol pan ddaw'r cyfrifoldeb i ni, boed hynny o fewn cylchoedd aelwyd, cymuned neu genedl. Amen.

Iesu yw'r ffordd ymlaen i mi

Gweddi

Arglwydd Dduw, cyfaddefwn weithiau ein bod yn ei chael yn anodd amgyffred pwy wyt ti, a beth rwyt yn ei weld ac yn ei wneud. Arwain ein meddyliau i gofio am ein profiadau cynnar ohonot, a gweddïwn heddiw y byddwn yn medru dy foli mewn ysbryd a gwirionedd. Amen.

Darllen Josua 24; Salm 23

Cyflwyniad

Mae'n anodd dyfalu pryd yn union yr ysgrifennwyd y llyfr hwn, fel y rhan helaethaf o'r Hen Destament. Nodwyd mewn myfyrdodau blaenorol bod llaw sawl golygydd wedi dylanwadu ar y testun gwreiddiol, ac mae'r hanes yn cofnodi cyfnodau a digwyddiadau, a hynny o fewn cyd-destun credo'r golygyddion am natur Duw a swyddogaeth y genedl.

Mae Llyfr Josua yn pontio hanes y tadau Iddewig gyda'r digwyddiadau a oedd yn ymwneud â hanes cenedl. Rhan bwysig o'r traethu oedd tanlinellu bod Duw'r tadau yn parhau i fod yn Dduw a gofleidiai'r bobl ar draws y gwahanol gyfnodau. Y dylanwad offeiriadol fyddai'r olaf i osod eu safbwynt ar y testun a bydd yr hanes yn rhoi geiriau cadarnhaol ar wefusau Duw gan adrodd hanes y cyfnodau cynt. Pwysleisir felly'r mantra Hebreig am Dduw Abraham, Isaac a Jacob, y Duw a arweiniodd Moses allan o'r Aifft a'r Duw a roddodd diroedd trigolion cynnar gwlad Canaan i bobl Israel. Dyma gynnig arall gan yr awduron i gyflwyno diwinyddiaeth am Dduw trefn a phwrpas, y Duw sy'n anorchfygol a chadarn, y Duw sy'n gofalu a darparu ar gyfer ei bobl. Cawn yr un pwyslais yn gyson gyda'r salmydd, megis Salm 23.

Myfyrdod

Pa fath o Dduw yw ein Duw ni? Mae perygl i greu Duw yn unol â'n dehongliad ohono, ac i hynny fod yn adlewyrchiad o'n hamgylchiadau. Dim ond wrth edrych yn ôl y gwelwn law ddwyfol yn cyfarwyddo ac yn darparu. Mae sylweddoli bod llaw ddwyfol yn ein harwain yn y presennol yn anoddach i'w ddeall a'i werthfawrogi. Serch hynny, Duw heddiw yw

Duw ein credo a'n crefydd. Mae gofyn i'r sawl sy'n arwain cynulleidfa Duw fod yn wylaidd a gonest, ac yn enaid sy'n effro i'r cyffyrddiad dwyfol yn ei fywyd ei hun. Cafodd Josua oes o hynny, ac yn ei anerchiad olaf mae'n estyn anogaeth i bobl ei genedl i ymgyfamodi gyda Duw, ac mae'r 'ddeddf a'r gyfraith' (adnodau 21–27) yn ganllawiau i fywyd ysbrydol a moesol y genedl.

Gosododd Josua garreg i atgoffa'r bobl o'u cyfamod gyda Duw. Bydd adeilad a neilltuwyd i bwrpas crefyddol yn rhoi gwefr sanctaidd i lawer, tra bydd eraill yn cael profiadau ysbrydol ynghanol rhyfeddod a gogoniant byd natur. Tystiolaeth rhai yw bod celfyddyd yn fodd i gadarnhau'r cyfamod, ac i'r rhan fwyaf ohonom, y mae derbyn y cymundeb yn cyflawni'r un swyddogaeth. Gobeithio y bydd yngan enw Iesu yn ddigon i ni i gyd ac, wrth wneud hynny, daw i'r cof ymrwymiad pobl Israel yn adnod 21, 'Yr ydym am wasanaethu'r Arglwydd.'

Gweddi

Diolch, Arglwydd, am ein helpu i'th adnabod ac i ymateb yn gadarnhaol mewn addoliad. Helpa ni i ymgysegru ein hunain i'th gydnabod yn Arglwydd ein bywyd. 'Dilyn Iesu, dyma nefoedd teulu Duw.' Amen. (Meigant, *C.Ff.* 647)

Gwrando ar y gyrrwr

Gweddi

Arglwydd, mae synau'r byd yn fy myddaru'n aml. Mae'n anodd clywed dy lais di ymhlith holl leisiau'r byd. Cymorth fi i'th glywed o'r newydd ac i geisio dy arweiniad. Amen.

Darllen Barnwyr 2:11–23

Cyflwyniad

Nid llyfr hanes yw Llyfr y Barnwyr, ond casgliad o hanesion am arweinwyr y llwythau sy'n rhoi portread o fywyd cymysglyd ac amrywiol llwythau Israel rhwng 1200 a 1050 CC. Bu'r cyfnod hwn yn un o ennill a cholli tir wrth frwydro yn erbyn gweddillion llwythau cynhenid y wlad. Yn yr ymdrechion i gyd-fyw, bu teuluoedd y llwythau Iddewig yn integreiddio i mewn i deuluoedd y cenhedloedd eraill. Arweiniodd hyn at gymysgu arferion crefyddol ac roedd yna lanw a thrai yn eu teyrngarwch i Dduw. Enwir rhai o'r Barnwyr (arweinwyr) hyn, megis Othniel, Ehud, Samgar, Debora a Barac, Gideon, Jefftha a Samson. Mae'n werthfawr i ni gofio bod y cofnodi yma (1050–950 CC), yn digwydd yn ystod y cyfnodau pan oedd Dafydd a Solomon ar yr orsedd. Prif neges y gwaith cyfan yw bod Duw yn gyson yn ei gariad a'i farn, a bod y llwythau yn profi llwyddiant pan oeddent yn ffyddlon i Dduw. Y gwrthbwynt yw dweud bod y llwythau yn dioddef yn ystod yr adegau o anffyddlondeb i Dduw. Maent yn symud i gyfeiriad sefydlu brenhiniaeth, gan gredu bod hynny yn ffactor sylfaenol er mwyn sicrhau grym a sefydlogrwydd iddynt fel pobl. Cawn weld.

Myfyrdod

Bu farw Josua ac mae'r ymsefydlwyr yn gwrthryfela yn erbyn arweiniad ac arferion y cyndadau, a throi at dduwiau Baal. Mae'r awduron yn datgan bod Israel wedi gwneud yr hyn oedd yn ddrwg yng ngolwg yr Arglwydd (adnod 11). Clywn olygyddion o'r oes ddiweddarach yn beirniadu'r Barnwyr, a datgan eu bod yn fwyfwy anfoesol. Ond a yw safonau moesol un oes yn well na safonau moesol oes arall? Bydd moesoldeb cyffredinol gwledydd cyfalafol y gorllewin yn dyfarnu bod anffyddlondeb mewn priodas yn annerbyniol, ac yn sail i gael ysgariad. Bydd cymunedau o gefndir a chredoau gwahanol yn ystyried bod i ddyn gael mwy nag un wraig yn dderbyniol. Ai dyfarniad crefyddol, cymdeithasegol, economaidd neu foesol sy'n arwain at gael un gŵr/gwraig? Wrth godi cwr y llen ar bynciau eraill, byddwn yn gofyn ai anfoesoldeb sy'n arwain at beri i rai ddioddef tlodi, digartrefedd, unigrwydd, ac yn y blaen.

Roedd y Barnwyr yn arweinwyr cymdeithasol lleol ac yn cael eu hystyried fel llywodraethwyr. Roeddent yn ymgorfforiad o ddeddfwriaeth eu llwyth a'u cenedl. Pan fyddai'r barnwr yn marw, byddai'r gymdeithas yn mynd ar chwâl eto. Cawn ddarluniau tebyg o arweinwyr cymunedau ar draws y byd sydd yn eu grym a'u dylanwad yn ffactorau canolog i lwyddiant a diogelwch eu cymdeithasau.

Ai'r gwleidyddion yw'r arweinwyr heddiw, ynteu cyfraith gwlad sy'n cael ei gweithredu drwy'r llysoedd a'r heddluoedd? Gwelwyd gormod o enghreifftiau pan aeth y sefydliadau hyn yn anonest, ac weithiau clywsom am unigolion pwdr yn camddefnyddio eu statws. Mae'n rhesymol dadlau bod gwasg rydd yn sicrhau na fydd y sefydliadau hyn sy'n gwarchod cyfraith a threfn yn anghofio eu cyfrifoldebau, ond pan fydd y wasg rydd yn bwdr, pwy sy'n gwarchod y moesoldeb cyffredinol wedyn? Ffin denau sydd rhwng y gwâr a'r anwar, rhwng trefn ac anarchiaeth.

Wrth bori drwy Lyfr y Barnwyr, pan oedd patriarchiaid cynnar Israel a'r arweinwyr teithiol fel Moses a Josua yn eu beddau, roedd yr arweinwyr llwythol hyn yn ei chael yn anoddach i ddehongli crefydd yng nghyd-destun ymddygiad moesol. Bu hanes Israel yn tystio i deyrngarwch sylfaenol Israel i berson ac ewyllys Duw, ac yn llifeiriant yr hanesion yn y llyfr hwn, gwelwn reddf yr arweinwyr fel Gideon i wrando ar lais dwyfol ac ymddiried ynddo.

Mae'r gydwybod Gristnogol yn hawlio ei bod yn ufuddhau i arweiniad y moesoldeb sy'n tarddu oddi allan i ddyn a'i feddylfryd hunanol. Sut felly y bydd Cristnogion yn lleisio safbwyntiau mor wrthgyferbyniol i'w gilydd wrth ystyried cwestiynau'r oes? Ai greddf dyn yw impio enw Duw ar ei safbwynt rhagfarnllyd ei hun? Ym mywyd a geiriau Iesu, mae modd i bawb ddod yn agosach at feddwl Duw a'i ewyllys.

Gweddi

Arglwydd Iesu, helpa fi i glywed dy eiriau di, ac i osgoi meddwl mai fy marn i yw dy ewyllys di. Amen.

Mieri lle bu mawredd

Gweddi

Arglwydd, diolch i ti am bawb sydd wedi cynnig arweiniad i mi ar daith bywyd, ar yr aelwyd, yn yr ysgol, a chydweithwyr ar y daith. Ond o bob arweiniad, bu gair ac esiampl Iesu yn well na'r un. Helpa fi heddiw i feddwl amdano a cheisio dilyn ei air a'i anogaeth. Amen.

Darllen Barnwyr 9

Cyflwyniad

Bydd stori Gideon yn gyfarwydd i'r rhan fwyaf ohonom, ac yntau wedi codi yn erbyn y Midianiaid, ac er iddo gael ymateb anhygoel o blith ei bobl i ffurfio byddin, neges Duw iddo oedd bod mintai fechan effeithiol yn well na lluoedd nerfus ac ansicr. Dywedir i'w bobl sefydlu heddwch am ddeugain mlynedd (Barnwyr 8:28). Yn dilyn marwolaeth Gideon, cynigiodd Abimelech ei hun fel arweinydd yn lle ei dad. Gwahoddwyd arweinwyr Sichem, sef canolfan llywodraeth y llwyth, i benderfynu, ac felly y bu.

Ym mharagraff y coedydd (adnodau 7–15) clywn Jotham, mab arall i Gideon, yn adrodd dameg y coed, lle bu trafodaeth rhyngddynt ar bwy ddylai fod yn frenin. Rhoddodd pob un o'r coed eu hesgusion a gwrthod y cyfrifoldeb, nes i'r fiaren gael ei chynnig i weithredu fel brenin y goedwig. Mae Jotham yn gofyn a gafodd Jerwbbaal, sef enw arall ar Gideon, degwch ac olynydd teilwng. Mae'n amlwg na chafodd, gan fod gweddill y bennod yn adrodd hanes dichellgar a chreulon Abimelech. Mae'r ddrama yn dangos fel y bu i'r brenin syrthio ac iddo golli ei deyrnas drwy weithred ryfedd y wraig yn taflu maen malu ŷd ato a'i ladd.

Myfyrdod

Ceir tair neges berthnasol yma:

a) Bod angen sicrhau olyniaeth deilwng wrth ethol arweinydd, ac nad oedd y sawl a ymesgusododd o dderbyn y prif gyfrifoldeb wedi ymddwyn yn ddoeth.

b) Bod creulondeb yn meithrin creulondeb, a bod yma wirionedd cyffredinol y bydd y sawl sy'n byw wrth drais yn dioddef trais hefyd.

c) Bod cyfiawnder dwyfol yn cael ei weithredu yng nghyflawnder amser.

Diwinyddiaeth cyfnod brenhiniaeth Dafydd sy'n dod i'r golwg yn yr hanesion hyn. Mae'n siŵr bod hanesion tebyg yn llên gwerin nifer fawr o wledydd byd. Clywsom droeon fod dioddefaint yn digwydd, nid am fod dynion drwg yn gwthio eu hagenda hunanol, ond am nad yw dynion da yn gwneud dim. Gwelwyd mieri pigog yn hawlio seddi llywodraeth ar draws y canrifoedd, a hynny mewn nifer o wledydd. Mae'r teyrn creulon ym mhobman, ac er i'r byd sylwi'n oddefgar ar drais gwledydd megis Irac, Iran, Libya a Syria, onid felly y bu erioed? Mae'r bwli yn siŵr o ddod i'r brig, weithiau mewn siaced ledr strydoedd cefn ardaloedd tlawd cymdeithas, dro arall yn swbwrbia mwyaf soffistigedig tref a dinas. Gwelir ef mewn ardaloedd diwydiannol a hefyd mewn cyfarfodydd achosion da ac asiantaethau dyngarol. Yn aml mae'r bwli yn cilio pan ddaw wyneb yn wyneb â llais cadarn eofn a di-droi'n-ôl.

Mae'n siŵr bod yna nodweddion tebyg i Abimelech a Jotham oddi mewn i'r rhan fwyaf ohonom, ond pa nodwedd gaiff ei hyrwyddo a'i hymarfer gennym ni?

Gweddi

Gwyddost, Arglwydd, am y daioni a'r drygioni sydd ynof. Gwelaist fy nghryfder a'm gwendid. Helpa fi i roi o'm gorau ac i osgoi bod yn Abimelech o berson. Agor fy llygaid i weld fy nghyfle i arwain eraill atat ti, ac i weld yn Iesu y ffordd atat ti. Amen.

Delila, dos o 'ma

Gweddi

Arglwydd, gwyddost am fy nerth a'm gwendid, ac, fel Samson gynt, mae perygl i mi feddwl bod fy nghryfder yn fwy na'm gwendid. Helpa fi heddiw i gydnabod fy ngwendid ac i ymddiried yn dy fendith di i'm hatgyfnerthu. Amen.

Darllen Barnwyr 16:1–22

Cyflwyniad

Bydd hanes Samson yn ddigon cyfarwydd i lawer. Ef oedd yr arwr cryf a drechodd y Philistiaid, bron drwy ei nerth ei hun. Prin fod hynny'n wir, ond mae'n hawdd deall sut daeth yr hanesion amdano yn fodd i godi calon y cenedlaethau Iddewig ar ôl ei amser ef. Ond er y neges gadarnhaol, bu'r haneswyr yn barod i gydnabod ei wendidau hefyd. Clywn eiriau Oliver Cromwell yn galw ar yr artist a greodd y portread ohono i ddangos y ddafaden ar ei wyneb hefyd, 'Paint me warts and all.' O gofio mai haneswyr o gyfnod Dafydd oedd yn gyfrifol am ddwyn yr atgofion hyn o oes y barnwyr ynghyd, clywn y pwyslais ar werth a phwysigrwydd y frenhiniaeth. Mae penodau 17–21 yn ymddangos fel atodiad i'r gwaith gwreiddiol ac fe bwysleisir, 'Yn y dyddiau hynny, nid oedd brenhiniaeth'. Ceir tystiolaeth o ryfel cartref ymysg yr Israeliaid, gyda llwyth Dan heb dir, a llwyth Benjamin yn cael eu cosbi. Mae'n siŵr bod pwrpas gwleidyddol a chrefyddol i gynnwys yr hanesion hyn yn Llyfr y Barnwyr, gan gynnal y ddadl am unoliaeth y genedl dan frenhiniaeth Dafydd. Eironi arall yw bod y genedl wedi ymrannu erbyn diwedd brenhiniaeth Solomon, mab ac olynydd Dafydd.

Myfyrdod

Yn Marc 3:20–30, ceir adlais o'r adran hon o Lyfr y Barnwyr, lle mae angen rhwymo'r dyn cryf cyn ei drechu, ac na fydd teyrnas ranedig yn llwyddo. 'Mewn undeb mae nerth', medd yr hen ddihareb, a gellir newid y ddihareb i gyfleu bod 'nerth yn cynnal undeb'. Pan oedd Iesu yn cyfeirio at gyffes Pedr, ac yn dweud mai Iesu yw Mab Duw (Mathew 16:13–20), dywed am yr eglwys 'na chaiff holl bwerau Hades y trechaf arni'. Mae'r eglwys yn anorchfygol, nid oherwydd ei nerth ei hun, ond yn y nerth dwyfol sy'n ei chynnal. Bu ymgyrchoedd milwrol a chrefyddol yn herio'r eglwys ar draws y canrifoedd, ond mae ei Brenin hi yn drech na'r holl elynion sy'n bwrw iddi i'w threchu a chael gwared ohoni. 'Mae'r gelyn yn gry', ond cryfach yw Duw...' (Cernyw, *C.Ff.* 119).

Onid yw'r un peth yn wir am yr unigolyn hefyd? Mae gan bawb ohonom ein sawdl Achilles, y man gwan hwnnw, sy'n agored i ildio dan bwysau. Clywsom lawer yn dweud am eu hafiechyd – bod anhwylder yn siŵr o daro'r man gwan. Pan fydd sôn am y diafol yn herio, mae'n mynd yn syth at y man gwan hwnnw yn ein cyfansoddiad. Wrth i haneswyr oes Dafydd Frenin nodi mor wan a bregus oedd y genedl cyn oes aur Dafydd, byddent yn barod i gyfaddef mai dim ond yn nerth yr undeb cenedlaethol y gallent orchfygu'r gwendid. Bydd yr eglwys sy'n ymddiried yn nerth Iesu yn sylweddoli bod modd goresgyn y gwendid a phrofi grym y fuddugoliaeth.

Gweddi

Diolch, Arglwydd, dy fod yn barod i'm hamddiffyn rhag fy ngwendid a'm gelynion. Clywaf lais y temtiwr yn fy nghlust bob dydd, ac mae mor hawdd ildio iddo. Cerdda gyda mi ar hyd y ffordd, a chadw'r temtiwr draw. Amen.

Merch yng nghyfraith dda

Gweddi

Arglwydd Dduw, cymorth fi i agosáu atat heddiw a darganfod dy wirionedd. Wrth ddarllen hanes Ruth o wlad Moab yn dod o hyd i'w henw a'i hunaniaeth o'r newydd, helpa fi i sylweddoli dy fod yn fy nerbyn fel aelod o'th deulu sanctaidd. Amen.

Darllen Ruth 1

Cyflwyniad

Byddwn wedi darllen y llyfr droeon a mwynhau'r hanes syml a dymunol hwn. Bydd llawer yn gofyn pam fod y llyfr yn ymddangos rhwng Llyfr y Barnwyr a Llyfrau Samuel, sy'n darlunio profiadau'r Israeliaid wrth iddynt ymsefydlu yng ngwlad Canaan. Efallai mai prif bwynt y llyfr yw gwneud cysylltiad gyda gwlad Moab, fel bod gan Dafydd Frenin wreiddiau o Foab, ac mai ymdrech i egluro cefndir teuluol oedd y llyfr. Nid oes sicrwydd pryd y cafodd y llyfr ei ysgrifennu. Nid llyfr hanes ffeithiol yw, ond portread o ddealltwriaeth y genedl o'i chefndir. Mae'n cael ei osod yng nghyfnod y Barnwyr, ac, wrth wrando ar yr academyddion Beiblaidd, gellir ystyried i'r gwaith gael ei lunio mor hwyr â'r bedwaredd ganrif cyn Crist. Byddai hyn chwe chanrif ar ôl dyddiau Dafydd a hyd at wyth canrif ar ôl cyfnod y Barnwyr eu hunain. Mae'r drafodaeth hon yn pwyso ar syniadaeth ac iaith, er nad yw'n tynnu oddi ar werth a neges y gwaith.

Myfyrdod

Bydd y rhan fwyaf o genhedloedd yn cofnodi ymfudo rywbryd yn eu hanes. Bu'r Cymry yn cofio ymfudo i Bennsylfania a'r Wladfa, a gwyddom am nifer a welodd obaith am fywoliaeth yn Birmingham, Llundain a Lerpwl. Menter mewn ffydd oedd y symud yma, ond prin fod hyn wedi cael yr un effaith ag a gafodd yr ymfudo ar draws cyfandir mewn cyfnodau o dlodi enbyd. Bydd pobl heddiw yn medru hedfan i ben draw byd, a chadw mewn cyswllt gyda'r cyfarpar digidol mwyaf diweddar. Gellir trosglwyddo cyfrifon banc yn hawdd, ac er bod y profiad o ddadwreiddio yn un real, nid yw mor dyngedfennol â'r hyn sydd yn Llyfr Ruth.

Byddai hanes Israel wedi profi dadwreiddio fel pobl gyfan, ac roedd eu hanes yn cofio'r cyfnod cynnar, heb sôn am y caethgludo i Babilon. Dyna fyddai troi'r byd wyneb i waered. Faint o bobl sydd wedi gadael cefndiroedd fel Jamaica ynghanol yr ugeinfed ganrif ac yn ddiweddarach bobl yn chwilio am waith o ddwyrain Ewrop ac ynysoedd y Môr Tawel? Beth fyddai gyda hwy fel angor i ddal gafael yn eu cefndir a'u diwylliant, onid iaith, traddodiadau a chrefydd?

Roedd hanes Naomi yn ceisio dal gafael ar y gwreiddiau cadarn, a hithau yn ddiymgeledd, heb ei gŵr na'i meibion. Nid felly Orpa a Ruth. Roedd eu sefyllfa'n wahanol. Yn ôl defod eu cefndir a'u cyfnod, roeddent wedi ymrwymo i'r hunaniaeth newydd. Mae Naomi yn cynnig rhyddid i'w merched-yng-nghyfraith, ond roedd teimladau Orpa a Ruth yn wahanol i'w gilydd. Nid diffyg teyrngarwch oedd gan Orpa, ond synhwyro y byddai ei bywyd yn well fel gwraig weddw ifanc yn dychwelyd at ei theulu, a gobeithiai y byddai rhyw ddyn yn cymryd trugaredd arni, tra bod Ruth yn synhwyro cwlwm dyfnach o lawer, ac am ofalu dros ei mam-yng-nghyfraith. Yn sgript y ddrama hyfryd hon gwelwn fod Ruth yn lleisio dyhead y sawl nad oeddent yn Israeliaid ac a fyddai yn ufudd i Dduw Abraham, Isaac a Jacob, i dderbyn y grefydd hon, a bod Naomi yn cynrychioli'r Israeliaid a fyddai yn croesawu pobl o dras wahanol i deulu Israel.

Gwelsom agwedd iachach yng Nghymru tuag at dderbyn pobl o enwadau eraill, ac fe ddaethom yn gyfarwydd â chynnydd yn nifer y sawl sy'n gadael crefyddau eraill er mwyn cofleidio'r ffydd Gristnogol. Ni wyddom beth yw'r gost i'r sawl sy'n gadael Mwslimiaeth yn benodol er mwyn dilyn Iesu. Byddant yn cael eu cosbi yn greulon, drwy golli swyddi neu gael eu gorfodi i adael eu cartrefi. Tybed ai neges genhadol oedd Llyfr Ruth yn y bedwaredd ganrif cyn Crist, i drigolion gwledydd eraill geisio cymundeb gyda Duw Israel? Sut byddai trigolion yr Ymerodraeth Rufeinig wedi darllen y llenyddiaeth hon yn ystod y canrifoedd cyntaf ar ôl sefydlu Eglwys Iesu ar y ddaear?

Gweddi

Arglwydd, maddau i mi am dderbyn stori Ruth heb ofyn ble rydw i yn y ddrama. Helpa fi i fod fel cymeriad Naomi, yn agor y drws er mwyn helpu rhywun arall i ddarganfod y ffydd sydd gennyf ynot ti. Boed i'r bobl sy'n perthyn i mi deimlo fy mod yn byw mewn perthynas gariadlon gyda thi, O Dduw pob gwirionedd. Amen.

Agor drws a hulio bwrdd

Gweddi

Arglwydd Iesu, gwyddost fel y byddaf yn clywed am sefyllfaoedd trist pobl eraill ac yn teimlo mor analluog i wneud unrhyw beth cadarnhaol i'w helpu. Bydd profedigaeth rhai a salwch eraill yn peri i mi deimlo'n bryderus drostynt. Yn yr un modd, clywaf am bobl ifanc sydd wedi derbyn hyfforddiant ond yn methu dod o hyd i waith priodol. Cofiaf amdanynt wrth i mi fyfyrio ar dy air heddiw. Amen.

Darllen Ruth 2

Myfyrdod

Flynyddoedd yn ôl, roedd pobl yn arfer dewis gyrfa, a byddent yn aros yn y gwaith hwnnw am weddill eu hoes. Ers degawdau olaf yr ugeinfed ganrif bu pobl yn symud o un yrfa i'r nesaf, weithiau o ddewis, ond yn aml am nad oedd eu swyddi'n barhaol. Mae'r oes beirianyddol a digidol yn gweld lleihau nifer y gweithlu mewn amryw o ddiwydiannau a gwasanaethau, gan greu ansefydlogrwydd i lawer. Wynebodd amryw y rheidrwydd i dderbyn ail-hyfforddiant, er mwyn sicrhau bywoliaeth.

Ffenomen arall ein hoes yw'r modd y gall pobl symud o un ardal i'r llall; bydd rhai yn byw hyd at awr o amser teithio o'u safle gwaith, ac felly nid yw'r cyswllt rhwng unigolyn a chymuned ddaearyddol yn un dwfn. Bydd eraill yn byw yn agos i'w safle gwaith ganol yr wythnos a threulio'r penwythnosau mewn ardal arall. Ni fyddwn yn synnu bellach pan fydd pobl yn codi pac a mudo i wlad arall am gyfnod. Clywn am bobl ifanc yn treulio blwyddyn neu ddwy yn gweithio eu ffordd ar draws y byd er mwyn gweld ehangder bywyd cyn bwrw gwreiddiau mewn man o'u dewis.

Byddwn hefyd yn gyfarwydd â realiti ffoaduriaid yn gofyn am loches mewn gwlad arall am fod eu bro gynhenid yn dioddef diweithdra enbyd neu yn ardal rhyfel cartref. Bu'r mudo hwn yn creu gofid i sawl gwlad nad oedd yn sicr sut i'w dderbyn. Gwelwyd sefyllfaoedd o genfigen a thrais ac amgylchiadau o anghyfiawnder a gormes.

Mae stori Llyfr Ruth yn cyffwrdd â nifer o'r themâu hyn. Nodwyd yn yr uned flaenorol nad oes sicrwydd o ddyddiad ysgrifennu'r llenyddiaeth yma a gafodd ei gosod yng nghyfnod y Barnwyr – un ganrif ar ddeg cyn geni Iesu. Os derbynnir y farn gyffredin i'r awdur ddod o'r bedwaredd ganrif CC, yna mae angen cofio am amgylchiadau mudo'r bobl yn y cyfnod hwnnw. Yn sicr roedd ansefydlogrwydd cymdeithasol a gwleidyddol yn y Dwyrain Canol y pryd hwnnw fel heddiw, ac mae angen gofyn beth oedd pwrpas y cofnodi hwn o safbwynt crefyddol yr awduron? Prin mai'r pwrpas oedd ysgrifennu stori serch er mwyn ysgrifennu stori serch.

Gosodir ymateb Boas yr Hebrëwr/Iddew i amgylchiadau'r ffoadur digartref yng nghyd-destun ei ffydd yn Arglwydd Dduw Israel. Rhan ganolog o grefydd a moesoldeb yr Iddew oedd bod yn anrhydeddus tuag at y dieithryn a'r digartref. Mae'r hanes am Boas yn sicrhau urddas cynhaliaeth i Ruth yn rhoi darlun cofiadwy o'r ddyletswydd Iddewig. Dyma ragflas o ddysgeidiaeth Iesu am garu cymydog ac i fod yn hael tuag at y dieithryn a'r unig. Byddai'n ddiddorol gwrando ar Iddew o'r unfed ganrif ar hugain yn trafod egwyddorion Llyfr Ruth yng nghyd-destun y Dwyrain Canol heddiw. Byddai'r un mor werthfawr clywed trafodaeth rhwng y Mwslim a'r Cristion wrth geisio polisïau cyfrifol a chynaladwy yng nghyd-destun hiliaeth gyfoes ynghanol darlun y ffoaduriaid yn Ewrop. Efallai bod estyn cyfle i wraig weddw ifanc a fu'n gymorth i'w mam-yng-nghyfraith weddw yn wahanol i geisio swydd i fachgen ifanc sy'n ymddangos fel 'hoody' anystywallt. Serch hynny, yr un yw gofyn y ffoadur, sydd heb hunaniaeth glir na chynhaliaeth addas! Roedd arweinwyr crefyddol y bedwaredd ganrif CC am osod eu hymateb hwy i dlodi a digartrefedd yng nghyd-destun eu crefydd; beth amdanom ni?

Gweddi

Arglwydd Iesu, cyfaddefaf fy mod yn or-aml wedi ymateb i ofidiau pobl eraill yng nghyd-destun fy hunanoldeb i. Maddau i mi am weld y ffoadur a'r dieithryn fel bygythiad yn hytrach nag fel cyfle i arfer graslonrwydd Cristnogol. Diolch am bob asiantaeth sy'n sefyll dros ffoaduriaid ar draws y byd ac yn arbennig yng Nghymru. Amen.

Parchu'r etifeddiaeth

Gweddi

Ynghanol prysurdeb bywyd, mae'n berygl i mi anghofio'r pethau sydd o wir bwys. Ceisiaf nesáu atat o'r newydd a bod yn ffyddlon i ti, fel y bu Ruth yn deyrngar i Naomi. Maddau i mi pan fyddaf yn methu canolbwyntio arnat fel y dylwn wneud. Amen.

Darllen Ruth 3–4

Myfyrdod

Bydd sawl diwylliant yn awyddus i wybod beth yw achau unigolyn, ac i ddwyn cyswllt rhwng un person a'r llall. Ceir yn y drefn Iddewig ymdrech i ddolennu pobl, a pha ryfedd fod haneswyr a chroniclwyr y bedwaredd ganrif CC yn nodi perthynas Dafydd gyda'r Foabes ffyddlon hon. Efallai mai'r prif bwyslais fyddai bod pobl Dduw yn cynnwys pobl ffydd ac ymarweddiad, hyd yn oed os oeddent yn perthyn i genedl a chefndir gwahanol.

Mae'r sawl sy'n ymwybodol o'i etifeddiaeth yn effro iddo dderbyn rhywbeth arbennig, a bod cyfrifoldeb arno i'w warchod a'i drosglwyddo i'r genhedlaeth nesaf. Daw geiriau Saunders Lewis i'r cof yn ei ddrama, *Buchedd Garmon*. Bu'r Cymry yn gynyddol ymwybodol o bwysigrwydd yr iaith Gymraeg dros y deugain mlynedd diwethaf, a da hynny. Rhan o ryfeddod y Gymraeg yw'r modd y gwelsom bobl o draddodiadau eraill yn ei dysgu a'i thrysori.

A yw pobl sy'n dysgu Cymraeg ac yn byw fel Cymry yn Gymry? Wrth gwrs eu bod. Mae mwy i genedlgarwch na chefndir teulu neu feistrolaeth iaith. Mae yna ymdeimlad o berthyn, y profiad cyffrous o sylweddoli ble mae'r enaid yn ddedwydd. Profiad felly ydoedd i Ruth wrth ddatgan bod Duw Naomi yn Dduw iddi hi. Cam mewn ymddiriedaeth ar daith bywyd yw peth felly. Mater o dderbyn yr ymwybod i bwy yr ydym yn perthyn.

Gair gwerthfawr ym mhob iaith yw'r gair 'etifeddiaeth'. Byddwn yn derbyn rhywbeth gwerthfawr o law'r genhedlaeth flaenorol. Gall fod yn eiddo megis llun, llyfr, celficyn, neu rywbeth mwy fel tŷ neu dir. Mae etifeddiaeth hefyd yn golygu ein bod yn derbyn doniau, gwerthoedd, cyfrifoldeb neu hunaniaeth. Byddai'r sawl a luniodd stori Ruth am rannu gyda'u cyfoeswyr yr ymwybyddiaeth honno fod Dafydd Frenin yn cario gwaed merch o Moab, a'i bod hithau yn berson llawn didwylledd ac ewyllys i wasanaethu. Nid purdeb gwaed, fel y pwysleisiwyd gan yr Ariaid yn yr Almaen yng nghyfnod llywodraeth Hitler, sy'n bwysig ond anian a gwerthoedd person. Roedd stori Ruth yn apêl am ddefosiwn yn gymaint ag unrhyw beth. Er bod yr hanes yn hyrwyddo serch, nid serch un gŵr at un wraig sydd yma, ond yr angen i warchod yr etifeddiaeth a'i chyflwyno i blant yr yfory.

Gweddi

Diolch, Arglwydd, am yr etifeddiaeth a ddaeth i mi drwy fy nheulu, fy nghymuned a'm cenedl. Cymorth fi i fyw'r etifeddiaeth a'i rhannu gyda'm teulu i'r yfory. Maddau i mi os byddaf yn sarnu'r trysorau a gefais, fel y moch yn ddibris o'r perlau gynt. Helpa fi i weld fy mod yn blentyn i ti heddiw, ac yn ddolen rhwng y cenedlaethau a fu a'r cenedlaethau a ddaw. Amen.

Yn dy law di, Arglwydd, mae popeth yn ddiogel

Gweddi

Arglwydd, gwêl fi'n agosáu ger dy fron ac yn gofyn dy arweiniad ar fy meddwl a'm dealltwriaeth. Yn rhy aml, byddaf yn bwrw iddi heb feddwl llawer am yr hyn sydd o bwys yn fy mywyd. Bydd yn gwmni i mi tra byddaf yn darllen dy Air ac yn myfyrio ar hanes Samuel. Amen.

Darllen 1 Samuel 1–2:11

Cyflwyniad

Roedd y ddau lyfr sy'n gysylltiedig â Samuel yn un llyfr yn y gweithiau Hebreig gwreiddiol. Byddai'r awdur wedi pwyso ar y traddodiad llafar ac ar ddogfennau a elwir yn Hanes y Llys. Byddent wedi cael eu hysgrifennu, mae'n debyg, tua'r wythfed ganrif cyn Crist. Ceir hanes Samuel ym mhenodau 1–7 sy'n ei gyflwyno fel arweinydd lleol mewn un man ac fel ffigwr cenedlaethol mewn man arall. Roedd y sôn amdano yn pontio cyfnod yr ymsefydlu, gyda'r Barnwyr yn llywodraethu, â chyfnod y Brenhinoedd. Byddai cof cenedl yn effro fod Duw yn siarad gyda chymeriadau mawr hanes Israel, ond hefyd yn defnyddio'r is-gymeriadau. Prin fod Samuel yn y naill gorlan na'r llall, ond roedd ei gyfnod a'i gyfraniad yn ddigon pwysig fel bod yr haneswyr yn cofnodi agweddau arwyddocaol o'i fywyd. Yn y myfyrdodau hyn, arhoswn gyda Samuel am dair ohonynt.

Myfyrdod

Bydd llawer o wragedd yn deall ing Hanna o ddyheu am blentyn ac yn methu epilio. Bellach mae meddygaeth yn cynnig eglurhad i ni ac yn aml yn cynnig modd o oresgyn yr anhawster. Yng nghyfnod Elcana a Hanna roeddent yn tybio mai ewyllys Duw oedd hyn. Ychwanegwyd at y boen gan fod Hanna yn un o ddwy wraig i Elcana, ac i Peninna, y wraig arall, eni bechgyn a merched. Nid pwysleisio ei thybiaeth mai Duw oedd achos yr anffrwythlondeb yw bwriad yr hanesydd ond fod y wraig ddefosiynol hon yn ymddiried yn llwyr yn Nuw. Roedd ei gofid yn fater gweddi.

　　Beth yw cynnwys ein gweddïau ni? Ai dyheadau arwynebol y dydd ynteu dyheadau dyfnaf yr enaid? Bydd y cyfan yn bwysig ond prin ein bod yn gofyn am ymwneud Duw â'r dibwys mewn bywyd. Mae i bob unigolyn gyfrifoldeb dros wneud penderfyniadau o ddydd i ddydd ond weithiau daw materion dwfn ac anodd i'n herio ac nid oes modd eu goresgyn yn llawn.

Weithiau byddwn yn dweud brawddeg o weddi a dyna'r diwedd. Bydd ambell weddi yn ymddangos yn ffurfiol a defosiynol heb achosi llawer o ymdrech a chwys i'r enaid. Yn y cymal olaf o adnod 18, roedd y gŵr duwiol wedi bod yn gyfrwng estyn bendith Duw iddi a'i chymell i fynd mewn heddwch a bod yn llawen.

Yn y weddi sy'n ymddangos ar ddechrau'r ail bennod, clywn eiriau dyrchafol sy'n ymddiried yn Nuw ac yn cadarnhau'r gred mai Duw yw Arglwydd nef a daear a bod gallu, grym ac arglwyddiaeth Duw yn ymestyn ymhellach na chrebwyll dynion. Adleisir y geiriau hyn yn y Magnificat (Luc 1) gyda Mair yn derbyn ei chyfrifoldeb i gario a geni Iesu. Mae'n anodd credu bod gwraig ddistadl fel Hanna wedi llunio'r weddi hon, iddi hi ei hailadrodd yng nghwmni ei chyfoedion ac iddynt hwythau gofio'r cyfan. Efallai bod y weddi hon ar ffurf cân ddefosiynol yn rhan o ddefosiwn y genedl, neu fod y traddodiad llafar wedi datblygu'r gân a'i gosod ar wefusau Hanna erbyn yr wythfed ganrif. Beth bynnag oedd yn wir am hyn, roedd mawredd Duw a gwyleidd-dra dynion a merched yn cael ei gymeradwyo yn y dweud. Erbyn yr wythfed ganrif, pan oedd y frenhiniaeth wedi breuo a grym milwrol y genedl yn pallu, roedd yr haneswyr yn awyddus i atgoffa'r bobl bod Duw o'u plaid. Byddai ef yn 'barnu cenhedloedd y ddaear ac fe rydd nerth i'w frenin a dyrchafu pen ei eneiniog'. Wrth gwrs ni wyddai Hanna unrhyw beth am frenhiniaeth Israel ond gwyddai am ei dyletswydd hi i ymddiried ym mhwrpas a bendith Duw.

Gweddi

Arglwydd, cyfaddefaf fy mod yn aml yn tybied fy mod yn gwybod beth sydd orau i mi, a byddaf yn siomedig pan na fydd y bwriadau hynny yn cael eu gwireddu. Agor fy llygaid i weld y tu hwnt i mi fy hun, ac i ymddiried yn dy allu di i drefnu fy mywyd yn unol â'th bwrpas. Amen.

Codi Proffwyd

Gweddi

Arglwydd, gwn dy fod yn siarad â phobl mewn ffyrdd amrywiol, ac ni fyddwn bob tro yn sylweddoli mai dy lais di yw. Helpa fi i glywed dy eiriau yn y myfyrdod heddiw, ac adnabod dy lais. Amen.

Darllen 1 Samuel 3

Cyflwyniad

Tybed sawl math o synau a glywn yng nghwrs unrhyw ddiwrnod? Synau pobl yn y tŷ neu ar y ffôn, sgyrsiau neu gerddoriaeth ar y cyfryngau, seiniau adar a sŵn byddarol trafnidiaeth efallai. Bydd eraill yn barotach i ddelweddu'r cwestiwn a sôn am synau gwleidyddol y dydd, neu fygythion cymdeithasol. Sut y byddwn yn ystyried y synau sy'n ysbrydol eu natur? Efallai mai ymateb rhai fyddai cynghori person sy'n clywed synau felly i fynd i ymweld â'r meddyg, neu dalu am ymgynghoriad gyda seiciatrydd. Beth fyddai pobl felly yn ei wneud o hanes Samuel? Yn ddiddorol, cymerodd hi sawl tro cyn bod Eli, y gŵr duwiol yn Seilo, yn sylweddoli bod Duw yn galw Samuel. Weithiau mae angen Eli ar bob Samuel i ddeall pwy sy'n siarad!

Myfyrdod

Tystiolaeth llawer iawn o bobl ffydd, yn arbennig y sawl sy'n eu cynnig eu hunain i'r weinidogaeth, yw bod Duw wedi eu haflonyddu, eu deffro neu eu galw mewn ffyrdd rhyfeddol. Bydd rhai yn fwy llafar na'i gilydd am y profiad o Dduw yn galw. Yn y rhan fwyaf o sefyllfaoedd, bydd yna ddylanwad goruwchnaturiol wedi arwain yr unigolyn i ddatgan ei brofiad, ac i gorff lletach gadarnhau eu hargyhoeddiad hwy fod yr unigolyn yn dangos arwyddion o gyffyrddiad Duw arno/arni. Yn adnod 20, nodir bod y genedl gyfan wedi sylweddoli 'fod Samuel wedi ei sefydlu'n broffwyd i'r Arglwydd'.

Byddai awduron y llyfr hwn o'r wythfed ganrif cyn Crist yn awyddus i bwysleisio bod Duw yn galw pobl i broffwydo a bod llais y proffwyd yn llais Duw yn eu plith. Roedd meibion Eli wedi tramgwyddo'n ofnadwy, a byddai gwŷr Israel ym mhob canrif yn gorfod cyfaddef bod nodweddion meibion Eli yn britho pob cyfnod a chymdeithas. Cyfrifoldeb proffwyd yr Arglwydd fyddai dweud y gwir ym mhob sefyllfa ac wrth bob person. Weithiau byddai'r proffwyd yn dioddef cernod y brenin neu ei gymuned am sefyll dros y gwir, dro arall byddai'n cael ei ddyrchafu am ei ddewrder.

Pan fydd yr eglwys a'r gwleidydd yn cytuno ar gyfaddawd anghywir neu anghyfiawn, mae dinistr yn siŵr o ddilyn. Rhaid wrth gorff crefyddol ac ysbrydol sy'n gadarn ac unplyg dros wirionedd dwyfol. Wrth gwrs, daw sefyllfaoedd pan na fydd pob llais crefyddol yn canu mewn unsain, a rhaid i'r gydwybod Gristnogol ofyn am arweiniad dwyfol i ddistyllu'r gwir drosti'i hun. Yn amlach na pheidio, bydd y Beibl a'r Ysbryd Glân yn goleuo'r mannau tywyll hynny mewn ffyrdd annisgwyl.

Cwestiwn perthnasol i'n cyfnod yw gofyn a yw Duw yn siarad heddiw, ac a yw yn galw pobl i fod yn broffwydi i'w cyfnod ac yn bregethwyr i'r gwirionedd. Tybed a yw yn ein galw ni fel unigolion i wrando ar ei lais ac i gyhoeddi ei wirionedd? Clywsom enghreifftiau o bobl a dybiodd iddynt gael eu galw, ond nas galwyd hwy gan gynulleidfaoedd Duw i swyddogaethau felly. Gobeithio fod pob un yn clywed llais Duw i gredu ac i ganlyn. Bydd tystiolaeth yr emynydd a eglurodd 'Mi glywaf dyner lais yn galw arnaf fi i ddod a golchi 'meiau i gyd yn afon Calfarî' (Lewis Hartsough, *cyf.* Ieuan Gwyllt, *C.Ff.* 483), yn adleisio profiad pawb ohonom, rywfodd neu'i gilydd. Tybed a allwn ddweud i ni ymateb, fel Samuel gynt, 'Llefara, Arglwydd, canys y mae dy was yn clywed'?

Gweddi

Diolch, Arglwydd Dduw, dy fod yn galw pobl heddiw i amrywiol swyddogaethau dy deyrnas. Helpa fi i wrando'n barotach ac i ymateb yn llwyrach fel y bydd fy mywyd i yn gyfrwng i'th wasanaethu'n fwy ufudd. Amen.

Heddwch o'r diwedd

Gweddi

Arglwydd, wrth i mi agor fy Meibl heddiw, gweddïaf y byddi'n fy helpu i werthfawrogi neges y darlleniad ac i sylweddoli beth rwyt am i mi ei ddysgu ynddo. Agor fy llygaid i'th weld, fy meddwl i ddeall a'm henaid i gredu dy fod yn Dduw eithriadol fawr, ac yn un sy'n fy ngharu i. Amen.

Darllen 1 Samuel 6–7

Myfyrdod

Profodd Israel densiynau rhyfedd yn ystod yr unfed ganrif ar ddeg cyn Crist. Roeddent wedi ymsefydlu ar y tir, ond roedd rhyfel yn berwi'n barhaus rhyngddynt a'r Philistiaid. Byddai milwyr Israel yn cario Arch y Cyfamod gyda hwy i ryfel, ac roedd hynny yn eu hatgoffa bod Duw gyda hwy yn wastadol. Sylweddolodd byddin y Philistiaid fod yr Arch yn bwysig i fyddin Israel, ac, yn dilyn un frwydr, llwyddwyd i'w dwyn. Ym mhennod 5, gwelir bod cymaint o anlwc wedi taro'r Philistiaid fel y bu iddynt benderfynu dychwelyd yr arch mewn modd rhyfedd. Wrth osod yr arch ar fath o dreilar a chynnig dwy fuwch ynghyd â gweithiau celf allan o aur, roedd y Philistiaid yn ymddiheuro am eu camwri. Dyma oedd gwneud iawn.

Ugain mlynedd yn ddiweddarach, yn ôl y naratif, daeth achlysur arall i ymladd, ac roedd Samuel yn ymateb i gais ei bobl i geisio cymorth i ymladd y Philistiaid. 'Gweddïa'n ddi-baid drosom ar yr Arglwydd ein Duw i'n gwaredu,' oedd y frawddeg bwysig. Edrydd yr hanes fod Duw wedi codi yn erbyn byddin y Philistiaid fel storm daranau, ac ni ddaethant eto i herio pobl Israel. Wrth ddilyn y Philistiaid allan o'r wlad, cododd Samuel garreg fawr ar y fan honno a'i galw yn Ebeneser – 'hyd yma y cynorthwyodd yr Arglwydd nyni'.

Nodwyd mewn pennod flaenorol bod yr haneswyr yn ysgrifennu tua'r wythfed ganrif Cyn Crist wedi oes aur cyfnod y brenhinoedd. Byddent yn cofio hanes brwydrau byddinoedd Israel yn yr unfed ganrif ar ddeg Cyn Crist ac yn cyfeirio at Ebeneser fel arwyddair gobaith. Er mai wynebu caethglud oedd Israel ar ddiwedd yr wythfed ganrif Cyn Crist, byddai'r enw hwn yn calonogi'r gwangalon, a byddent yn dal i weddïo y byddai Duw yn eu gwaredu. Mae'r bennod yn dathlu undod y genedl a'r sicrwydd bod Duw Israel yn drech na duwiau a grëwyd gan ddynion. Nid oedd eglurhad pam fod y pla wedi dilyn yr arch, na sut y bu i ddwy fuwch fagu lwyddo i gerdded yn unionsyth tuag at fyddin Israel. Yn arferol ychen wedi eu hyfforddi fyddai wedi gwneud hynny, ond cerddodd y ddwy fuwch ymlaen, anifeiliaid na fu erioed yn cyd-dynnu fel hyn, er bod eu lloi yn brefu tu cefn iddynt. Onid yr awgrym yw bod llaw Duw yn llywodraethu yma, fel yn hanes yr ebol asyn a gariodd Iesu i mewn i Jerwsalem ganrifoedd yn ddiweddarach?

Ble rydym ni wedi codi maen Ebeneser, a datgan 'hyd yma y cynorthwyodd yr Arglwydd nyni'? Y weithred o gofio Duw yn trechu ein gelynion drosom? Gallai fod yn herio rhyw drachwant hunanol, neu yn Dduw a oedd yn ein cynnal wrth herio ofn. Efallai inni sylweddoli bod Duw wedi ein cynorthwyo wrth i ni wynebu galar neu amheuaeth. Dyma'r Duw sy'n achub ac yn troi nos arswyd yn wawr gorfoledd. Dyma Dduw'r Pasg a Duw'r argyhoeddiad newydd.

Canlyniad ymyrraeth Duw yn yr hanes yw dwyn heddwch rhwng pobl a'i gilydd. Yn yr adroddiad yma, heddwch rhwng Israel a'r Amoriaid a nodir. Roedd y llwyth ymladdgar yna a drigai yn y mynyddoedd wedi dioddef nifer o weithiau o dan law Josua ac yn elynion parhaus. Serch hynny, mae'r elyniaeth yn diflannu, ac awydd i gadw heddwch yn dod i'r golwg. Pan fydd llaw Duw yn cael ei hamlygu, daw heddwch i'r golwg. Yng nghanol yr wythfed ganrif cyn Crist, roedd clywed y neges hon yn donic i blant Israel. Byddai yn fendith i bawb heddiw hefyd.

Gweddi

Diolch i ti, Nefol Dad, am gael clywed yr hanes hwn. Helpa fi i ymddiried yn llwyrach ynot. Mae dy Air a'th Ysbryd yn fwy grymus nag unrhyw beth ar y ddaear. Carwn ymlonyddu yn dy fendith di bob dydd. Amen.

Cyd-ddigwyddiad neu drefniant dwyfol

Gweddi

Arglwydd, cerddaf tuag atat heddiw yn ofnus ond yn obeithiol. Helpa fi i wneud hynny yn ystod yr egwyl hon o ddefosiwn. Amen.

Darllen 1 Samuel 9

Cyflwyniad

Roedd cyfnod Samuel yn bwysig i hanes Israel fel cyfnod yr ymsefydlogi a darganfod hunaniaeth cenedl a hawliodd dir a llwyddo i'w amddiffyn. Er i Samuel ddadlau yn erbyn sefydlu brenhiniaeth, roedd y llwythau yn awyddus i hynny ddigwydd, ac erbyn diwedd yr wythfed bennod roedd Samuel wedi deall bod Duw ei hun yn hyrwyddo hynny. Dadl Samuel oedd bod gan Israel frenin yn ei Duw, ac y byddai brenin daearol yn dilyn arferion brenhinoedd cenhedloedd eraill o godi mwy o drethiant ar y bobl, ac yn mynnu gwasanaeth y bobl mewn byddinoedd ac mewn gwasanaeth rhad. Dyma broses codi haen o bobl yn uwch na'r gweddill, gan hyrwyddo pyramid yr haenau cymdeithasol. Ail brif ddadl Samuel oedd dweud y byddai codi brenin daearol yn lleihau ymrwymiad y bobl i'w Harglwydd Dduw.

Dyddir dechrau brenhiniaeth Saul o gwmpas 1050 CC gan barhau am ddeugain mlynedd. Bydd rhai ffynonellau yn gosod dyddiadau ei olynydd Dafydd (1010–970 CC) am gyfnod tebyg, a Solomon am ddeugain mlynedd arall, cyn i'r genedl rannu tua 930 CC. Nid oes unfrydedd ynglŷn â'r dyddiadau hyn, ac nid hynny sy'n bwysig. Prin iawn fu'r cyfnodau llewyrchus gan i'r brenhinoedd arfer hunanoldeb ac i'r syniad o rym eu llygru. Onid dyna fu hanes cymaint o arweinwyr drwy'r canrifoedd? Nodwyd yn flaenorol bod yr haneswyr wedi llunio'r gweithiau hyn wedi oes aur y frenhiniaeth. Ceir rhai penodau sy'n ddilornus o'r frenhiniaeth, ac adrannau eraill sy'n canmol y sefydliad o frenhiniaeth. Mae'n rhaid bod yna amrywiaeth o olygyddion wedi gosod eu stamp ar y gwaith.

Myfyrdod

Pa mor aml y cawsom y profiad fod rhywbeth wedi digwydd drwy ddamwain, neu mai mater o gyd-ddigwyddiad oedd cyfarfod â pherson arall? Mae bywyd yn llawn o'r 'Pe bai ...', neu 'Oni bai am ...' Gall hyn fod yn ymwneud â dewis gyrfa, neu gyfarfod cymar bywyd, gan nad oes llawer o gynllunio neu fwriadu wedi llywio'r broses. Canodd T. H. Parry-Williams yn y gerdd 'Hon' mai 'damwain a hap' oedd iddo gael ei eni yng Nghymru, ond fod 'crafangau Cymru'n dirdynnu fy mron, Duw a'm gwaredo, ni allaf ddianc rhag hon'.

Cofnodir bod cyfarfyddiad Samuel a Saul wedi digwydd heb i'r naill na'r llall gynllunio hynny o gwbl. Cyflwynir Saul fel gŵr ifanc golygus nad oedd ei well ymysg yr Israeliaid (9:2). Oddi fewn i'r bennod, gwelir fel roedd yr haneswyr yn awyddus i ddangos mai Duw a baratôdd Samuel i dderbyn un o lwyth Benjamin a'i fod i'w baratoi i fod yn dywysog ar Israel. Roedd arwyddocâd i'r cymal olaf yn adnod 24 hefyd fod Saul a Samuel wedi cyd-fwyta ar ddiwrnod eu cyfarfyddiad. Byddai rhannu bwrdd yn ddelwedd gyfleus o gytundeb a chydweithio. Y gweledydd o'r hen oruchwyliaeth yn bendithio'r darpar frenin yn yr oruchwyliaeth newydd. Gwelwn fod yr haneswyr yn awyddus i ddangos bod yna harmoni sanctaidd yn y trosglwyddiad hwn. Dyma neges ganolog am Dduw yn gymaint â bod yn adlewyrchiad o dwf y genedl.

Roedd y grefydd Iddewig yn glir na ellir cyfyngu Duw i un ffordd o ddewis na gweithredu. Gweld perth yn llosgi heb ei difa oedd profiad Moses, cael profiad o negesydd Duw wrth ddyrnu gwenith gafodd Gideon i'w alw i wasanaeth Duw, a phwy fyddai'n meddwl bod gwylio dynion yn yfed wrth afon yn ffordd o ddewis milwyr? Nid oes fformiwla ffurfiol i ddyn ddod i berthynas â Duw, ac wrth nodi'r enghreifftiau amrywiol hyn, byddai'r Israeliaid ar draws llwybr amser yn barod i wrando'n astud am lais Duw yn eu cyfarch a'u cyfarwyddo. Pa fodd tybed y byddwn ni yn gwrando am lais Duw a pha mor ddisgwylgar fydd yr eglwys heddiw o Dduw yn siarad?

Gweddi

Nefol Dad, maddau i mi am fethu gwrando am dy arweiniad yn aml. Helpa fi heddiw i glustfeinio yn fwy gofalus, ac i dderbyn nad cyd-ddigwyddiad yw profiadau bywyd yn aml, ond canlyniad i'th anogaeth di ar fy nghyfer. Helpa fi i weld cyfleoedd i ddweud a gwneud rhywbeth yn dy enw di, er mwyn helpu eraill, efallai, i brofi dy fendith Di. Amen.

Arwr o fri

Gweddi

Arglwydd, plygaf ger dy fron heddiw gan gydnabod dy fawredd a'th ogoniant. Bydd y byd yn awyddus i edrych ar bobl lwyddiannus i'w cydnabod a'u hefelychu, ond dymunaf dreulio amser yn dy gwmni gan dy fod yn fwy nag unrhyw un y gwn amdano. Amen.

Darllen 1 Samuel 14:1–23

Myfyrdod

Mae darllen yn gyhoeddus mewn oedfa am frwydrau a rhyfeloedd yn anniddorol a negyddol. Prin eu bod yn ysbrydoli addoliad a chymundeb rhwng dyn a Duw. Serch hynny, mae haneswyr pob gwlad a diwylliant yn gweld gwrthdaro rhwng pobl a'i gilydd fel darluniau cyffrous. Bydd nofelwyr ein llenyddiaethau yn cael hwyl yn portreadu'r ddrama, boed rhwng byddinoedd neu ar lefel ysbïwyr, a phwy na wnaeth fwynhau darllen llyfrau Ian Fleming neu wylio'r ffilm o'r arwr James Bond?

Byddai'r Israeliaid yn cael eu hysbrydoli gan hanesion o lwyddiant, ac roedd clywed stori Jonathan yn mentro i gyfeiriad gwersyll y Philistiaid yn portreadu dwy nodwedd bwysig iddynt, sef dewrder milwrol a ffydd grefyddol. Bydd pob diwylliant am gydnabod arwyr eu cymunedau, a gorau oll os yw'r arwyr yn dychwelyd yn fyw o faes y gad. Pwy tybed yw ein harwyr ni yn yr unfed ganrif ar hugain? Pa nodweddion sy'n cael eu dyrchafu gennym? Roedd menter Jonathan, fel mab y brenin, yn haeddu sylw haneswyr yr wythfed ganrif wrth iddynt nodi'r gorffennol, ac iddo roi'r clod i Dduw am ei lwyddiant. Yn adnod 23 dywedir 'Y dydd hwnnw gwaredodd yr Arglwydd Israel, ac ymledodd y frwydr tu hwnt i Bethafen.'

Daw'r pwyslais hefyd mai buddugoliaeth Duw yn defnyddio'r ychydig sydd yma. Dim ond dau berson, yn llawn ffydd, ac yn herio a lladd 'ugain o ddynion'. Daw yr un gwirionedd i'r amlwg yn hanes Gideon yn Llyfr y Barnwyr. Ni raid i Dduw wrth y dyrfa ddirifedi i gyflawni ei bwrpas, ond dengys ei allu drwy ddefnyddio'r ychydig i gyflawni'r amhosibl. Yn hanes porthi'r pum mil (Mathew 14), daw yr un neges drosodd, ac mae perygl i ni fesur llwyddiant wrth y nifer a oedd o'n plaid yn hytrach na gweld y canlyniad fel tystiolaeth o allu a phwrpas Duw.

Iesu yw arwr mwyaf hanes, ac yntau yn herio grymoedd daear ar ei ben ei hun wrth farw ar y groes. Dangosir i ni fod yr efengylwyr wedi deall iddo dderbyn ei nerth drwy alw ar ei Dad Nefol a herio'r drwg a'r tywyllwch. Doedd mentergarwch Jonathan yn ddim mewn cymhariaeth. Pa rinweddau fyddwn ni'n chwilio amdanynt wrth geisio un i'w efelychu? Bydd llawer yn sôn am lwyddiant person, neu fywyd moesol yn llawn daioni. Efallai y byddwn yn cyfeirio at ddylanwad arbennig ar gwrs hanes neu ewyllys aberthol y gwrthrych dan sylw. A fu person mwy llwyddiannus na Iesu erioed, neu a ellir gweld daioni mwy na'i ddaioni ef? Cyfrifir hanes yn unol ag oed Crist, ac anodd dychmygu aberth mwy arwyddocaol na gwaith Iesu ar Galfaria.

Gweddi

Maddau i mi, Arglwydd, am geisio arwyr dynol, a byw y ffantasi o geisio eu hefelychu ym myd dychymyg. Helpa fi i geisio efelychu Iesu a byw yn debyg iddo. Dyro i mi ganu yn fy enaid heddiw, 'O na bawn yn fwy tebyg i Iesu Grist yn byw, yn llwyr gysegru 'mywyd i wasanaethu Duw' (Eleazar Roberts, *C.Ff.* 721), a gwneud rhywbeth sy'n arfer trugaredd a gras yn fy ymwneud â phobl eraill. Amen.

Mae cyfaill y ddrycin yn gyfaill gwirioneddol

Gweddi

Arglwydd, rwyt yn fy adnabod yn well nag yr wyf yn fy adnabod fy hunan. Trugarha wrthyf am fy meiau, a helpa fi heddiw i aros wrth ffynnon dy raslonrwydd di. Amen.

Darllen 1 Samuel 20

Cyflwyniad

Cafodd hanes perthynas Saul, Jonathan a Dafydd lawer o sylw gan yr haneswyr. Roedd Saul wedi bod yn aflwyddiannus mewn sawl gwedd o'i gyfrifoldeb fel brenin. Ar hyd y blynyddoedd, ni lwyddodd i goncro byddin y Philistiaid, na chwaith sefydlu trefn oddi fewn i'w deyrnas ei hun. Bu'n chwarae'r ffon ddwybig gyda'i bobl, yn gwneud trefniadau ac yn rhoi addewidion, ond yn methu. Dywedir (pennod 16) fod Duw wedi dewis Dafydd, yr ieuengaf a'r lleiaf tebygol o blant Jesse, i fod yn olynydd i Saul, ac fe amlygir dewrder Dafydd wrth iddo herio Goliath (pennod 17).

Ym mhenodau 18–19, cawn bortread cliriach o ddolur Saul a'i genfigen tuag at Dafydd. Roedd am drefnu marwolaeth ei fab-yng-nghyfraith. Onid yw'n eironig i weld cysgod o benderfyniad Dafydd yn ei awydd i drefnu marwolaeth Ureia yr Hethiad, gŵr Bathseba (2 Samuel 11)? Roedd y sawl a gofnododd yr hanesion hyn yn cydnabod ffaeleddau pobl. Wrth dybio mai pobl yr wythfed ganrif Cyn Crist oedd yn ysgrifennu'r hanes, gwelir eu bod yn barod i gydnabod brychau'r brenhinoedd, a gwendidau'r frenhiniaeth fel sefydliad. Prin y byddai pob sefydliad yn barod i wneud hynny, hyd yn oed heddiw. Bron ym mhob sefydliad gwleidyddol, gall pawb ddeall gosodiad Winston Churchill pan ddywedodd fod ei wrthwynebwyr i'w gweld ar yr ochr arall i'r siambr, tra bod y gelynion tu cefn iddo.

Yn yr adran hon, gwelwn nodweddion teyrngarwch Jonathan a Dafydd tuag at ei gilydd. Onid nodwedd hyfryd yw gweld 'brodyr hoff cytûn'? Yn 20:17, clywn am y cwlwm o gariad brawdol sy'n gryfach na chariad serch yn ôl rhai. Ar faes y gad clywir am ymrwymiad y milwyr dros ei gilydd. Pa bris sydd ar wir gyfeillgarwch? Does dim. Ni ellir ei ganfod yn y farchnad, ond ei feithrin yn y berthynas sydd rhwng pobl a'i gilydd. Dywedir na ellir dewis teulu, ond gellir dewis cyfeillion. Mae'r bennod a ddarllenwyd yn cadarnhau hynny.

Myfyrdod

Faint o ffrindiau agos sydd gennym? Byddwn yn adnabod llawer, ac yn gyrru ymlaen yn dda gyda nifer sylweddol, ond mae'r sawl sydd â llond llaw o ffrindiau gwir agos yn berson cyfoethog. Mwy na thebyg fod yna fan lle bydd y cyfeillgarwch agosaf o dan straen, ond bydd gwir gyfeillgarwch yn dal yn dynn. Dyna pam fod enwi Dafydd a Jonathan yn gyweirnod cariad brawdol ar ei orau. Mae hyn yn wir am fechgyn a merched wrth gwrs, a gwyddom am nifer o enghreifftiau o gyfeillion agos sy'n donic i'r enaid.

Hawdd gallai Jonathan fod yn eiddigeddus o Dafydd, ond mae gwir gyfeillgarwch yn fwy na nodweddion hyllaf pobl. Bydd y Cristion am ddweud bod Iesu'n gyfaill publicanod a phechaduriaid, ac yn diolch ei fod yn ffrind personol sy'n cael clywed ein cyfrinachau mwyaf.

Gweddi

Arglwydd Iesu, diolch i ti am fod yn ffrind agos a ffyddlon i mi. Rhannaf fy ngobeithion a'm hofnau gyda thi; fy nghywilydd a'm siomedigaethau. Cerdda wrth fy ochr bob dydd, a chynnal fi ar fy nhaith drwy'r byd. Amen.

Fy Arglwydd frenin

Gweddi

Arglwydd, ceisiaf ddod o'r newydd i fyfyrio ar dy Air, ac i geisio deall dy wirionedd. Helpa fi heddiw i weld beth yw fy ngwerthoedd a'm ffydd. Amen.

Darllen 2 Samuel 5:1–16

Cyflwyniad

Bu'r llyfrau hanesyddol yn drwm o dan ddylanwad golygyddol Deuteronomaidd a geisiodd gyflwyno safbwyntiau moesol a chrefyddol penodol. I'r golygyddion hyn, roedd unoliaeth y genedl yn bwysig, a hynny o dan lywodraeth Duw. Ceir trefn gyfreithiol benodol sy'n dueddol o ddweud bod y sawl sy'n ffyddlon i Dduw yn cael eu bendithio a bod yr anffyddlon yn cael eu cosbi. Bydd llawer yn dadlau bod dylanwad yr ysgol ddiwinyddol hon yn amlwg ym meddylfryd adain dde gwleidyddiaeth America heddiw.

Peth ffôl fyddai mesur agweddau milwrol a moesol hanesion cyfnod Dafydd fel brenin 1010–970 cc gyda'n deall ni o foesoldeb. Roedd y meddylfryd Iddewig yn rhoi bri mawr ar y ffaith fod Iesu o linach Dafydd, a sylwir bod y ddelwedd o frenhiniaeth gadarn yn amlwg yn y modd y cyflwynir y syniad o deyrnas sanctaidd. Beth bynnag oedd rhagoriaethau a gwendidau Dafydd, llwyddodd i uno a sefydlogi'r frenhiniaeth ac, er i ddisgynyddion Saul a phlant Dafydd ei hun fod yn achos rhyfeloedd cartref gwaedlyd, ceir ymdrech gan Dafydd i fod yn gyson ac yn wrthrychol. Ni lwyddodd bob tro, ac wrth ddarllen llenyddiaeth y Breniniaethau, fel y gelwir hwy yn aml (1 a 2 Samuel, 1 a 2 Brenhinoedd, 1 a 2 Cronicl), byddai pobl Israel yn amser Iesu wedi deall y ddelfryd o frenhiniaeth yn dda, ac wedi chwennych perthyn i frenhiniaeth gyfiawn ac anorchfygol.

Myfyrdod

Ffon fesur llwyddiant llywodraethau a gwladwriaethau ar draws y cyfandiroedd a'r canrifoedd fyddai eu grym milwrol a'u perthynas gyda llywodraethau eraill. Bydd tegwch a chyfiawnder mewnol yn bwysig hefyd a sefydlogrwydd eu heconomi. Bu brwydrau'r oesoedd yn ymwneud â pherchenogaeth tiroedd a grym un arweinydd dros y llall. Ai proses debyg i gêm o wyddbwyll yw bywyd, y naill ochr yn ceisio goruchafiaeth dros y llall?

Mae'n ymarfer diddorol i gymharu agweddau Dafydd tuag at y frenhiniaeth â meddylfryd gweinidogaeth Iesu. Er bod Iesu yn cael ei gyflwyno fel un o ddisgynyddion Dafydd a bod Dinas Dafydd yn ganolog i bontio'r ddwy deyrnas, prin fod llawer arall yn gyffredin rhyngddynt. Rhyfeddod Cristnogaeth yw dweud bod y brenin yn marw dros ei ddeiliaid, tra bod Dafydd yn defnyddio bywydau ei ddeiliaid ac arfau rhyfel i hyrwyddo ei lwyddiant ei hun.

Yn y bennod a ddarllenwyd, gwelir bod grym a strategaeth Dafydd yn uno'r llwythau a fu gynt yn dilyn Moses a Josua i hawlio tiroedd y Canaaneaid ac eraill, ond bu'n fregus ar hyd cyfnod y brenhinoedd. Ar ôl dyddiau Solomon, olynydd Dafydd, rhannwyd y deyrnas, a dyna ddechrau'r diwedd. Hanfod teyrnas Crist yw na ellir ei choncro, ac er bod rhaniadau wedi digwydd o ran strwythurau'r cyfundrefnau, mae credo a gobeithion y cyrff eglwysig yn gorfod bod yn un, am mai Un Arglwydd sydd i'r deyrnas hon. Nodir yn gyson bod Dafydd yn estyn heddwch i eraill, ond, yn amlach na pheidio, heddwch cynghreiriol sydd ganddo, tra bod Iesu yn hyrwyddo heddwch ar sail trugaredd a maddeuant cariadlon. Nodir bod Dafydd yn bychanu'r cloffion a'r deillion (5:8), er y dangosir trugaredd tuag at Meffiboseth (2 Samuel 2:6–13), tra bod Iesu yn cofleidio'r mwyaf truenus o bobl byd.

Teyrnas pwy yw ein teyrnas ni? Ai teyrnas goruchafiaeth trais a llaw drom y llywodraeth, teyrnas sy'n dyrchafu'r cryf ac yn bychanu'r gwan, neu deyrnas i'r dioddefwyr, yr iselradd, ac yn gymuned sy'n parchu gwragedd? Er bod tair mil o flynyddoedd ers dyddiau Dafydd frenin, mae ei agweddau yn dal yn fyw ac yn iach. Pwy, dybiwn ni, sy'n arddel y frenhiniaeth honno heddiw?

Gweddi

Arglwydd Iesu, daethost i'r byd i adennill teyrnas dy Dad Nefol ac i arwain pobl i'th deyrnas dragwyddol. Maddau i mi am wrando ar leisiau teyrnasoedd trais a dialedd, a chydnabod llywodraethau sy'n ddilornus o'r gwan, y methedig, y di-rym a'r di-hawl. Agor fy llygaid o'r newydd i garu a pharchu'r anghenus yn ein byd. Amen.

Pwy sydd berffaith?

Gweddi

Nefol Dad, ceisiaf glosio atat heddiw, gan sylweddoli na allaf hawlio eiliad o'th sylw. Cofiaf ganu'r emyn ac ynddo'r geiriau 'dod fel yr wyf', gan gredu dy fod yn Dduw sy'n gymorth hawdd ei gael ym mhob cyfyngder. Helpa fi heddiw i gyfaddef fy meiau, a dal i glosio atat. Amen.

Darllen 2 Samuel 11–12:14

Cyflwyniad

Cyflwynir Dafydd fel y brenin mwyaf llwyddiannus a fu yn hanes Israel, a nodir iddo fod yn filwr dewr, yn arweinydd effeithiol, yn ffyddlon i Dduw, ac yn ŵr defosiynol. Mae'n wir dweud iddo ddangos agweddau creulon, ond dyna oedd nodweddion derbyniol ei ddydd. Roedd ganddo nifer o wragedd a gordderchwragedd (concubines), ac nid oedd deddf yn erbyn hynny chwaith. Serch hynny adroddir yr hanes cyfarwydd amdano yn cymryd at Bathseba, gwraig Ureia yr Hethiad, ac yntau oddi cartref. Roedd yn euog o odineb, ac ym mhennod 12 ceir cyflwyniad o neges Nathan a'r modd y bu i Dafydd edifarhau am ei gamwedd. Mae'r hanes yn gyfarwydd, a theg gofyn pam fod cofnodion hanesyddol y genedl yn barod i ddatgelu pechod y brenin? Mae'n annhebygol mai dyma oedd ei unig lithriad, ond caiff yr haneswyr gyfle i ddangos bod hyd yn oed y gorau yn methu a bod Duw yn dangos trugaredd.

Myfyrdod

Bydd y sawl sydd wedi darllen y penodau dilynol wedi sylweddoli bod llys a theulu Dafydd yn euog o gamweddau eraill a bod anfoesoldeb rhywiol yn dod i'r golwg. Bu godineb a llosgach yn ffenomenau pob cyfnod a diwylliant. Onid felly y bu erioed? Gellir dadlau bod gwreiddiau cwymp y genedl, ddwy ganrif yn ddiweddarach, i'w gweld ym methiant Dafydd a'i deulu i fyw yn ufudd i ddeddf Moses. Gellir rhestru llu o gwestiynau yn dechrau gyda'r cymal – 'Pe bai ...' ac olrhain gwendidau pobl. Cam cyntaf pob adnewyddiad yw cyfaddefiad o fethiant yn y gorffennol, ac awydd i wella ar gyfer y dyfodol. Rydym yn reddfol am guddio'n beiau rhag golwg dyn a Duw. Bydd y sawl sy'n cynhyrchu deunydd coluro a'r sawl sy'n cynllunio dillad ar gyfer pobl o bob siâp yn dibynnu ar awydd y cwsmer i edrych mor dda ag sy'n bosibl. Gorau oll os gellir cuddio'r hyn a dybir yn ffaeleddau. Ai porthi balchder yw hyn yn sylfaenol?

Cyflwynir gan Dylan Thomas yn y gwaith *Dan y Wenallt* ddyhead yng ngweddi Eli Jenkins bod yr offeiriad am i Dduw weld yr ochr orau ohono ac nid yr ochr waethaf. Wrth gwrs, mae'r gyffes Gristnogol yn gofyn i Dduw faddau'r elfennau hunanol a drygionus sydd ynom, ac nid eu gwadu. Nid oes angen bag o offer coluro ar enaid unrhyw un.

Beth tybed oedd ymateb Hebrewyr yr wythfed ganrif wrth iddynt ddarllen y cofnodion hyn am yr arwr brenhinol o'r ddegfed ganrif? Ai teimlo'n anghysurus bod y salmydd frenin wedi bod mor bechadurus yr oeddent, neu ynteu ddiolch fod y sawl a dorrodd y deddfau mewn ffordd mor amlwg wedi derbyn trugaredd Duw, a bod Duw Dafydd yr un mor drugarog tuag at bawb? Wrth ddarllen am fywydau pobl amlwg ac anamlwg ein byd yn gloddesta mewn bywydau masweddus, ai barnu pobl a wnawn, ynteu ymhŵedd am drugaredd? Ni ellir cyfiawnhau na chymeradwyo pechod, ond gellir efelychu Iesu a cheisio adfer y pechadur heb chwennych dial na chondemniad am ei wendidau. Wedi'r cyfan, boed i'r beirniad dialgar dibechod daflu'r garreg gyntaf (Ioan 8:1–11).

Gweddi

Diolch, Iesu, am i ti faddau i bechaduriaid edifeiriol pob oes, a chynnig iddynt obaith newydd. Clyw fy ngweddi edifeiriol a'm deisyfiad am faddeuant. Fel y profodd Dafydd gynt y maddeuant dwyfol ar waith, maddau i mi fy ffolineb a'm pechod. Amen.

Mae caru gelyn yn waith caled

Gweddi

Ceisiaf ddod yn agosach atat, Arglwydd, er bod llawer iawn o bobl a phethau yn fy nenu i gyfeiriadau eraill. Mae'n hawdd rhoi defosiwn ar y rhestr o dasgau eilbwys bywyd. Dal fi'n agos atat nawr, a helpa fi i wrando ar dy air. Amen.

Darllen 2 Samuel 18

Myfyrdod

Onid yw hi'n rhyfedd sut y bydd nofelwyr llwyddiannus yn defnyddio cefnlen rhyfel i lunio llyfrau llawn cyffro? Bydd nofel lwyddiannus fel ffilm dda yn gofyn am blot cyffrous ac isblot cymhleth hefyd. Bydd brad a dialedd, trais a galar yn rhoi cyffro i'r gwaith, a phrin fod yr un ffilm yn llwyddo i werthu yn y 'box-office' heb elfen o serch. Gwelwyd yr holl nodweddion hyn ar lwyfannau gwleidyddol ein byd ar bob cyfandir ac ym mhob cyfnod bron, gyda thywallt gwaed yn ddi-hid ar lawr. Pan fydd rhyfel rhwng cenhedloedd a'i gilydd, mae'n ddifrifol, ond pan fydd y brwydro yn enw rhyfel cartref, bydd arswyd dyfnach hyd yn oed, gan fod teuluoedd yn cael eu rhwygo a chymunedau yn amau cymdogion o frad.

Yn hanes Dafydd Frenin, ei fab Absalom gododd mewn gwrthryfel yn ei erbyn, a bu'r rhwyg yn ddwfn gydag un garfan oddi fewn i'r genedl yn bleidiol i'r tad a'r gweddill yn awyddus i weld marw Dafydd ac i'r mab gael ei urddo'n frenin. Nodir bod Dafydd wedi cuddio ar un adeg, ac yna ei fod wedi gorchymyn i'w gadfridogion fod yn drugarog tuag at ei fab. 'Er fy mwyn i byddwch yn dyner wrth y llanc Absalom' (adnod 5). Nid felly y bu, gan i Absalom gael ei ddal, ac ni fu unrhyw drugaredd.

Bydd tensiynau yn sicr o ddatblygu ym mhob teulu bron. Prin y bydd modd disgwyl cytundeb ar bob pwnc, hyd yn oed oddi mewn i deulu clòs. Nid osgoi anghydweld yw'r gamp fwyaf, ond dod i ddealltwriaeth gymodlon wrth wynebu'r anghydweld. Mewn sefyllfaoedd gwaith neu hamdden, mewn undebau llafur neu gyda phleidiau gwleidyddol, eglwys neu enwad, y dasg yw derbyn barn y mwyafrif yn urddasol.

Prin y gellid disgrifio Dafydd fel person trugarog gan iddo ddefnyddio ei gleddyf mewn modd creulon tuag at unigolion diniwed. Mae'r hanes hwn yn adleisio ei agwedd tuag at Saul, yn ei ysfa i barchu teulu ac i anrhydeddu pobl Dduw. Yn ein cyfnod ni, gallwn ofyn a oes ysbryd trugarog tuag at y sawl sy'n dymuno drwg i ni. Dywed Iesu fod caru'r sawl sy'n ewyllysio drwg i ni i'w gymeradwyo. Bydd caru gelyn yn gofyn am lawer o raslonrwydd. Sut mae dymuno'n dda i'r sawl sy'n achosi poen, a maddau i'r person sy'n peri niwed? Mae cau dwrn yn dod yn reddfol i'r rhan fwyaf ohonom. Pan oedd Iesu ar y groes gofynnodd i Dduw faddau i'r sawl oedd yn ei groeshoelio, ei wawdio a'i watwar. Mae caru'r sawl sy'n ein caru ni yn naturiol a hawdd, ond mae caru gelyn yn dasg gwbl wahanol. Serch hynny, mae'n bosibl gwneud ar ôl derbyn cariad Duw yn ein calon (Mathew 5:43–48).

Gweddi

Arglwydd grasol, trugarha wrthym pan fyddwn yn elyniaethus tuag atat ac yn troi ein cefn ar waith Iesu. Cawn yr ofn hwnnw weithiau ein bod yn gwrthryfela yn dy erbyn ac yn ddibris o'th fendith. Maddau i ni fel y maddeuaist i'r sawl a groeshoeliodd Iesu ar Galfaria. Amen.

Arglwydd, plygaf o'th flaen cyn sefyll a cherdded ymlaen

Gweddi
Dduw pob doethineb, gwyddost bopeth am fy ngwiriondeb a'm ffolineb. Caf fy nenu gan bob awel o feddwl, heb fedru amgyffred beth sy'n wir ac yn berthnasol i fywyd. Helpa fi heddiw i sylweddoli mai ti yw ffynnon pob doethineb, ac mai aros wrth ymyl Iesu, ffynnon y bywyd, yw'r cam doethaf o ddigon. Amen.

Darllen 1 Brenhinoedd 3

Cyflwyniad
Mae'n anodd gwneud tegwch â dau lyfr Brenhinoedd a dau lyfr Cronicl, o ran awduriaeth na phwrpas. Maent o reidrwydd yn edrych yn ôl dros ysgwydd amser, a dadleuir bod y gweithiau hyn wedi eu hysgrifennu tua thair canrif ar ôl y digwyddiadau a gofnodir. Ailadroddir darnau o lyfrau eraill sy'n cofnodi geiriau proffwydi'r cyfnodau. Mae'r llyfrau hyn yn trafod sawl taith wahanol: y daith gronolegol o gyfnod Solomon (970–930 Cyn Crist) drwy gyfnod ymrannu'r Deyrnas hyd at y Gaethglud yn y chweched ganrif Cyn Crist. Yn ystod yr unedau nesaf arhoswn gyda rhai o'r digwyddiadau a'r personoliaethau diddorol yn ystod y cyfnodau hyn.

Roedd Dafydd wedi dewis Solomon fel ei olynydd, sef yr ail blentyn a genhedlodd ef ac Abigail. Ganwyd Solomon tua'r flwyddyn 1000 Cyn Crist a bu farw ei dad tua 970 Cyn Crist. Bydd y mab yn cael ei gofio fel brenin doeth, yn ŵr deallus a blaengar a welodd gynnydd yng nghyfoeth a dylanwad Israel am yr ugain mlynedd cyntaf o'i deyrnasiad, ac yna yn ail hanner ei deyrnasiad gwelwyd cyfnod o golli tir a dylanwad.

Cynghreiriodd gyda nifer o genhedloedd eraill drwy briodas, a dywedir iddo briodi 700 o wragedd, ac roedd iddo 300 o ordderchwragedd (concubines). Beth bynnag oedd gwirionedd yr ystadegau hyn, roedd ganddo dasg enfawr i gofio enwau cymaint o ferched, heb sôn am eu cadw'n griw heddychlon! Ar wahân i nifer y gwragedd yn ei lys, arwydd allanol arall o'i gyfoeth oedd iddo adeiladu palasau iddo'i hun a theml ysblennydd i Dduw yn Jerwsalem. Dywedir bod iddo ddawn eithriadol i gynnig arweiniad doeth ar ystod eang o bynciau, ac i bobl deithio o bell i wrando arno'n traddodi ei gynghorion. Beth bynnag oedd ei allu ymenyddol, cyflwynodd deyrnas wannach i'w olynydd Rehoboam, a byrhoedlog fu undod y genedl wedi hynny.

Myfyrdod

Pa mor aml y cawn ein cyhuddo o fod yn annoeth ac o ddweud neu wneud rhywbeth gwirion? Wrth adolygu sefyllfa neu ailystyried y ffeithiau, byddem wedi dod i benderfyniad gwahanol a dewis llwybr arall. Rhan sylfaenol o neges yr adran hon am Solomon oedd pwysleisio ei ddefosiwn, ac iddo ofyn i Dduw am ddoethineb. Wrth ofyn i Dduw am arweiniad 'i farnu pobl, i ddirnad da a drwg' (adnod 9), roedd yn ymddiried yn noethineb Duw. I'r Iddew, roedd doethineb yn fwy na doethineb yn yr ystyr gyfoes i'r gair, roedd hefyd yn cynnig trefn foesol. Wrth edrych yn ôl o'r wythfed ganrif i'r ddegfed ganrif, byddai'r haneswyr diwinyddol hyn yn awyddus i ddangos bod y sawl sy'n ffyddlon i Dduw ac yn ceisio ei ddoethineb yn profi llwyddiant a bendith. Byddai'r patrwm Iddewig o nodi'r ffurf negyddol yr un mor effeithiol, drwy ddweud bod y sawl nad oedd yn ffyddlon a heb geisio doethineb Duw yn gweld aflwyddiant a methiant. Erbyn diwedd teyrnasiad Solomon, roedd y cyfoeth a'r awdurdod wedi mynd, a llwythau cecrus oedd yn ei angladd.

Bydd yr uned nesaf yn ystyried beth yw gwir deml i'r Arglwydd, ond heddiw cawn gyfle i ofyn beth yw gradd a natur ein hymddiriedaeth yn Nuw? Sylweddolodd y brenin ifanc fod ei dasg yn anferthol ac yntau yn gwbl ddibrofiad. Pa fath o dasgau sy'n galw am ein doethineb ni? A yw ein deall ni o ddewis rhwng y da a'r drwg yn hawdd, ac onid oes angen gweddïo'n daer wrth wynebu pob sefyllfa?

'Mae nos a Duw yn llawer gwell na golau ddydd a Duw ymhell.' (Penrith, *C.Ff.* 77)

Gweddi

Gwyddost, Arglwydd, fy mod yn ymbalfalu'n aml am y ffordd ymlaen, mewn sawl sefyllfa. Bydd gyda fi ym mhob penderfyniad a llewyrched dy oleuni ar y ffordd gywir. Ti yw llewyrch fy llwybrau, a goleuni fy ngobeithion. Boed i oleuni'r nef fod gyda fi yn fy ymateb i fynd at Iesu'n wastadol, a goleuni'r atgyfodiad yn fy nghadarnhau yn y ffydd, pan fyddaf yn dechrau crwydro. Amen.

Teml i Dduw

Gweddi
Ceisiaf agosáu atat, Arglwydd, a threulio amser gwerthfawr yn dy gwmni. Mae gennyf le i ddiolch am lu o fendithion bywyd, ond carwn ganolbwyntio arnat ti. Ti, O Dduw, yw'r trysor mwyaf sydd. Addolaf di. Amen.

Darllen 1 Brenhinoedd 8:54–66

Myfyrdod
Mae'n anodd deall beth yw apêl y rhaglenni teledu sy'n cyflwyno tai i ddarpar brynwyr. Ai chwilfrydedd, neu bod yn fusneslyd; porthi byd ffantasi neu'r boddhad hwnnw o weld sut mae eraill yn cynllunio eu cartrefi? Bu tai yn fwy na llefydd byw i lawer, yn arbennig i'r cyfoethog, gan eu bod yn ddatganiad o statws a chyfoeth, yn llefydd i arddangos llwyddiant. Wrth ymweld â thai bonedd, cestyll a phalasau, bydd y tywyswyr yn sôn am gyfraniad yr amrywiol berchenogion i osod eu stamp. Un o gerddi arbennig y Gymraeg yw cerdd Iolo Goch i Lys Owain Glyndŵr yn Sycharth. Er bod y disgrifio manwl o leoliad a rhyfeddod yr adeilad, cerdd i ddyrchafu Owain Glyndŵr sydd gan y bardd mewn gwirionedd.

Ym mhenodau 5–8 o Lyfr Cyntaf y Brenhinoedd, ceir hanes am Solomon yn adeiladu Teml i'r Arglwydd a thŷ iddo'i hun. Mae'r manylion yn helaeth a manwl. Mae'n ddiddorol bod cyfoeth Solomon cymaint fel ei fod yn medru fforddio'r elfennau drudfawr hyn. Mae'n rhaid bod balchder aruthrol gan yr Israeliaid wrth iddynt gofnodi'r cyfan. Er mor fawr a chyfoethog oedd Solomon, rhoddodd yntau'r lle blaenaf i'r Arglwydd. Aberthodd 22,000 o wartheg a 120,000 o ddefaid yn hedd-offrwm. Mae'n anodd credu bod cymaint o anifeiliaid wedi eu lladd, a bod y rhifau enfawr hyn i fod yn adlewyrchiad o fawredd y moliant a roddwyd i'r Arglwydd. Pe bai'r rhifau'n gywir, beth tybed fyddai wedi digwydd i'r holl gig?

Holl bwrpas y Deml oedd anrhydeddu Duw a dwyn addoliad y genedl iddo. Yn yr adeilad hwn roedd lle arbennig i Arch y Cyfamod i gyfleu bod Duw yn bresennol yn yr adeilad ysblennydd. Er mor wych oedd yr adeilad, ac er mor gryf oedd Solomon, erbyn i'r haneswyr gofnodi'r ffeithiau hyn roedd y deyrnas wedi'i rhannu a'r adeilad yn fregus. Efallai mai rhybudd sydd gan yr haneswyr i'w roi i'r sawl a fyddai yn gwrando ar eu darllen, sef bod y sawl sy'n troi addoliad ysbrydol yn ddelweddau materol mewn perygl o golli hanfod y bwriad gwreiddiol.

Dywed Iesu nad oes gan Fab y Dyn le i roi ei ben i lawr. Nid adeilad oedd ei gartref, ac nid palas ysblennydd oedd canolbwynt ei deyrnas. Yn wir, dywed, 'teyrnas nefoedd o'ch mewn chwi y mae'. Y bobl yw teml Dduw ac mae'r Ysbryd yn trigo oddi fewn i galon dyn.

Mae geiriau o ymgysegriad Solomon yn addas i bawb sydd am fyw bywyd ysbrydol cyflawn. Ei anogaeth i'w bobl oedd, 'Bydded eich calon yn llwyr ymroddedig i'r Arglwydd ein Duw, i rodio yn ei ordinhadau a chadw ei orchmynion fel heddiw' (adnod 61). Cyfoeth ac ysblander oedd arwyddion allanol addoliad Solomon, gwyleidd-dra a gwasanaeth i'r tlodion a'r truenus sy'n nodweddu gweinidogaeth Iesu. Tybed beth sy'n nodweddu'n haddoliad a'n hymgysegriad ni?

Gweddi

Diolch, Arglwydd, am gartref a chymuned, am fwyd a dillad, ac am y profiad o Iesu yn fy mywyd. Gwn nad yw fy addoliad yn gyson nac yn deilwng ohonot. Maddau i mi am bob elfen annerbyniol yn fy mywyd, a helpa fi i sylweddoli bob dydd mai Iesu yw'r brenin tlawd ac Arglwydd y Deyrnas Nefol. Amen.

Hadau drygioni yn hofran yn y gwynt

Gweddi

Nefol Dad, cyfaddefaf y gallaf dreulio dyddiau heb feddwl amdanat o gwbl. Mae hynny mor wirion â pherson sy'n esgeuluso bwyta'n iach a rheolaidd. Gwn fy mod ar fy ngholled ac yn dioddef o'r herwydd. Agor fy llygaid heddiw i weld y peryglon o golli ymborth ysbrydol cyson. Amen.

Darllen 1 Brenhinoedd 11

Myfyrdod

Nodwyd mewn unedau blaenorol bod yr haneswyr a ysgrifennodd y cofnodion hyn am y brenhinoedd yn gyffredinol ac am Solomon yn benodol yn gignoeth o onest wrth gynnig gwybodaeth am eu gwendidau. Nid gor-ddyrchafu'r brenhinoedd oedd y bwriad, nac adrodd yr hanes fel cofnodion syml, ond canmol Duw yn ei farn a'i wrthrychedd, ei raslonrwydd a'i drugaredd. Bu Solomon fel ei dad yn frenin am gyfnod sylweddol o ddeugain mlynedd. Mae'n siŵr bod yna lawer o hanesion i'w hadrodd, ond dewiswyd adroddiadau am ddefosiwn a llwyddiant ar y naill law, a beirniadaeth wrthrychol ar y llall.

Gwelir triniaeth amyneddgar gan Dduw o deyrnasiad Solomon, ond mae'r diwedd yn nodi barn Duw ac yn dangos trugaredd hefyd (11:13, 41–43). Pa mor anffyddlon bynnag y bu Solomon i'r Arglwydd, pan drodd i addoli duwiau ei wragedd, dangosir bod Duw yn barod i gofio'r addewid a roddodd i Dafydd, a hynny i ofalu am y genedl. Gwelir bod diwinyddiaeth yr haneswyr yn cadarnhau bod Duw yn gweld gwendid dyn ac yn barod i gofio am ei bobl, er eu pechod. Sylweddolodd yr haneswyr fod brenhinoedd diweddarach na Solomon hyd at eu cyfnod hwy yn yr wythfed ganrif wedi bod yn esgeulus ac yn anghyfrifol. Nid oedd gan y bobl unrhyw obaith ond ymddiried yn y Duw a welodd yn dda i gofio'r addewid a wnaed i Dafydd gynt.

Roedd gwendid teyrnasiad Solomon wedi ei wreiddio yn ei gyfnod llwyddiannus. Cynghreiriodd yn effeithiol gyda'r brenhinoedd cyfagos i gadw'r heddwch drwy briodi eu merched, ac yn y broses honno gofleidio eu crefyddau a'u duwiau. Efallai fod hyn yn wleidyddol dderbyniol, ond yn foesol ac yn ysbrydol roedd yn esgeuluso ei grefydd ei hun. Sut y gellir cofleidio Duw a Mamon? Y cyfaddawd cyntaf yw'r anoddaf, ac mae'n debyg y bydd hi'n haws i gyfiawnhau'r gweddill yn dilyn hynny. Mae'r un peth yn wir am bob elfen o anfoesoldeb, anghyfiawnder a thwyll. Bydd dyn yn ei orseddu ei hun yn feirniad ac yn cyfiawnhau'r anghyfiawn. Yn y paragraff sy'n trafod gelynion Solomon (adnodau 14–25), gwelir y modd roedd pobl Edom yn magu atgasedd. Faint o bobl a brofodd atgasedd tuag at eu harweinwyr gormesol yn yr Aifft, Libya, Afghanistan, Irac a Syria?

Bydd y sawl sy'n ymddieithrio oddi wrth ei deulu, ei Dduw neu unrhyw wirionedd arall, yn ei chael yn haws bob tro. Mae'n siŵr fod y brenin Solomon, a lywyddodd dros ei genedl am ddeugain mlynedd, wedi magu llu o elynion heb boeni am hynny. Faint ohonom sy'n ymwybodol nad ydym yn ymdrechu i anrhydeddu Duw, ac yn poeni am hynny? Pryd daw canlyniad i'r gweithredu hwn? Os ffrwyth pechod yw marwolaeth, beth yw ffrwyth pechu? Diolch byth, medd yr haneswyr a gasglodd y deunydd hwn ynghyd, fod Duw Abraham, Isaac a Jacob yn Dduw trugaredd hefyd. Diolch byth, medd y Cristion edifeiriol, bod y Tad cariadlon yn derbyn yr Afradlon adref ac yn ei garu o hyd.

Gweddi

Dduw gras a chariad, diolch i ti am fy nerbyn er fy meiau. Bûm yn crwydro droeon ac yn esgeulus o'm dyletswyddau, ac eto gwelaist yn dda i'm derbyn yn ôl. Arwain fi o'r newydd i'th wirionedd a chadw fi'n agos atat yn feunyddiol. Amen.

Una ni bob un ...

Gweddi

Plygaf ger dy fron, O Arglwydd Dduw, a gofyn am dy arweiniad heddiw.
Wrth i mi droi at dy Air, agor fy nghalon i dderbyn dy wirionedd ac i weld
perthnasedd dy Air yn fy mywyd i. Amen.

Darllen 1 Brenhinoedd 12

Cyflwyniad

Nodwyd eisoes bod llyfrau 1 Brenhinoedd ac 1 a 2 Cronicl yn ailadrodd
llawer o'r hanesion hyd ddiwedd teyrnasiad Solomon. Mae 2 Brenhinoedd
yn rhoi mwy o sylw i'r cyfnod rhwng Ymrannu'r Deyrnas a'r gaethglud.
Yr un brif nodwedd a geir i'r casgliadau hyn, sef cydnabod gwendid dyn
a dyrchafu gras a chyfiawnder Duw.

Bu'r frenhiniaeth yn sigledig, hyd yn oed yng nghyfnod Dafydd (2
Samuel 20), gyda rhai o'r llwythau yn genfigennus o'i gilydd. Ar farwolaeth
Solomon, daeth Jeroboam yn arweinydd Israel yn y gogledd gyda deg
llwyth, a Rehoboam yn arweinydd yn nheyrnas y de a alwyd yn Jwda.
Prifddinasoedd y gogledd oedd Sichem a Bethel, tra roedd Jerwsalem yn
brifddinas Jwda. Bu i Israel barhau am 200 mlynedd dan 17 brenin
gwahanol, gyda'r rhan fwyaf ohonynt yn hunanol a drwg. Parhaodd Jwda
yn hwy, gyda 13 brenin. Gorchfygwyd Israel adeg cwymp Samaria yn
721 CC gan Asyria tra bod Jwda wedi ildio i fyddin Babilon yn 586 CC. Yn
ystod y cyfnodau hyn Elias ac Eliseus oedd y ddau broffwyd cynnar, gydag
Amos a Hosea yn proffwydo'n ddiweddarach yn y gogledd, ac fe geir
llawer o'u hanes yn Llyfrau'r Brenhinoedd. Eseia Jerwsalem a Micha oedd
y ddau brif broffwyd yn Jwda yn ystod y cyfnod hwn. Cawn gyfarfod â
thri llais proffwydol yn dwyn yr enw Eseia. Bydd y cyntaf yn offeiriad yn
Jerwsalem, a dyddir ef cyn y gaethglud i Fabilon. Roedd yr Ail Eseia yn
llefaru tua diwedd cyfnod y gaethglud a'r Trydydd Eseia yn cyfarch ei
bobl wedi dychwelyd o'r gaethglud.

Myfyrdod

Profiad chwithig yw gweld cweryl oddi fewn i deulu, neu weld dau hen gyfaill yn troi'n elynion i'w gilydd. Bydd pob rhyfel cartref yn boenus i'w weld, ac y mae pob rhwyg, beth bynnag sy'n achos iddo, yn brofiad poenus. Roedd i gyfansoddiad cenedl Israel sawl elfen ac, wrth i'r deuddeg llwyth geisio dilyn yr un cyfeiriad, nid yw'n rhyfedd fod yna ddiscord yn eu plith. Mae'r golygyddion Deuteronomaidd o'r wythfed ganrif yn amlwg yn gweld anufudd-dod i Air Duw fod yn achos y cweryla, a bod natur dyn yn hunanol. Gwelir bod y proffwyd Semaia yn cymell pobl Rehoboam i gerdded i ffwrdd oddi wrth y cweryl, ac maent yn profi heddwch (12:21–24).

Arwydd cyson yn y Beibl o anfodlonrwydd yw rhwygo dillad. Boed hynny yn arwydd bwriadol neu natur ddrwg y person yn cael ei hamlygu, mae'r rhwygo yn amlygu'r anghydweld. Yn yr efengylau nodir ar awr marwolaeth Iesu i len y Deml rwygo yn ei chanol. Ai darlun o wewyr oedd hyn i fod ynteu bod y cysegr sancteiddiolaf a fu'n fan i'r Archoffeiriad yn unig ymweld â'r lle, unwaith y flwyddyn, bellach yn ffordd agored i bawb (Hebreaid 10:19– 28)?

Yn Iesu Grist, daw pobl Dduw ynghyd, a bu ef yn ufudd i Dduw hyd at angau. Ef sy'n cyfannu'r hyn a rwygwyd, ac yn dwyn unoliaeth i'r hyn a rannwyd. Hunanoldeb dyn sy'n achos y rhwygo a'r rhannu yn hanes Israel yn y darlleniad, ond roedd angen un anhunanol nad oedd yn pechu i adfer Israel.

Yn ystod wythnos y Pasg, gwelir nodweddion yr hunanol yn agwedd y Phariseaid, y Sadwceaid, a phlaid y Sicarii, sef gwrthryfelwyr dirgel y werin Iddewig. Iesu oedd yr un â'i 'ddwylo pur ar led' (William Williams, *C.Ff.* 493), yn cyfannu teulu, cenedl a dynoliaeth yn ei farwolaeth, ac yn eu galw i gredu ynddo a phrofi bendithio'r Israel newydd.

Gweddi

Gwyddost, Arglwydd, am bob tensiwn a rhwyg yn fy mywyd i. Helpa fi i ddilyn ffordd ffydd a darganfod y grym i faddau ac adeiladu pontydd o'r newydd. Dal fi'n agos atat, a phaid â gadael i mi gael fy rhwygo oddi wrthyt gan unrhyw beth. Amen.

Golch fi'n burlan yn y gwaed ...

Gweddi

Arglwydd Dduw, deuaf o'r newydd atat heddiw gan ddyheu am dy fendith. Wrth i mi dreulio amser yn dy gwmni, helpa fi i werthfawrogi dy fod yn ymestyn tuag ataf bob dydd. Agoraf fy mywyd i ti. Amen.

Darllen 2 Brenhinoedd 5

Cyflwyniad

Proffwyd y gogledd oedd Eliseus, ac roedd ganddo'r ddawn i iacháu. Nodir nifer o'r gwyrthiau roedd wedi eu cyflawni yn y penodau hyn. Yn hanes iacháu Naaman y Syriad, ceir llawer o bwyntiau arwyddocaol sydd i'w clywed ar draws yr ysgrythurau, ac yn arbennig yn yr Efengylau.

Mae'r hanes am Naaman yn llawn cyd-ddigwyddiadau gyda'r naratif yn symud o gam i gam fel stori fer lenyddol. Roedd merch fach a gludwyd yn gaethferch yn gyfarwydd â'r dystiolaeth am Eliseus, a chapten byddin Syria yn barod i ymddiried yng ngallu gŵr duwiol y gelyn i gynnig gwellhad o'i gyflwr truenus. Pe bai yn benderfyniad brenin Israel, ni fyddai'r cais a'r rhodd ariannol yn cael eu hystyried o gwbl. Pwy fyddai am gynorthwyo un o gapteiniaid byddin y gelyn wedi'r cyfan? Dangosir mai 'gŵr Duw' oedd yn barod i wella claf, pwy bynnag oedd. Trosglwyddwyd y neges, ac ymateb cyntaf Naaman oedd gwrthod y cyfarwyddyd. Ei weision ef a'i hanogodd i ymolchi yn afon Iorddonen saith gwaith, a chafodd ei wella. Gwrthod y cydnabyddiaeth a wnaeth Eliseus, ond gwelodd ei was yntau gyfle i elwa ar gorn gwerthfawrogiad Naaman. Rhywfodd, roedd 'gŵr Duw' yn effro i'r cyfan, ac adroddir bod Gehasi'r gwas yn cael ei gosbi, ynghyd â'i deulu.

Myfyrdod

Nid oedd y fendith ddwyfol o iachâd yn cael ei chyfyngu i genedl Dduw. Roedd hyd yn oed y gelyn yn cael y fendith. Iesu ddysgodd am garu gelyn, a bod angen rhannu'r ddawn i wella gyda chenhedloedd eraill. Sawl cenedl gyfoethog sydd heddiw yn cadw cyfrinachau technolegol rhag hyrwyddo datblygiad gwledydd tlawd ein byd? I ba raddau mae cwmnïau sy'n cynhyrchu cyffuriau i iacháu yn dal nôl ar werthu'r cyffuriau fel antiretroviral i helpu'r sawl sy'n marw o AIDS/HIV? Bu statws merched yn ddigon isel erioed, ond roedd y golygyddion Deuteronomaidd yn yr wythfed ganrif yn ddigon parod i ddangos bod Duw Israel yn defnyddio merch ifanc i fod â rhan bwysig i ddangos ei fod yn bendithio pobl o genedl arall.

Tybed a fyddai trigolion Syria heddiw yn barod i ddathlu pe bai un o arweinwyr eu byddin yn barod i dderbyn arweiniad oddi wrth drigolion Israel er mwyn cael adferiad o gyflwr meddygol creulon? A oes yna unrhyw grŵp o bobl na fyddem yn barod i dderbyn trawsblaniad ganddynt, pe bai hynny'n bosibl? Bu cryn drafod ar foesoldeb rhoi organau. Pwy a ŵyr pwy fydd angen derbyn rhodd felly yn y dyfodol, neu pwy ohonom a fydd yn gorff pan fydd rhywun arall yn derbyn un o'n horganau ni? Bydd rhodd o fywyd yn rhodd o fywyd, heb ofyn am liw neu genedl, crefydd neu unrhyw ddisgrifiad arall. Yn y broses o wella Naaman, daeth cyfle i Eliseus ddangos mai'r Arglwydd sy'n rhoi'r modd i wella, ac nad oedd am dderbyn cyfoeth Syria. Dyna oedd craidd y neges yn yr wythfed ganrif, ac ar gyfer pob cyfnod.

Dengys y stori fod hunanoldeb yn llechu wrth ddrws haelioni. Gehasi'r gwas oedd y cymeriad a ddangosodd yr ochr hyll yma. Roedd meddylfryd yr haneswyr Deuteronomaidd am ddangos bod cosb yn dilyn pechod. A oedd cosbi'r unigolyn yn deg, ac i ba raddau y gallem dderbyn bod ei deulu yn dioddef hefyd? Ni roddwyd cyfle i Gehasi edifarhau. Dyna, mae'n siŵr, fyddai un gwahaniaeth rhwng y stori Iddewig hon a neges Iesu i'r byd.

Gweddi

Ofnaf, Arglwydd, fy mod yn rhy debyg i Gehasi'n aml, a heb weld y llun lletach. Maddau i mi am bob arwydd o hunanoldeb yn fy mywyd. Pan ddaw rhywun tebyg i Naaman i mewn i'm bywyd i, helpa fi i ddangos Iesu iddo, ac i ddymuno heddwch yn ei fywyd. Amen.

Pasg y cofio

Gweddi

Nefol Dad, diolch i ti am ein gwahodd yn feunyddiol i'th bresenoldeb. Deuaf o'r newydd heddiw, yn wylaidd ac yn ostyngedig, i fyfyrio ar dy Air ac i geisio dy fendith. Amen.

Darllen 2 Cronicl 30

Myfyrdod

Mae llawer o'r hanesion yn nau lyfr y Brenhinoedd a dau lyfr Cronicl yn ailadrodd ei gilydd. Un o'r adroddiadau a geir yn 2 Cronicl, ond nad oes sôn amdano yn llyfrau'r Brenhinoedd, yw hanes dathliad y Pasg dan arweiniad Heseceia. Roedd yn un o frenhinoedd mwyaf llwyddiannus Jwda, a lywodraethodd am 29 mlynedd (715–686 cc). Wynebodd afiechyd difrifol, ond cafodd wellhad rhyfeddol hefyd. Ystyr ei enw yw 'yr un a atgyfnerthwyd gan yr Arglwydd'. Roedd yn ŵr defosiynol ac ym mhenodau 30–31 ceir tystiolaeth o'i ymdrech i adfer dathliad y Pasg ymysg ei bobl, a bu'n gyfrwng diwygio.

     Nodir bod pobl Jwda wedi dechrau ymbellhau oddi wrth arferion crefyddol y genedl, ond geilw'r brenin arnynt i beidio â bod yn ystyfnig, ond mynd i'r Deml a'u cysegru eu hunain i Dduw. Pwysleisir bod Duw yn rasol a thrugarog (30:9) ac yn croesawu pobl yn ôl i'w gymdeithas. Dywed y brenin am Dduw, 'ni thry ei wyneb oddi wrthych os dychwelwch ato'. Daeth llawer yn ôl i gadw'r Pasg heb gyflawni'r ddefod briodol, ond mae Heseceia yn gweddïo am faddeuant Duw ar eu rhan (30:19), ac atebwyd y weddi (30:20). Mae'r Pasg yn gyfle i ni sylweddoli bod Duw yn darparu ar ein cyfer ac yn ddydd y drws agored.

     Roedd y Pasg yn cofio am Dduw yn gwaredu'r bobl allan o'r Aifft, ac yn gyfle i ymgysegru mewn addoliad. Onid dyna yw Pasg y Cristion hefyd? Y cofio a'r ymgysegru, yr addoli a'r dathlu. Bydd cyfnod y Pasg yn wyliau cyffredinol i bawb bellach, ond canran fach sy'n sylweddoli beth yw arwyddocâd a pherthnasedd yr ŵyl. Gellir deall cysylltiad yr wyau Pasg gyda'r rhodd o fywyd newydd, ond syniad cyfeiliornus a'i wreiddiau yn yr Almaen, ac a ddefnyddiwyd yn yr Unol Daleithiau, yw'r gwningen Basg. Nid yw'n ddim mwy nag esgus am roi siocled a danteithion melys i blant.

Nodwn yn y darlleniad fod cadw'r Pasg wedi rhoi cyfle i bobl Jwda ddathlu'n hwyliog. Cafwyd cymaint o hwyl fel iddynt gytuno i drefnu estyniad i'r ŵyl, a rhoddodd y brenin a'i swyddogion ddwy fil o fustych a dwy fil ar bymtheg o ddefaid i'r bobl gael parti enfawr. Mae'n anodd dychmygu ble roedd yr holl anifeiliaid hyn, a sut bu'r gwaith o'u paratoi at y fath achlysur. Gair pwysig yn yr adroddiad yw bod y bobl yn llawen, a dyna air hanfodol wrth feddwl am y Pasg heddiw: y llawenydd a oedd gan y bugail a ddaeth o hyd i'r ddafad golledig, a'r wraig a'r deg darn arian cyfan, a'r tad a welodd ei fab afradlon wedi dod adref. Onid dyna lawenydd y disgyblion gynt o weld Iesu yn y cwmni ar ddydd yr Atgyfodiad? Y llawenydd o wybod bod Iesu'n fyw. Boed i brofiad y Pasg barhau am byth i bawb.

Gweddi
Arglwydd Iesu, diolch i ti am fod yn Basg i mi. Ti yw'r ffordd, y gwirionedd a'r bywyd, ac ynot ti caf achlysur i ddathlu bob dydd. Wrth gofio didwylledd Heseceia, ceisiaf ymroi i fyw bob dydd yn unol â'th ewyllys Di. Amen.

Hau a medi drygioni

Gweddi

Gwyddost, Arglwydd, fy mod am ddeall dy Air yn well, a'i ddarllen yn fwy ystyrlon. Helpa fi heddiw i wrando arnat wrth i mi ddarllen geiriau'r proffwyd Amos. Mae'r byd heddiw fel erioed yn barod i gyfiawnhau anfoesoldeb. Helpa fi i weld dy foesoldeb di. Amen.

Darllen Amos 1–2

Cyflwyniad

Rhennir llyfrau'r Hen Destament yn llyfrau hanes, llyfrau proffwydol a llyfrau llên. Yn ystod yr unedau nesaf o fyfyrdodau, byddwn yn sylwi ar y deuddeg prif broffwyd, ac yn eu gosod yn eu trefn gronolegol, ac nid yn y drefn y maent yn ymddangos yn y Beibl. Ein pwrpas ni fydd sylwi ar y proffwyd a'i gyd-destun hanesyddol, a gofyn a yw ei bwyslais yn berthnasol i'n byd heddiw. Cadarnheir bod Duw yn llefaru drwy'r proffwydi hyn, ac er bod Duw o hyd yn rhannu sylwadau perthnasol i'r cyfnod gwreiddiol, roedd Iesu, fel yr offeiriaid Iddewig, yn cyfeirio at ddysgeidiaeth y proffwydi.

Gŵr o Tecoa oedd Amos, bugail a garddwr coed sycamorwydden, ac er iddo gael ei eni 12 milltir i'r de o Jerwsalem, ymdeimlodd â'r alwad i fynd i'r gogledd a llefaru gair yr Arglwydd yno. Brenin y gogledd oedd Jeroboam II (793–754 cc), ac er bod ei deyrnasiad yn un llwyddiannus o safbwynt gwleidyddol ac economaidd, roedd Amos yn condemnio'r llygredd a'r anfoesoldeb yno.

Myfyrdod

Mae'r bennod gyntaf yn crynhoi sylwadau'r proffwyd am genhedloedd cyfagos Israel, gan gynnwys Jwda. Nodir creulondeb yr holl wledydd ac nid oes trugaredd iddynt. Mae'r datganiadau hyn fel geiriau'r erlyniad mewn llys barn, a nodir hunanoldeb arswydus y cenhedloedd fel ei gilydd. Roedd pobl Syria (Damascus) yn arteithio pobl, a'r Philistiaid (Gasa) yn gwerthu pobl i gaethwasiaeth. Yr un oedd pechod llywodraethwyr Tyrus ac Edom, gan dorri cytundebau gwleidyddol. Lladd gwragedd beichiog oedd pechod pobl Ammon, a halogi cyrff oedd yr esiampl a geir o bechod Moab. Troi eu cefn ar Ddeddf yr Arglwydd oedd pechod Jwda, ac roedd pechodau Israel yn anfoesol, anghyfiawn ac anghrefyddol. Sut oedd bugail ifanc o ddiffeithwch Jwda yn gwybod am bechodau gwledydd eraill? Prin y byddai wedi bod yno. Mae'r darlun yn symud o gam-drin cyrff pobl i gam-drin hawliau dynol eraill hyd at anffyddlondeb crefyddol. Nid yw Amos yn nodi pa fodd y byddai'r cenhedloedd hyn yn dioddef, ond tybed a wyddai fod grym Asyria yn dod i'r golwg ac y byddent hwythau yn ymosod ar wendid y gwledydd hyn? Cawn y syniad bod cenhedloedd sy'n eistedd nôl ac yn byw i bleserau'r byd yn anghofio egwyddor sylfaenol eu crefydd. Roedd Amos yn glir bod y sawl sy'n gyfrifol am ddrygioni yn mynd i ddioddef.

Byddwn yn clywed sylw'r meddyg sy'n rhybuddio bod yr ysmygwyr yn fwy tebygol nag eraill o weld niwed i'r ysgyfaint, a bod y sawl sydd dros eu pwysau yn mynd i ddioddef cyflyrau eraill. Mae yna ganlyniad i oryrru, ac mae deddf gwlad yn glir am y broses gyfreithiol wrth gosbi. Beth am bobl sy'n euog o ddifrawder a malais, neu'r bobl sy'n finiog eu tafod ac yn amharchus o eraill? Gallwn glywed pobl heb argyhoeddiadau ysbrydol yn rhannu'r un sylwadau. Beth felly am bechodau ysbrydol, y sawl sy'n ddibris o Dduw ac yn amharchus o Grist? A fydd pobl nad ydynt yn plygu i ddylanwad yr Ysbryd Glân wrth geisio penderfyniad eglwysig yn profi unrhyw gosb, neu a yw'r Cristion hunanol a'r bostfawr yn debygol o gymryd maddeuant Duw yn ganiataol? Daw ateb Amos yn amlycach yn ddiweddarach yn y llyfr, ond beth fyddai ein dyfaliad ni?

Gweddi

Rhyfeddwn, Arglwydd, fod y ddynoliaeth yn medru bod yr un mor farbaraidd heddiw ag erioed, a bod blys a hunan-gyfiawnder yn arwain at gymaint o ddioddef. Arwain ni yn ôl at dy wirionedd a'th werthoedd di, fel y gallwn fyw heddiw yn unol â'th ewyllys. Amen.

Addoliad twyll neu ddidwyll

Gweddi

Gwyddost, Arglwydd, am fy mhryder wrth ddarllen dy Air. Mor aml bydd y geiriau a'r cyfeiriadau yn anodd i mi i'w deall. Agor fy meddwl heddiw i weld y geiriau pwysig a deall beth yw calon dy neges i mi. Amen.

Darllen Amos 5

Cyflwyniad

Mae thema Amos o farn yn parhau, ac er nad oedd y sawl a gofiai'r oraclau hyn yn honni eu bod yn un broffwydoliaeth ddi-fwlch, gwelir bod y farn yn arwain at y datgan bod Duw yn galaru. Nid Duw dideimlad yw Duw Amos. Mae'n galaru dros ei bobl. Nid mater o leoliad yw crefydd, megis Bethel, Gilgal a Beerseba, ond cymdeithas a pherthynas gydag Arglwydd byw (adnod 4). Mae Duw Israel yn medru newid trefn y dydd, a symud y moroedd (adnod 8). Mae'r alarnad yn gweld pechodau'r genedl – yn anghyfiawn a drwg.

Anogaeth Duw i'w bobl yw ceisio daioni ac osgoi drygioni (adnod 14). Mae'r proffwyd barn yn cadarnhau bod gan Dduw drugaredd ac, er bod cyfnod o alar, fe ddaw dydd gwell. Mae'r caniad yn gorffen gyda neges barn eto, yn dweud mor ffiaidd yw dyddiau gŵyl y bobl. Nid yw dathliadau dydd yr Arglwydd yn ddidwyll. Mae'n amlwg fod yr aberthau yn cyflwyno 'anifeiliaid bras' ac nid rhai tenau at yr allor (adnod 22), a hynny'n arwydd o gyfoeth. Mae'r caneuon yn swnllyd ond heb felodi addoliad.

Myfyrdod

Beth felly yw natur ein haddoliad ni? Ai arwyddion o ffyddlondeb a theyrngarwch yw'r hyn a gyflwynwn, neu ddefodaeth wag ac arwynebol? Cyflwynodd Iesu yr un neges wrth iddo yntau glirio'r byrddau yn y Deml ar ddechrau'r Wythnos Sanctaidd, ac yn yr hanes yn sôn am y wraig a'r ddwy hatling, yn rhoi o'i chyfan, yn hytrach na'r rhoi arwynebol gan y gŵr cyfoethog.

Dysgir inni mai Ysbryd yw Duw a rhaid i'r rhai a'i haddolant ef ei addoli mewn ysbryd a gwirionedd (Ioan 4:24). Pan ddaw'r addolwr i'r oedfa, bydd yn ei osod ei hun i ganolbwyntio ar yr ysbrydol a bod o ddifrif wrth glodfori Duw. Gall yr adeilad a'r gennad, y gerddoriaeth a'r gwmnïaeth fod yn ganllaw i'w gwaith, ond, yn sylfaenol, ymwneud rhwng yr unigolyn a'i Dduw yw addoliad. Mae'r wefr o wneud hynny fel rhan o gynulleidfa eglwys yn cyfoethogi'r profiad, ond gweithred 'mewn gwirionedd' yw hi, nid rhywbeth ffals a diystyr. Gall Cristnogaeth fynd yn ddefod, fel pob crefydd arall, er ein bod yn arddel perthynas gyda pherson, a gall yr addoliad droi'n fawr mwy nag ailadrodd geiriau. Gwelodd Amos beth oedd gwacter addoliad pobl Israel ym Methel a Gilgal, a'u galw i gymryd enw'r Arglwydd o ddifrif. Mae ei neges a'i her yn atsain i bob un ohonom heddiw, fel erioed.

Gweddi

Trugarha wrthyf ,O Dduw, pan ddeuaf ger dy fron i gerdded hen lwybrau ac i ailadrodd hen weddïau. Ceisiaf, fel yr anogir ni, i ddod atat mewn modd difrifol a dwys. Helpa fi i brofi rhyfeddod dy fendith ac i fwynhau dy bresenoldeb. Amen.

Dof fel yr wyf, ym mraw y farn

Gweddi

Plygaf o'th flaen, Arglwydd, gan sylweddoli nad yw pob darlleniad Beiblaidd yn hawdd a dymunol i'w ddarllen. Eto, drwy dy ras, gad i mi weld Iesu wrth fy ochr, a'r Ysbryd Glân yn fy nghynnal. Amen.

Darllen Amos 8:4–9:15

Cyflwyniad

Bydd pob celfyddyd yn galw am ymateb yr emosiynau ac weithiau bydd y gerddoriaeth sy'n drymaidd a thrist fel y darluniau tywyllaf yn cael ymateb rhyfeddol. Mae chwe adnod gyntaf y darlleniad yn farddoniaeth afaelgar sy'n cyflwyno'r ymdeimlad o anobaith mewn modd ysgytwol. Roedd Amos wedi sylweddoli bod cyflwr Israel, sef teyrnas y gogledd, yn bwdr, ac na fyddai'n parhau'n hir.

Pan fydd sylwebydd gwleidyddol yn darogan diwedd cyfnod llywodraeth neu yn rhagweld beth fydd canlyniad etholiad, bydd yn darllen yr arwyddion ac yn synhwyro'r farn ymhlith y bobl yn gyffredinol. Anaml iawn y bydd y sylwebydd profiadol diduedd a chraff yn camddarllen y nodweddion hynny, a bydd proffwydi'r tywydd yn meddu'r un sgiliau. Maent wedi cael hyfforddiant yn eu meysydd, a disgwylir iddynt fod yn agos i'w lle. Proffwyd o ardal ddieithr oedd Amos. Nid oedd yn gyfarwydd â gwleidyddiaeth fewnol y llwythau gogleddol, ac, o ran ei gefndir fel bugail defaid, ni fyddai ganddo'r chweched synnwyr diarhebol i weld beth oedd yn debygol o ddigwydd. Byddai cofnodydd y datganiadau hyn am i ddisgynyddion Israel ddeall bod Duw yn llefaru, ac mai geiriau'r Arglwydd oedd yn cael eu llefaru gan y gŵr annisgwyl o Decoa. Nid oes enwi brenhinoedd na gwŷr y llys, ond y datganiad fod Israel dan farn Duw. Roedd o fewn ychydig ddegawdau i weld Israel yn cael ei chaethgludo i Asyria dan deyrnasiad Nebuchadnesar II. Serch hynny, nid yw ei ganiadau yn gwbl amddifad o obaith. Mae'n rhagweld adfer murddun dadfeiliedig Dafydd (9:11), ac yn cynnig briwsion gobaith i'r hil.

Myfyrdod

Bydd y syniad o farn yn ymddangos yn galongaled a didrugaredd yn aml. Mae'n debyg i gondemniad ar yr euog, heb ystyried ei amgylchiadau. Yn yr uned nesaf, bydd llais Hosea ychydig yn wahanol, ond mae'n rhesymol gofyn a yw'r sawl sy'n pwysleisio bod Duw yn Dduw cariad yn tybied bod cariad yn feddal a di-rym? Dywedir gan rai bod angen bod yn greulon weithiau er mwyn bod yn garedig. Nid dyna oedd diwinyddiaeth Amos, ond amlygu'r ffaith fod y genedl bwdr yn methu ei hamddiffyn ei hunan, a bod oferedd yn gwneud pobl yn wan.

Onid yw'r cryf yn ymegnïo er mwyn wynebu'r cyfnod prawf? Mae natur bywyd yn golygu cyfnodau heriol, ac, onibai fod yna nerth ysbrydol, bydd wynebu'r cyfnodau caled yn anodd iawn. Cyfeiriodd yr athronydd J. R. Jones, Abertawe, at beryglon y grefydd swcwr, a bydd llyfr Amos yn rhybudd i bob cyfnod a chenedl. Nid pwdl o Dduw oedd Arglwydd y lluoedd i'r proffwyd hwn, ond un a roddodd bob cyfle i'w bobl ufuddhau iddo. Serch hynny, daw'r ymwybod o'r 'gweddill ffyddlon' i'r golwg mor gynnar â chyfnod Amos. Dyma'r bobl a fydd yn byw yn y dinasoedd adferedig ac yn yfed gwin y gwinllannoedd y bydd Duw yn eu plannu o'r newydd.

Gweddi

Arglwydd Dduw, mae ofn arnaf yn aml nad wyf mor gryf yn ysbrydol ag y gallwn ac y dylwn fod. Maddau i mi am gadw draw rhag ymarfer duwioldeb fel y mae Iesu yn ein cymell. Diolch fod drws dy bresenoldeb ar agor i mi bob awr o'r dydd, a bod gweddi fer yn ddigon i atgyfnerthu'r enaid. Amen.

Dillad Gomer yw oferedd, a'i gwarth i'w weld yn ei gwedd

Gweddi
Dirion Dad, deuaf atat i fyfyrio ar dy air ac i geisio dy fendith. Clyw fi, yn enw Iesu. Amen.

Darllen Darllen Hosea 1–2:13

Cyflwyniad
Wrth lunio adran y proffwydi yn y gyfres hon penderfynwyd dilyn llinell amser yn hytrach na dilyn y drefn yn yr Hen Destament. Yno, mae'r llyfrau proffwydol a'r ysgrifau megis y Salmau a'r Diarhebion yn gymysg. Roedd y genedl a oruchwyliodd Solomon wedi ymrannu erbyn 940 CC. Olynwyd ef yn y gogledd gan Jeroboam a chan Rehoboam yn y de. Prin y bu'r brenhinoedd yn ddoeth a chyfrifol, ac roedd deunydd y proffwydi cynnar yn yr wythfed ganrif yn datgan barn ar ddiffygion moesol ac ysbrydol y ddwy genedl hon.

Olynwyd Amos fel y prif broffwyd yn y gogledd gan Hosea, a chofiwn amdano fel proffwyd a ddelweddodd berthynas y genedl gyda Duw fel gwraig anffyddlon a buteiniodd ei hun. Yng nghorff y casgliad o oraclau clywn y proffwyd yn cyhoeddi trugaredd a maddeuant Duw wrth arddel y berthynas 'briodasol' rhyngddo a'r genedl. Ychydig a wyddom am Hosea, ac mae'r beirniaid llên yn cael anawsterau gyda nifer o'r adrannau yn y llyfr. Digon yw nodi bod tair prif thema yn ymddangos yn yr oraclau hyn, sef pechod y butain, trugaredd y priodfab a gofal Duw dros y genedl anghofus.

Myfyrdod
Bu'r delweddau rhywiol yn gyfarwydd ar draws y cenhedloedd a'r canrifoedd. Roedd y darluniau o'r oesoedd cynharaf yn barod i bortreadu un o reddfau sylfaenol bywyd yn ei hagrwch a'i harddwch. Felly y bu erioed. Onid yw'n rhyfedd fel y bydd hysbysebwyr am i'r delweddau hyn ddenu llygad darpar brynwyr pan fyddant yn gwerthu pob math o nwyddau?

Mae puteiniaid wedi bodoli erioed ac yn amlach na pheidio mae'r ferch sy'n puteinio ei chorff yn gwneud hynny er mwyn ennill incwm neu ffafrau. Defnyddir delweddau puteindra am bobl yn gwerthu eu hegwyddorion yn gymaint â'u moesoldeb er mwyn elw, a bod teyrngarwch amryw ar werth. Beth yw pris ffyddlondeb ac a oes gwerth i deyrngarwch? Ai teyrngarwch yw cymhelliad y wraig sydd ond yn prynu un math o de, neu'r dyn a fydd yn prynu car oddi wrth yr un gwneuthurwr ceir bob tro?

Os yw cwsmer wedi blino ar un siop, onid yw'n rhesymol iddo brofi darpariaeth siop arall? Os cafodd ei siomi gan un gwasanaethwr, beth sydd o'i le ar wrando ar argymhelliad i gyflogi un gwahanol? Ond mae gwahaniaeth rhwng profi pryd mewn tŷ bwyta gwahanol a throi o un blaid wleidyddol i'r nesaf. Gellir deall y sawl sydd wedi colli blas ar addoliad anghydffurfiol ac yn derbyn bendith gryfach mewn addoliad Anglicanaidd neu Gatholig. Bydd eraill wedi colli awydd am brofi oedfa mewn unrhyw le. Mater gwahanol fyddai cyfnewid ffydd yn ddifeddwl a thrin crefydd fel blasau gwahanol o hufen iâ.

Mae perthynas rhwng dau berson yn gofyn am ymdrech ac ymroddiad, ac ni ellir trin priodas fel ymwneud arwynebol a ffansïol. Mae i berthynas gariadlon y reddf ddyfnach sy'n galw am deyrngarwch llwyr. Nid bod pob priodas yn llyfn a llonydd. Bydd yna amrywiaeth yng ngradd yr ymroddiad. Weithiau bydd y berthynas yn anadferadwy, ac nad oes dewis ond dilyn llwybr ysgariad. Peth cwbl wahanol eto yw ysgariad ysbrydol, ac roedd Hosea, fel sylwebydd ar foesoldeb Israel, yn gweld bod yr anfoesoldeb personol yn adlewyrchiad ar anffyddlondeb ysbrydol. Bydd canran sylweddol o bobl yn credu ym modolaeth Duw ond yn dewis peidio â meithrin perthynas fyw a chyffrous gydag ef. Ai dyna yw ein stori ni weithiau? Gwae ni os dathlwn anfoesoldeb pobl unigol neu gymdeithas yn gyffredinol. Gwae ni os na fyddwn yn dwyn sylw eraill at ganlyniadau anffyddlondeb i Dduw.

Gweddi

Arglwydd, trugarha wrthym am bob arwydd o annheyrngarwch tuag atat, o'n heiddo ni ac ar ran ein cymuned a'n cenedl. Maddau inni, O Dduw, am bopeth a wnaethom ac am bethau a ddywedwyd gennym a oedd yn annheg ac yn anghyfiawn. Glanha fy meddyliau a'm bwriadau drwy dy Ysbryd Sanctaidd. Amen.

Cariad yw Duw

Gweddi
Dduw cariad, plygwn yn wylaidd ger dy fron wrth i ni baratoi i ddarllen hanes Hosea heddiw. Sylweddolwn y byddi'n dal drych o'n blaen ac yn ein gwahodd i ofyn a ydym yn barod i arfer maddeuant. Trugarha wrthym yn ein gwendid. Amen.

Darllen Hosea 2:14–3:5

Cyflwyniad
Bydd galw unrhyw berson yn butain yn ddamniol. Roedd galw Israel yn butain yn cyhoeddi barn eithafol. Roedd pobl Moses a Dafydd wedi gwerthu eu henaid. Gwelodd y brenhinoedd yn dda i gynghreirio gyda chenhedloedd o gefndiroedd a chrefyddau gwahanol er nad oes enwi brenhinoedd yn yr oraclau hyn mwy na bod yr adnod gyntaf o'r gwaith yn dweud bod Hosea yn cydoesi gyda phedwar brenin yn Jwda a Jeroboam fab Joas yn Israel. Roedd dyddiau Israel yn prysur ddod i ben, ac wrth i'r cofnodydd osod geiriau'r proffwyd ar femrwn, roedd y pwyslais ar nodwedd gariadlon Duw er gwaethaf pechod y genedl.

Mae'n ddelwedd gyhyrog ac yn dangos bod Hosea – wyth can mlynedd cyn geni Iesu – wedi deall natur Duw, nid drwy wrando ar ddarlith prifysgol na chanu emynau barddonol, ond drwy deimlo cyffyrddiadau Duw yn ei fywyd. Mae'n hawdd i Gristnogion bregethu am Dduw cariad, ac i emynwyr ein hiaith fedru dweud, 'Dyma gariad fel y moroedd, tosturiaethau fel y lli' (Gwilym Hiraethog, *C.Ff.* 205). Wedi'r cyfan Iesu ddywedodd mai 'Duw, cariad yw'. Yr hyn sy'n anodd ei ddeall yw'r modd y sylweddolodd Hosea hynny. Mae rhai yn awgrymu nad profiad personol oedd y naratif am Gomer. Nid oes modd profi na gwrthbrofi hynny. Roedd yn byw mewn gwlad a dderbyniai amlwreica, ac fe gawn amryw o enghreifftiau yn yr Hen Destament lle roedd arweinwyr crefyddol amlwg fel Dafydd a Solomon yn briod â sawl merch. Byddai wedi bod yn hawdd iddo fod wedi gwrthod Gomer – ond gwelodd yn y butain o ferch gyflwr cenedl Israel, a synhwyro os nad oedd Duw yn Dduw maddeuant ac yn cynnig ail gyfle, roedd y genedl a'r cyfamod ar ben. Nid Duw methiant oedd Duw Israel, ond Duw sydd o hyd yn arfer trugaredd gyda'i bobl, hyd yn oed os oeddent yn garcharorion ac yn gaethweision. Duw cariad oedd ei Dduw ef, ac fe ddaw'r pwyslais yma i'r golwg, ynghanol datganiadau o farn.

Myfyrdod

Pa fath o Dduw yw ein Duw ni? A fyddwn yn tystio i Dduw'r ail a'r trydydd cyfle, ynteu a fydd ein datganiadau yn cyflwyno syniadaeth dyn o faddeuant a graslonrwydd, neu efallai ddiffyg trugaredd? Roedd y broffwydoliaeth nid yn unig yn codi o'r personol i'r ysbrydol ond yn troi nôl at y proffwyd ei hun. Mae gofyn i'r pregethwr sy'n cyhoeddi trugaredd arfer trugaredd, ac i'r sawl sy'n credu yn y Duw cariadlon garu eraill beth bynnag y sefyllfa. A oes yna ben draw i amynedd y Cristion, ac a yw hi'n rhesymol iddo droi ei gefn ar unrhyw un sy'n parhau i arfer twyll neu anfoesoldeb? Roedd ateb Hosea yn glir, ac ateb Iesu oedd sôn am faddau saith deg saith gwaith. Dyna ffordd Iddewig o ddweud nad oes diwedd ar y reddf i faddau tra bo cariad yn teyrnasu. Os yw'r adnod 'Duw cariad yw' yn hawdd i'w chofio a'i dweud, peth cwbl wahanol yw ei byw hi.

Gweddi

Arglwydd Dduw, gwyddost ein bod yn ei chael yn anodd maddau i'r sawl sy'n achosi poen i ni, ac nad yw'n naturiol i ni garu'r bobl sy'n ein casáu. Helpa ni i gofio esiampl Hosea, a galwad Iesu i ni garu a thrugarhau. Amen.

Adfer yr adfail

Gweddi

Arglwydd, mae angen i mi ymdawelu a phrofi'r hedd na all y byd ei gynnig. Helpa fi yn fy nefosiwn heddiw i sylweddoli hyn ac i gerdded dy ffyrdd. Amen.

Darllen Hosea 13–14

Myfyrdod

Mae llawer o lenyddiaeth odidog yn yr Hen Destament ynghyd â deunydd defosiynol y Salmau. Mae'r prif ddelweddau ynddynt yn pwyso ar fyd natur a phrofiadau rhyfel. Bydd y portreadau naill ai yn sôn am ennill neu golli, neu yn sôn am gnydau yn tyfu'n ffrwythlon neu yn cael eu difa gan bla neu dywydd gwael. Sut mae modd i blant y ddinas, na welsant anifail gwyllt na chnwd yn tyfu, werthfawrogi'r lluniau lliwgar ac amrwd hyn? Weithiau bydd y proffwyd yn gosod geiriau yng ngenau'r Arglwydd, dro arall bydd yn ymbil ar ran y bobl gerbron Duw.

Nid oedd peiriant recordio yn bod, ac roedd ar y sawl a adroddai'r proffwydoliaethau hyn angen lluniau cofiadwy a gafaelgar i'w rhannu gyda'r cenedlaethau i ddod. Yr hyn sy'n rhyfeddol yw bod geiriau Hosea yn yr wythfed ganrif cyn Crist yn cynnig gobaith i'r colledig yn ein hoes ni. Er bod y cyfnod a'r amgylchiadau mor wahanol, amcan Hosea oedd cynnig neges i godi calon y sawl a anobeithiodd. Ym mhennod 13, mae'r genedl yn cael eu condemnio am addoli Baal a throi at ddelwau cerfiedig (13:2). Pa ddelweddau fyddai'n addas a dealladwy i bobl ifanc ein cyfnod ni? Ai portreadau o bobl yn defnyddio alcohol a chyffuriau, ymladd gangiau ar y strydoedd neu yrru gorffwyll mewn ceir neu ar feiciau? Mae angen delwedd berthnasol a dealladwy sy'n arwain at ddifa bywyd. Beth felly am ddelweddau sy'n sôn am faddeuant ac adferiad? Bydd trallwyso gwaed yn bosibl neu drawsblaniad organau'r corff yn cyfleu neges berthnasol. Ac eto, onid delwedd yn cyflwyno maddeuant y pechadur yw'r cam cyntaf? Oni bai fod yr alcoholig yn dewis troi oddi wrth y ddiod gadarn, ni fydd yn gwella.

Ym mhennod 14 cawn ddelweddau o goeden yn taflu gwreiddiau a blagur newydd (adnodau 5–6). Mae'r cnydau yn tyfu a'r arogleuon hyfryd yn tynnu sylw. Duw ei hun yw achos y gwanwyn newydd ac ynddo ef roedd Hosea yn ymddiried. Yn yr Efengylau mae Iesu yn cyhoeddi mai ef yw'r atgyfodiad a'r bywyd, ef yw'r wir winwydden a'r bugail da. Mae angen delweddau perthnasol ar gyfer ein hoes, ac fe fyddai'n gymwynas pe gallai rhywun aralleirio pennod 14 i iaith ein cyfnod.

Gweddi

Arglwydd Iesu, diolch i ti am dy gyflwyno dy hun fel ffordd, gwirionedd a bywyd, yn fugail y defaid ac yn ddrws i'r gorlan. Ti yw gwanwyn gweddill fy mywyd, a'r meddyg da sy'n gwella'r cleifion o ddoluriau'r byd. Aros yn gwmni i mi bob dydd, ac adnewydda fy ffydd ynot ti. Amen.

Y Duw Sanctaidd

Gweddi

Gwyddost, Arglwydd, fy mod yn ofni dod i'th bresenoldeb am dy fod yn Dduw sanctaidd, ond yn sylweddoli fy mod i'n dyheu am hynny hefyd. Helpa fi i agosáu atat, gan ddod ger dy fron yn ddisgwylgar ac yn wylaidd heddiw. Amen.

Darllen Eseia 6:1–9

Cyflwyniad

Bu llawer o drafodaethau dros y canrifoedd ar ddyddiad llyfr Eseia ac ar yr amrywiaeth o negeseuon sydd yn y gwaith. Ysgrifennwyd llawer yn trafod y llyfr a'i genadwri, a bydd y garfan sy'n awyddus i gredu mai un awdur yn unig sydd, yn mynnu dweud hynny doed a ddelo. Bydd eraill yn ei chael yn hawdd derbyn bod tair rhan i'r llyfr. Yn gyntaf, mae penodau 1–39 yn ymateb i amgylchiadau cenedl Jwda yn yr wythfed ganrif. Mae ail ran y llyfr, sef penodau 40–55, yn waith o gyfnod llawer diweddarach pan oedd y genedl wedi dioddef caethiwed ym Mabilon, a'r llais proffwydol yn eu paratoi i ddychwelyd adref. Yna ceir penodau 56–66 sy'n ddiweddarach fyth, gyda'r genedl yn ailsefydlu eu hunain yn Jerwsalem.

Bernir nad yw rhan gyntaf llyfr Eseia yn dilyn cronoleg gyson, ond mae'n waith y gŵr a alwyd i broffwydo ym mlwyddyn marwolaeth Usseia (tua 740 CC) ac yn cyfarch cenedl y De. Mae'n ei hannog i sylweddoli natur sanctaidd Duw ac i gofio ei bod o linach frenhinol a fu'n cerdded gyda Duw. Rhannodd yr awdur ei argyhoeddiad fod cenedl sy'n byw ar wahân i Dduw yn mynd i ddistryw ac nad oes dyfodol iddi.

Myfyrdod

Mae'n rhyfedd cymaint o bobl sy'n cyfeirio at eu profiadau mawr a dramatig o Dduw fel adeg chwyldroadol yn eu bywyd. Dyna oedd hanes Moses a Samuel o blith y cymeriadau cynnar, ac mae Eseia Jerwsalem, fel un o'r mwyaf o'r proffwydi, yn adleisio'r un math o dröedigaeth. Dywedir iddo fod yn gyfarwydd â'r Deml, ond iddo fynd i mewn ar yr adeg arbennig sy'n cael ei nodi ym mhennod 6, a sylweddoli rhywbeth eithriadol am sancteiddrwydd Duw. Mae'r disgrifiad yn ddramatig, ac mae'r offeiriad yn gwybod ei fod wedi cael ei alw i waith arbennig gan Dduw ei hun. Mae'n siŵr ei fod wedi rhannu'r profiad gydag eraill droeon, ac mae'r sawl a gofnododd y 'pregethau' a rennir gan Eseia am i'r darllenwyr wybod beth oedd natur y Duw y mae Eseia yn tystio iddo. Bydd y sanctaidd yn bur a di-fai, yn dragwyddol ac ar wahân i ddyn. Bydd y sawl a ddaw yn ymwybodol o'r Duw sanctaidd yn effro i'r ffaith ei fod ef ei hun yn aflan, gyda staen y byd arno. Pwy ohonom all honni bod yn lân ac yn deilwng o wasanaethu Duw? Nid Eseia mae'n amlwg.

Wrth i Eseia gyfaddef ei aflendid a'i annheilyngdod, mae'n awyddus i ddangos bod Duw yn galw pobl felly i'w wasanaethu. Mwy na thebyg byddai'r genedl yn effro i'w hunanoldeb a'i phechod. Felly, ochr yn ochr â'r ymwybyddiaeth o alwad y Duw sanctaidd, byddai'r genedl yn cael ei hannog i feddwl bod Duw yn medru glanhau'r aflan, er mwyn cyhoeddi ei neges.

Mae'r Eglwys Gristnogol yn gymuned o bobl sy'n awyddus i dystio bod Duw yn sanctaidd a chwbl ar wahân, ac yn barod i lanhau a sancteiddio'r annheilwng a'r aflan. Nid pobl sylfaenol dda a chyfiawn yw aelodau'r eglwys, ond corff o bobl sy'n diolch eu bod wedi profi dylanwad Duw ar eu bywyd, a bod yr Ysbryd dwyfol yn tynnu staen y byd i ffwrdd, ac yn 'golchi'r aflanaf yn wyn'. Daw'r thema hon i'r golwg yn gyson drwy'r Beibl cyfan, ac roedd Eseia Jerwsalem, y proffwyd offeiriad, yn awyddus bod ei genedl yn cofio hynny drwy'r amser. O gofio a sylweddoli hynny, mae'n derbyn gwahoddiad Duw i fod yn negesydd iddo. Tybed a ydym ni yn barod i adleisio ei ymateb ef – 'wele fi, anfon fi'?

Gweddi

Sanctaidd Dduw, gwn dy fod yn gwahodd rhai i gyflawni gwaith amlwg a phenodol yn dy Eglwys, a sylweddolaf hefyd dy fod yn cymell pob un, gan fy nghynnwys i, i fod yn dyst i ti. Helpa fi i weld fy nghyfle i ddweud wrth eraill fy mod i yn credu ynot, ac yn ceisio dilyn dy fab Iesu. Amen.

O frenin, sy'n byw am byth

Gweddi

Plygaf ger dy fron, O Dduw pob trefn a phob deall, o ganol fy myd anhrefnus ac ansicr. Byddai'n dda gennyf fod yn dawelach fy meddwl a sicrach fy ffydd. Helpa fi i weld yn gliriach ac i ymddiried yn llwyrach ynot, wrth i mi aros yn dy gwmni heddiw. Amen.

Darllen Eseia 2:2–5; 11:1–16

Myfyrdod

Pryd bynnag y bydd un person yn ceisio disgrifio profiad i berson arall, bydd yn gorfod troi at ddelweddau. Daw trosiadau yn hwylus i sôn am 'arth o ddyn' neu 'storm o berfformiad'. Mae disgrifio Duw yn gofyn am ymdrech fawr gan y sawl sy'n traddodi, nid yn unig er mwyn cyfleu ei argyhoeddiad neu ei brofiad ei hun, ond er mwyn rhoi'r cyfan o fewn cwmpawd deall y sawl sy'n gwrando. Roedd cenedl Israel wedi byw dan lywodraeth brenin am gyfnod hir, ac wrth i Eseia Jerwsalem sôn am Dduw, roedd yn haws iddo droi at y ddelwedd o frenin i gynorthwyo eraill i amgyffred awdurdod Duw a'i berthynas gyda'r genedl.

Yn yr wythfed ganrif roedd Jwda, sef pobl Jerwsalem a theyrnas y De, wedi dioddef llywodraeth nifer fawr o frenhinoedd gwael a lywodraethai mewn modd annheg. Roeddent wedi anghofio esiampl Dafydd o ganu moliant i Dduw, a throi at fywyd anghyfiawn ac anfoesol. Aeth crefydd yn eilradd, ac yn fodd i fargeinio gyda brenhinoedd eraill a chrefyddau estron. Ceir llawer o oraclau (caneuon proffwydol) gan Eseia yn galw'r bobl i ddefodaeth addolgar y Deml ac i gadw rhag eilunod y dydd. Yn anffodus nid felly y bu. Ym mhennod 2 clywn y proffwyd yn disgrifio'r brenin heddychlon a chyfiawn, ac mae'n hawdd dychmygu'r genedl yn amau'r proffwyd wrth iddo alw'r genedl i geisio llywodraeth a fyddai'n hyrwyddo nodweddion delfrydol felly. Byddai'r oracl hon yn boblogaidd am gyfnodau hir, wrth iddynt freuddwydio am ddyddiau gwell. Rhyfel a thrais oedd eu profiad, ond byddent yn barod i gredu bod proffwyd Duw yn cyhoeddi neges o obaith tangnefeddus tra'n gofyn pa mor real fyddai'r fath frenin.

Ateb Eseia fyddai sôn am frenin delfrydol. Heseceia oedd y gorau o blith brenhinoedd Jwda o ddigon, ac efallai ei fod yntau wedi ysbrydoli'r proffwyd i obeithio am ddyddiau gwell. Pa mor wael bynnag y bydd hi ar y genedl, mae'r proffwyd nid yn unig yn rhybuddio am orthrwm a dydd barn ond hefyd yn annog ei genedl i ddal gafael yn ei chredo a'i gwerthoedd. Byddwn yn gyfarwydd â'r darlleniadau adeg y Nadolig o benodau 9 ac 11 yn sôn am fachgen gobaith a gwreiddyn o gyff Jesse a fyddai'n goroesi cyfnod tywyll. Nid oes modd bod yn sicr o ba gyfnod mae'r darluniau hyn yn codi, ond bu'r farddoniaeth yma yn ddefnyddiau i atgyfnerthu gobeithion y genedl yn ei chyfnod o adfyd – a chenhedloedd daear – wrth feddwl am ddyddiau gwell. Canodd T. Rowland Hughes am wella pan ddaw'r gwanwyn, ac mae i bob crefydd a gwareiddiad eu cerddi yn cyhoeddi delfrydiaeth ac adnewyddu.

Bydd pob un yn awyddus i fyw mewn gwlad lle ceir tegwch a threfn, a byddwn yn ddigon parod i gwyno pan na fydd amodau delfrydol felly. Gall trigolion pob cymuned weld rhai yn elwa ar draul y gweddill, ac mae'n sicr y bydd dinasyddion gwledydd tlawd yn credu bod canran annheg o drigolion Ewrop yn mwynhau cyflogaeth lawn o'u cymharu â hwy. Bydd cyfraith a threfn yn bwnc pwysig wrth drafod pob uned o hanes ac mae'r Beibl yn nodi thema reolaidd mai Duw yn unig all gynnal canllawiau a fydd yn sicrhau tegwch i bawb. Pa ryfedd fod delwedd y brenin cyfiawn yn hwylus wrth ddisgrifio natur Duw a'i waith yn Iesu Grist?

Gweddi

Plygaf ger dy fron o'r newydd, yn rhyfeddu mai Iesu sy'n rhoi ystyr i broffwydoliaeth Eseia'r wythfed ganrif. Yn wyneb pob gelyniaeth a phob arwydd o bryder, ymddiriedaf yn Iesu'r brenin a'i addoli'n Dduw. Amen.

Cadw Lefiathan draw

Gweddi

Dduw pob gras a Duw pob cyfiawnder, mentrwn o'r newydd i'th gynteddau, yn gofyn am dy fendith heddiw. Deuwn gan sylweddoli ein hannheilyngdod ac yn gofyn am dy faddeuant. Helpa ni heddiw eto i ddarllen dy air yn ofalus ac i fyfyrio ar dy wirionedd. Amen.

Darllen Eseia 27 a 32

Myfyrdod

Mae'n gam beiddgar a dewr i un o blith y corff crefyddol leisio barn yn erbyn y sefydliad gwleidyddol – a thynnu sylw at wendidau'r bobl hefyd. Cam mentrus arall yw llefaru geiriau yn barnu cenhedloedd eraill ac yn sôn am ddinistr. Dyna fesur dewrder llawer o broffwydi'r Hen Destament, ac roedd Eseia Jerwsalem a Jeremeia yn amlwg yn ei mentro hi. Sut byddai proffwydi tebyg yn cael eu derbyn mewn gwledydd materol a chaled heddiw? Mae llawer i'w ddweud dros sefydliad crefyddol nad yw'n gysylltiedig â'r wladwriaeth. Bu'n anodd i'r Archesgob Rowan Williams fynegi ei farn ar bynciau'r dydd, ond mentrodd yn fwy na llawer. Dioddefodd yr Eglwys Gyffesol yn yr Almaen yn ystod cyfnod y Natsïaid am ddatgan barn yn erbyn Hitler, a lladdwyd Archesgob Romero yn El Salvador yn 1980 am sefyll dros y tlawd. Mae gan yr Eglwys ei merthyron.

Ynghanol yr oraclau barn, ceir adrannau cadarnhaol a llawen. Mae'r proffwyd yn canu'n gadarnhaol ym mhenodau 25–27 ac yn cyhoeddi gwaredigaeth. Ym mhennod 27 cyhoeddir bod Lefiathan, anghenfil chwedlonol y môr, yn cael ei ddinistrio a dethlir y dydd hwnnw (adnod 13). Bu i'r Israeliaid a'r Iddewon ofni pobl y môr ar draws y canrifoedd, fel yr ofnent y Philistiaid yng nghyfnod Goliath. A oes Lefiathan yn ein hanes ni bellach? Canodd Gwenallt am Laocôn yn ymgordeddu o gwmpas cluniau Cymru (*Eples*, tud. 26) ac 'nid oes a'i gwaredo ond ei ddwylo a'i Dduw'. Nid tagu economi neu egni diwydiant a wneir ond lladd ei henaid. Beth bynnag yw'r ddelwedd am y diafol, yr un yw'r pwynt, sef bod yna frwydr barhaus am enaid dyn rhwng yr elfennau da a'r rhai drwg.

Nodwyd yn yr unedau blaenorol bod Eseia yn sylweddoli sancteiddrwydd Duw ac yn cydnabod ei frenhiniaeth anorchfygol. Mae hefyd yn awyddus i dynnu sylw'r genedl bod Duw yn dduw cyfiawn ac yn gofalu am ei bobl. Os byddant yn colli tir ac yn cael eu halltudio, bydd Duw yn ffyddlon iddynt. Nid Duw sy'n arbed alltudiaeth ac arswyd ydyw, ond Duw sy'n rhannu'r profiad ac yn darparu ar gyfer ei bobl. Yn Eseia 32:15–20 cawn ddarlun o ysbryd Duw yn trawsnewid anialdir yn dir ar lan yr afon (doldir). Cyhoeddir barn, ac yna daw sicrwydd o gyfiawnder. Nodweddion bywyd y doldir yw heddwch a diogelwch, lle bydd yr asynnod a'r ychen yn pori. Cawn yr un ddelwedd yn yr ail bennod lle mae heddwch yn teyrnasu lle bu gynt gasineb a dialedd.

Beth tybed oedd gweddi'r Cristnogion yn yr Almaen yn ystod yr Ail Ryfel Byd? Ai gofyn am ddialedd neu geisio cymod, cyhoeddi gwae ar wledydd y Cynghreiriaid neu ddyhead am gydweithio? Sut bydd gweddïwyr y Llain Orllewinol yn saernïo eu deisyfiadau gerbron Duw, ac a fydd Cristnogion Jerwsalem ein cyfnod yn credu bod heddwch rhwng Iddew ac Arab yn bosibl? Wynebodd Eseia Jerwsalem realiti ei fyd, ac fe gredai y byddai Duw Israel yn troi anialdir yn dir ffrwythlon eto. A fyddwn ni yn credu bod ein Duw eisoes yn cynllunio hynny?

Gweddi

Dduw pob gras a Duw pob cyfiawnder, diolch i ti am dy was Eseia Jerwsalem. Cymorth fi i ymddiried ynot, a bod yn ffyddlon i ti. Helpa fi i herio fy Lefiathan personol ac ymddiried fy mywyd i'th ofal. Amen.

Cario beichiau

Gweddi

Plygaf ger dy fron, O Dduw, yn ymwybodol fod gen i agwedd hunanol yn aml, a chaf foddhad wrth feddwl am yr hyn sy'n rhoi moethusrwydd i mi yn amlach na diddanwch i dlodion daear. Diolch am bawb sy'n gweithio mewn gofal cymdeithasol ac yn hyrwyddo lles eraill. Amen.

Darllen Micha 2 a 3

Cyflwyniad

Un o gyfoeswyr Eseia Jerwsalem yn yr wythfed ganrif oedd Micha, a dyddir ef yn proffwydo yn ystod teyrnasiad Jotham (739–734 cc), Ahaz (733–721 cc) a Heseceia (720–693 cc). Yn Llyfr Jeremeia 26:18, cyfeirir at Micha fel proffwyd y ganrif flaenorol, ac mae'r cyfeiriad hwn yn profi bod y traddodiad llafar yn ei gofio ac yn rhoi sylw a gwerth iddo. Nid oes cyfeiriad at ei deulu, ac mae'r esbonwyr yn ei gymharu ag Amos, ei gyfoeswr yn y gogledd, fel un o'r haen werinol. Yr un yw themâu Micha a'r proffwydi eraill yn yr un cyfnod, ac mae'n ddiddorol ei fod ef, y gwerinwr, yn canu'n debyg i Eseia, y gŵr o dras, gan gyfeirio at anfoesoldeb ei bobl. Mae'n gresynu at y modd mae'r gwan yn cael eu trin, at anonestrwydd mewn busnes ac at bobl yn arfer crefydd arwynebol. Yn y myfyrdodau hyn edrychir ar ormes y tlawd (pennod 2), Duw yn addo gwaredwr (pennod 5) a hanfod addoliad (pennod 6). Mae ei broffwydoliaethau yn cyhoeddi gobaith i'r genedl am fod Duw yn tosturio.

Myfyrdod

Ers degawdau bellach, bu economeg yn rhan o gwricwlwm addysg, ac mae'r wasg yn trafod yn gyson effaith llanw a thrai cyflogaeth a diweithdra. Sylweddolwn pan fydd mwy yn ddi-waith y bydd llai o bobl yn talu treth incwm, a bydd mwy o alw ar y trysorlys i dalu allan nawdd cymdeithasol. Bydd pob gwleidydd yn ceisio denu cyflogaeth i'w etholaeth, heb boeni'n ormodol a fydd hynny yn achosi diweithdra mewn ardaloedd neu wledydd eraill. Byddwn yn ystyried tlodi, efallai, dim ond yng nghyd-destun ein hamgylchiadau personol, heb feddwl bod y rhan fwyaf o drigolion Prydain yn gyfoethog o'u cymharu â thrwch poblogaeth gwledydd ar gyfandir yr Affrig. Mesur tlodi i lawer yw gorfod byw gydag incwm sy'n llai na doler y dydd. Diolchwn am wladwriaeth ddemocrataidd sy'n darparu nawdd cymdeithasol i bawb, addysg a gofal iechyd i'r sawl sydd eu hangen, a lloches i'r digartref.

Yn yr wythfed ganrif Cyn Crist roedd y brenhinoedd yn gloddesta ar draul y difreintiedig yn eu gwlad. Athroniaeth 'treched y trechaf' oedd hi yn Jwda, ac mae'n ddiddorol fod Micha yn enghraifft a ddeallai oblygiadau economeg a bod y gormeswr yn 'chwennych meysydd ac yn eu cipio'. Bydd asiantaethau fel Cymorth Cristnogol yn ein cyfnod ni yn dadlau dros achos y di-rym, ac yn ymgyrchu o blaid y gwan. Dyna swyddogaeth sylfaenol yr Undebau Llafur ac mae gwledydd nad ydynt yn caniatáu mudiadau tebyg yn dod o dan lach Micha hefyd. Yn Efengyl Mathew (pennod 25), clywn Iesu yn sôn am y sawl sydd yng nghorlan y geifr, yn esgeulus o'r tlodion a'r difreintiedig, ac mae'n hawdd derbyn bod caru cymydog yn elfen ganolog o ddyhead cariad Duw.

Gau-broffwyd yw'r sawl sy'n dadlau dros hunanoldeb ac yn erbyn Duw, ac mae'r sawl sy'n llawn o rym ac ysbryd yr Arglwydd yn herio 'penaethiaid y genedl sy'n casáu cyfiawnder'. Bydd y sawl sydd am gadw crefyddwyr rhag ymateb i anghyfiawnder cymdeithasol wedi hepgor sawl tudalen yn y Beibl, gan gynnwys Micha 3.

Gweddi

Diolch, Arglwydd, am i ti alw ac annog dy broffwydi ar hyd y canrifoedd. Helpa fi i sylweddoli sut mae cyfieithu'r gwirionedd i'm cyfnod a'n cymdeithas. 'Rho imi nerth i wneud fy rhan, i gario baich fy mrawd ...' (E. A. Dingley, *cyf.* Nantlais, *C.Ff.* 805). Amen.

Llywodraethwr o Fethlehem

Gweddi

Dduw trugaredd, gwrando arnaf yn cydnabod fy mod yn wan ac yn fregus, hyd yn oed ynghanol fy nerth. Byddaf yn aml yn teimlo fy mod yn 'gymysg oll i gyd', gyda'm meddyliau a'm blaenoriaethau yn hynod o anniben. Tyrd i roi trefn ar fy meddyliau a chadarnhau fy mlaenoriaethau. Amen.

Darllen Micha 5

Myfyrdod

Bydd llawer o'r proffwydi yn canu oracl barn, a hynny yn cyhoeddi barn ar y bobl, ac yna bydd oracl arall yn cyhoeddi gobaith drachefn. Nodwedd Iddewig yw hon, fel rhywun yn camu i'r chwith ac yna i'r dde, er mwyn cerdded ymlaen. Sylwir ar yr un arfer yn y salmau yn aml, lle bydd unedau barn ac anogaeth bob yn ail. Mae'r proffwyd yn canu cân yn portreadu dinistrio adeilad a thir, ac yna'n cyflwyno cân sy'n cynnig adferiad i genedl a thir ffrwythlon i'r dyfodol. Mae'n amlwg fod Micha yn gweld Asyria yn dod ac yn goresgyn ffiniau Jwda, er mwyn ei bygwth. Nid oedd gan Jwda'r modd i gadw'r gelyn draw, ac roedd y proffwydi yn aml yn gweld y profiad o oresgyniad fel modd i ddod â'r bobl a'r arweinwyr at eu coed. Wedi hynny byddai rhyddid ac adferiad i'r genedl yn digwydd. O ble byddai'r arweinydd newydd yn dod?

Adeg y Nadolig, byddwn yn troi at ddarlleniadau cyfarwydd yn yr Hen Destament, a chlywed y proffwydi yn rhagweld ymyrraeth Duw yn hanes dyn, ac yn rhoi gwaredwr o'r newydd. Yn yr adran hon cawn glywed Micha yn sôn am lywodraethwr o Fethlehem yn dod â gobaith mewn adfyd. Pwysleisir mai o lwyth lleiaf Jwda y bydd yr arweinydd newydd yn dod. Dyna oedd un elfen yn hanes Dafydd, bod y brenin yn dod o'r llwyth lleiaf, a'r arweinydd newydd heb gael ei ystyried, hyd yn oed gan ei dad, fel ymgeisydd tebygol. Yn yr un modd, mae Micha yn proffwydo y byddai Duw yn dewis yr annhebygol i gyflawni'r gwaith. Bydd hyn yn digwydd, nid yn nerth dyn, ond 'yn nerth yr Arglwydd'. Mae hanes yr eglwys yn aml yn cofnodi'r digwyddiadau rhyfeddaf wrth i Dduw ddewis yr un annhebygol i ddod yn arweinydd buddugoliaethus. Pwy fyddai'n disgwyl mab i ferch ifanc ddibriod o Nasareth i fod yn Feseia Duw? Pwy ddychmygai fod cenhadon cyntaf yr eglwys wedi bod yn bysgotwyr amrwd ac anllythrennog fel Pedr ac Andreas? Pwy fu'r bobl annisgwyl a ddylanwadodd arnom ni? 'Trwy ddirgel ffyrdd mae'r uchel Iôr yn dwyn ei waith i ben' (William Cowper, *cyf.* Lewis Edwards, *C.Ff.* 66).

Pan ddaw'r Llywodraethwr o Fethlehem a sicrhau'r deyrnas o'r newydd, bydd 'yn fawr hyd derfynau'r ddaear; ac yna bydd heddwch' (Micha 5:4–5). Bu'r llais proffwydol yn cyffroi a chynnal ei genedl drwy gyfnod y gaethglud, ac wrth i Micha gyfeirio ato, mae'n siŵr y bydd y grefydd Iddewig yn dal gafael yn y gobaith hwn. Yn nyfodiad Iesu Grist i'r byd, daeth y neges yn fyw o'r newydd, a bydd yr Eglwys Gristnogol yn parhau i ryfeddu at wireddu geiriau 'Micha o Moreseth yn nyddiau Jotham, Ahas a Heseceia, brenhinoedd Jwda' (Micha 1:1).

Gweddi

Arglwydd Dduw, rwyt yn llwyddo i'm rhyfeddu bob dydd, ac yn estyn gobaith ym mhob cyfnod. Diolch i ti am dy amynedd yn dy ymwneud â mi. Helpa fi i rannu gair addas gyda rhywun heddiw, ac i arwain eraill i weld Iesu fel un a fydd yn llywodraethwr ar fywyd dyn. Amen.

Cadw fe'n syml

Gweddi

Arglwydd, gwyddost fy mod yn ceisio dy addoli drwy'r amser, ond yn teimlo fy mod yn methu. Maddau i mi os byddaf yn cymhlethu'r ymdrech drwy'r amser. Gad i mi heddiw ddal gafael ar yr hyn sy'n hanfodol a gollwng popeth arall yn rhydd. Amen.

Darllen Micha 6:1–8

Myfyrdod

Flynyddoedd lawer yn ôl, rhennais gyda chynganeddwr profiadol y ffaith fy mod yn deall y ddisgyblaeth o gynganeddu, a fy mod yn medru creu llinellau cywir, ond yn ei chael yn anodd i lunio pennill a oedd yn agos at fod yn farddoniaeth. Cyngor y cyfaill oedd peidio â chwilio am linellau cymhleth ond i gadw at y reddf o ddweud yr hyn oedd gen i i'w ddweud mewn delwedd syml a gonest. Nid clyfrwch geiriau yw barddoniaeth ond awydd i ganu cân a pheintio llun. Mae didwylledd yn elfen hanfodol ym mhob perthynas a gweithgarwch.

Bu dyn yn ei reddf a'i angen yn chwilio am Dduw, ac i fod mewn harmoni gydag ef. Unwaith y daeth o hyd i Dduw, aeth ati i gymhlethu ei ddeallltwriaeth a'i adwaith iddo. Dechreuodd yr Iddew addoli Duw yn syml ac yn onest, ond buan y ceisiodd gymhlethu'r ymdrech ac ychwanegu beichiau ar ei gyd-addolwyr. Dyna oedd canlyniad adeiladu tŷ i Dduw a threfnu ffurfiau addoli. Aeth y canllawiau yn amodau a'r amodau yn hanfodion. Erbyn y daeth cyfnod y Phariseaid, roedd is-gymalau diddiwedd ar y ffydd Iddewig, gan droi perthynas gyda Duw yn broses gymhleth.

Dywedodd Iesu mai dim ond dwy ddeddf oedd yn bwysig, sef 'câr yr Arglwydd dy Dduw â'th holl galon, ac â'th holl feddwl ac â'th holl enaid' a 'câr dy gymydog fel ti dy hun'. Symleiddio'r cyfan oedd arweiniad Iesu, ac roedd ei batrwm gweddi yn holl gynhwysol. O'r braidd y gallai fod wedi cofio geiriau Micha yn 6:8, sydd o bosibl yn eiriau mwyaf cyfarwydd y proffwyd. Nid nifer a chost yr hyrddod neu fesur yr afonydd olew (adnod 7) sy'n berthnasol, ond gwneud beth sy'n iawn: bywyd teg a chyfiawn, bywyd sy'n rhodio gyda Duw. Mae unrhyw beth sy'n ychwanegol i hynny yn ormod.

Pa mor aml y bydd person am addoli Duw, ond yn tybied nad yw ei eiriau yn ddigon da, neu wedi ystyried mynychu oedfa ond o dan yr argraff nad yw ei ddillad bob dydd yn addas? Bydd rhai yn credu bod angen lleoliad crand neu gerddoriaeth arbennig i addoli, ond nid dyna ddeall Micha na Iesu.

Syrthiodd y grefydd Iddewig i'r gors o dybied bod rhoi'r gorau i Dduw yn golygu rhoi'r oen di-nam neu'r aur coethaf, pan mewn gwirionedd yr hyn y gofynnid amdano oedd didwylledd crefydd a gostyngeiddrwydd addolgar. Crefydd, medd y proffwyd, yw rhodio gyda Duw, a hynny bob cam o'r daith. Nid dod i'r oedfa a rhannu defod cyn troi yn ôl at lwybrau'r byd yw hyn, ond cerdded ar hyd y daith drwy brofiadau llon a lleddf, mewn tywydd stormus a braf, yn ifanc ac yn hen.

Nod Duw oedd bod ei bobl yn dod i wybod beth oedd y cyfiawnder sanctaidd (adnod 5). Iesu a ddywedodd iddo ddod i'r byd yn dwyn cyfiawnder yn ei berson. 'Yr wyf fi wedi dod er mwyn i ddynion gael bywyd, a'i gael yn ei holl gyflawnder' (Ioan 10:10). Ni all dynion addoli heb fod Duw yng Nghrist yn eu helpu, a diolch am y cymorth hwnnw.

Gweddi

Arglwydd Iesu, diolch i ti am fy helpu i addoli ac am rannu dy gyfiawnder di gyda mi. Drwy dy Ysbryd, mentraf o'r newydd i addoli'r Tad Nefol a hynny yn ddidwyll a gonest. Amen.

Traed tangnefedd

Gweddi

Plygaf ger dy fron, fy Arglwydd a'm Duw, yn sylweddoli mor fawr wyt ti ac mor fach wyf i. Diolch i ti am wrando ar fy nghyffes a'm deisyfiad. Wrth i mi agor fy Meibl heddiw, helpa fi i glywed dy air ac ymateb i'th arweiniad. Amen.

Darllen Nahum 1

Cyflwyniad

Yn yr uned hon, arhoswn am ennyd gyda thri phroffwyd sef Nahum, Habacuc a Seffaneia. Prin yw'r arwyddocâd diwinyddol na'r gwirionedd crefyddol yn eu datganiadau, ac fe'u rhestrir ymhlith y proffwydi llai yn yr Hen Destament. Mae'n fwy na thebyg y bydd llawer yn gofyn beth yn union yw'r ddadl dros eu cynnwys yn yr Hen Destament yn wreiddiol? Mae'n amlwg fod golygyddion Iddewig yr Hen Destament, ysgrythur yr Iddewon, wedi gweld arwyddocâd ynddynt a bod y golygyddion Cristnogol ar draws y canrifoedd wedi synhwyro bod rhyw ddatguddiad o Dduw yn y gweithiau hyn. Cododd y tri o Jwda tua chanol y seithfed ganrif, pan oedd Israel – teyrnas y gogledd – wedi ei choncro yn 721 CC a theyrnas Jwda yn gwegian, gyda grym Babilon yn codi yn y dwyrain.

Myfyrdod

Cyfeiria Nahum yn benodol at gwymp Ninefe, prifddinas yr Asyriaid. Syrthiodd hi yn 612 CC pan drechwyd cenedl Tiglath Pileser gan y Babiloniaid. Yr Asyriaid fu achos cwymp Israel a Samaria ganrif ynghynt, pan wrthododd Jwda gynghreirio gyda hwy. Yr hyn a geir gan Nahum yw cerddi, naill ai yn rhagweld cwymp Ninefe neu yn disgrifio'r cwymp. Yr unig elfen grefyddol yn y gwaith yw bod y proffwyd yn datgan bod Duw yn cyhoeddi barn ar Asyria, sef y bobl a orchfygodd Israel a Samaria, fel y gallai Nahum ganu'r emyn 'Rhagluniaeth fawr y nef, mor rhyfedd yw esboniad helaeth hon o arfaeth Duw' (David Charles, *C.Ff.* 114). Ystyr enw Nahum yw 'y diddanydd'.

Pa mor aml y bu i ni glywed y gosodiad y caiff y drwgweithredwr, pwy bynnag yw a ble bynnag mae'n gweithredu, ei ddal ryw ddydd? Nid oes modd dyfalu neu ragweld beth fydd pen draw gweithred anfoesol neu ysgeler ond y mae drygioni yn meithrin ei gosb ei hun yn y diwedd. Bydd celwydd yn siŵr o achosi ei ddinistr ei hun, ac mae'r dywediad Saesneg am wirionedd yn mynnu ei amlygu ei hun yn berthnasol ym mhob oes.

Un o gymeriadau trasig y Testament Newydd oedd Jwdas Iscariot. Roedd ganddo wendidau, fel pawb arall, ond arweiniodd ei wendid ef i weithredu mewn modd a fradychodd Iesu. Canlyniad y weithred honno oedd ei hunan-gondemniad, a hynny yn ei dro yn arwain at ei hunanladdiad. Dywediad arall yn Saesneg yw dweud bod y sawl sy'n byw gyda'r cleddyf yn marw oherwydd y cleddyf, ac yn Gymraeg, byddwn yn clywed nad chwarae yw chwarae â thân.

Yn y bennod gyntaf hon darllenwn y broffwydoliaeth am yr efengylwr a rodiodd ar y mynyddoedd yn cyhoeddi heddwch. Y newyddion da yn ôl Nahum yw bod Ninefe, gelyn Jwda, wedi ei threchu, ac na fydd perygl eto. Daw heddwch i'r bobl a modd i ddathlu'r gwyliau. Mae'n hawdd clywed y gennad Gristnogol yn cyhoeddi bod pechod wedi ei drechu a bod modd i'r sawl sy'n ymddiried yn Nuw ddathlu'r gwyliau mewn ffordd newydd.

Gweddi

'Efengyl tangnefedd, O rhed dros y byd, a deled y bobloedd i'th lewyrch i gyd' (Eifion Wyn, *C.Ff.* 844). Arglwydd, diolch i ti am sefyll o'm plaid a'm cynnal yn wyneb fy ngelyn. Maddau i mi fy ngwendid a chadarnha fy ffydd yn Iesu. Amen.

Llawenydd y galon drist

Gweddi

Mentraf tuag atat, O Dduw fy iachawdwriaeth. Adnewyddi fy ffydd a'm hysbrydoli drwy dy Ysbryd. Agor fy llygaid i weld y dail yn dawnsio ar awel dy bresenoldeb. Amen.

Darllen Habacuc 1–2:4

Cyflwyniad

Mae dyddio Llyfr Habacuc wedi bod yn bwnc trafod i lawer, ac nid bwriad y myfyrdod hwn yw olrhain y drafodaeth. Bydd y rhan fwyaf o'r arbenigwyr yn derbyn bod y llyfr yn perthyn i'r seithfed ganrif, ac mae'n trafod amgylchiadau Jwda cyn i'r Babiloniaid ei threchu. Ceir holi ac ateb, lle mae'r proffwyd yn gofyn pam fod Duw mor greulon. Sut gall Duw Israel ddefnyddio cenedl arall i gosbi ei genedl ei hun? Bydd y sawl sydd â'r awydd a'r amser yn barod i ddarllen ymlaen er mwyn cyrraedd diwedd y llyfr, a chael mai ateb cadarnhaol a geir i'r cwestiynau a nodwyd yn y bennod gyntaf. Mae gan y proffwyd ffydd yn noethineb a ffyddlondeb Duw, er holl brofiadau erchyll dyn. Yr Arglwydd yw ffynhonnell ei lawenydd a'i nerth ac mae'n 'rhodio'r uchelfannau' o'r herwydd (3:19).

Myfyrdod

Habacuc yw sgeptig mwyaf y proffwydi, medd un academydd, am fod y proffwyd yn gofyn y cwestiwn oesol am degwch Duw. Clywyd yr un cwestiwn adeg arswyd Aberfan, ac ar adeg tanchwa mewn pwll glo. Pan fydd gan ddyn, hyd yn oed yr anghredadun, y syniad fod digwyddiad yn annheg, bydd Duw yn cael y bai. Pa mor aml y clywsom berson yn dweud am un arall, nad oedd y claf yn haeddu'r hyn a ddigwyddodd iddo/iddi, ac y dylai Duw fod wedi ymyrryd.

Mae'n siŵr fod plant Jerwsalem wedi cofio geiriau Habacuc pan oeddent ym Mabilon, ac yn gwrthod canu eu hofferynnau cerdd (Salm 137). Roedd eu hymdeimlad o warth yn annioddefol. Ar draws y canrifoedd, byddai'r Iddewon yn effro i'r amarch y bu iddynt ei ddioddef, a'r anghyfiawnder a ddaeth i'w rhan. Beth tybed oedd ym meddwl Iddewon yr Almaen pan oeddent yn cael eu cludo'n waradwyddus i'r canolfannau lladd fel Auschwitz a Buchenwald? Pwy ohonom all ddychmygu'r ing arswydus y bu iddynt ei wynebu, ac ai neges ffydd neu neges sgeptig Habacuc a fyddai'n dod yn ôl i'w cof?

Mae Habacuc yn galw arnom i feddwl am y sawl sydd yn gorfod wynebu creulondeb dyn tuag at ei gyd-ddyn, ac yna yn gofyn pa fodd y byddwn yn ymateb i'r sawl sy'n achosi loes. Ai dyhead i ddial ydyw, a gofyn i Dduw gosbi'r treisiwr, neu ddyhead i weld y treisiwr yn ymatal rhag achosi'r fath boen? Adwaith Iesu oedd gofyn am faddeuant i'r dyrfa a waeddai arno ac ar y milwyr a fyddai'n morthwylio'r hoelion i'w gnawd.

Sut mae deall geiriau olaf Habacuc, wrth iddo gydnabod ei arswyd, ac eto'n llawenhau yn yr Arglwydd yr hwn yw ei iachawdwriaeth a'i nerth (3:18–19)? Efallai iddo sylweddoli bod 'nos a Duw yn llawer gwell na golau ddydd a Duw ymhell' (Penrith, *C.Ff.* 77).

Gweddi

Diolch, Arglwydd, am fod yn gwmni i mi ar adeg unig, ac yn oleuni mewn tywyllwch. Rhennaist fy arswyd a buost yn graig o dan fy nhraed pan oeddwn yn sigledig iawn. Llawenychaf ynot, a molaf dy enw. Amen.

Dydd yr Arglwydd – dydd yr ail gyfle

Gweddi

Gwn, O Dduw, fod pob dydd yn ddydd i ti, ond heddiw gweddïaf y byddi yn fy helpu i fyw yn unol â'th bwrpas ac i gerdded dy lwybrau. Maddau i mi fy ffolineb a'm hanffyddlondeb. Amen.

Darllen Seffaneia 1–2:3

Cyflwyniad

Proffwydai Seffaneia pan oedd Joseia'n frenin (640–609 CC) a'r adeg pan oedd Jeremeia'n proffwydo. Tybir ei fod o gefndir brenhinol ac yn llinach y brenin Heseceia. Gan nad yw'n sôn am ddarganfod Llyfr y Gyfraith gan Joseia yn y Deml, mae'n rhesymol credu ei fod yn proffwydo cyn y flwyddyn honno, sef 621 CC. Mae'n effro i farn Duw ar ei genedl, ac yn sylweddoli beth yw natur pechod Jerwsalem ym mhennod 3. Dywed fod Duw yn rhoi gwefus bur (3:9) i'w bobl ac y byddant yn canu cân newydd a llawen (pennod 3).

Myfyrdod

Fel eraill o blith proffwydi Israel, mae Seffaneia yn gweld y dydd yn dod pan fydd Duw yn hawlio ei fyd ac yn dwyn cosb a gwarth ar ei bobl. Dyma fyddai 'Dydd yr Arglwydd'. Cyfeiria'r proffwyd at yr achlysur hwnnw, ac roedd yn amlwg fod y proffwyd yn synhwyro y byddai'n ddigwyddiad hanesyddol ac yn llawn arswyd. Mae Jwda yn derbyn galwad i edifarhau cyn dydd llid yr Arglwydd, tra bod Philistia, Moab, Ammon, Ethiopia ac Asyria yn genhedloedd a fyddai yn profi arswyd. Nid darluniau tyner yw'r rhain, ond portreadau o farn eithriadol ac eithafol.

Ai nodwedd ein crefydd a'n cyfnod yw tybied bod Duw yn cysgu yn y sedd gefn a heb fawr o bryder am gyfeiriad y modur crefyddol? A fydd y sawl sy'n gwisgo dillad haf yng nghorwynt gaeaf yn ymwybodol ei fod mewn perygl o ddal niwmonia? A yw'r person sy'n gyrru'n wallgof yn ystyried y gall achosi damwain, neu a yw'r cogydd sy'n cadw cegin frwnt yn sylweddoli y gall achosi salmonella, a salwch i lawer? Y mae i bob penderfyniad ei ganlyniad ac i bob drygioni ei ganlyniad hefyd.

Sut mae puro gwefus a throi gwawd yn foliant? Tybed a oedd J. J. Williams wedi cael ei ysbrydoli i lunio'r emyn 'Chwifiwn ein baneri yn yr awel iach' (*Llyfr Emynau a Thonau y Methodistiaid Calfinaidd a Wesleaidd* 756) ar ôl darllen y bennod hon? Clywodd Iesu Pedr yn ei wadu ond daeth ato ddyddiau yn ddiweddarach a maddau iddo. Yn yr un modd cafodd yr amheuwr groeso cariadlon. Pe bai Jwdas wedi aros ychydig, mae'n rhesymol credu y byddai yntau hefyd wedi profi grym y cariad dwyfol ar waith. Fe grogodd ei hunan, ac er bod Seffaneia yn cyhoeddi tranc y sawl sy'n gweithredu yn erbyn Duw, hwy eu hunain yn amlach na pheidio sy'n gyfrifol am eu dinistr. Nid Duw dial yw ein Duw ni, ond un sydd o hyd yn syllu fel y Tad cariadlon ac yn disgwyl i'r Mab Afradlon ddychwelyd adref.

A yw Dydd yr Arglwydd yn ddydd ein dinistr neu yn ddydd yr ailddechrau? Pwy a wad hawl Duw i wneud fel y mynn, ond mae o hyd yn dyheu am weld ei bobl yn edifarhau ac yn derbyn ei Air a cheisio ei fendith. Pa ddewis fydd ein dewis ni?

Gweddi

Arglwydd, mae'n flin gen i am amau dy wirionedd a gwadu dy hawl ar fy mywyd. Trugarha wrthyf a helpa fi i gerdded tuag atat. Dyro i mi wefus bur a chalon lawen. Amen.

Uffern, ble mae dy fuddugoliaeth?

Gweddi

Arglwydd Dduw, gwyddost am fy ngofidiau drosof fy hun a thros y ddynoliaeth. Deuaf â'm pryderon ger dy fron a cheisio dy gymorth, er mwyn rhoi trefn ar fy meddyliau a'm bywyd. Gad i'r amser tawel yma o fyfyrio fod yn gyfle i mi ymdawelu yn dy gwmni ac i'th addoli mewn ysbryd a gwirionedd. Amen.

Darllen Jeremeia 8:18–9:16

Cyflwyniad

Ystyrir Jeremeia yn un o broffwydi mawr yr Hen Destament, nid oherwydd ei weledigaeth am Dduw yn gymaint â'i fynegiant o'i brofiad a'i ffordd o gyflwyno ei neges. Roedd yn fardd ac yn llenor o bwys, ac er bod ei neges yn ymddangos yn bruddglwyfus (gelwir ef yn broffwyd gofidiau), mae ei argyhoeddiadau yn ddwfn yng ngallu Duw i adfer y genedl drachefn.

Bu llawer o ryfeloedd drwy'r seithfed ganrif cyn Crist, gydag Asyria yn awyddus i elwa ar wendid y gwledydd eraill, ond erbyn canol y ganrif, roedd grym Asyria yn lleihau a Babilon wedi dod yn rym o bwys. Roedd cenedl Jwda fel y cenhedloedd bychain eraill yn anabl i'w hamddiffyn ei hunan. Methwyd gweld pwy fyddai'r genedl warchod orau, ac nid oeddent yn barod i wrando ar Jeremeia a cheisio cynghreirio gyda Babilon. Yn dilyn eu goresgyniad chwalwyd y bobl, rhai yn cyrchu i'r Aifft, eraill yn cael eu cludo'n garcharorion rhyfel i Fabilon. Cludwyd Ail Eseia ac Eseciel i Fabilon, tra bod Jeremeia wedi ei garcharu gan ei bobl ei hun am iddo gael ei ystyried yn fradwr i Jwda, ac aethpwyd ag ef i'r Aifft. Mae'n debyg mai yno y bu farw. Nid oes trefn gronolegol i'r gwaith fel y mae yn ei ffurf bresennol. Golygwyd ei waith gan eraill yn ddiweddarach, ond ceir blas ar brofiadau un a ymdeimlodd â'r alwad ddwyfol i fod yn broffwyd ac i ddweud wrth ei bobl beth oedd 'gair yr Arglwydd'. Bydd rhai adrannau yn y person cyntaf, ac eraill yn y trydydd person.

Myfyrdod

Bydd y darlleniad heddiw yn enghraifft o ganiadau gofid y proffwyd. Yn y penodau blaenorol disgrifiwyd y genedl fel putain nad oedd yn arddel gwerthoedd moesol ac yn barod i wasanaethu unrhyw, a phob, meistr. Bellach mae'r genedl yn dwyllwr ac yn 'plygu ei thafod fel bwa i gelwydd' (9:2–3). Nid oes y fath beth â chymdogaeth yn nhyb Jeremeia gan na ellid ymddiried hyd yn oed mewn brawd na chymydog. Aeth hunanoldeb yn rhemp. Erbyn diwedd y gerdd nid oes anifail nac aderyn, ac mae'r Jerwsalem gaerog yn garneddau (adnodau 10–11).

Beth bynnag oedd y bygythiadau milwrol o'r gogledd – y Scythiaid oeddent hwy mae'n debyg – roedd y gwendid mewnol yn achos gofid dyfnach i'r proffwyd. Ffenomen y gwendid dyfnaf hwn yw eilunaddoliaeth ac roedd Jeremeia yn gwbl bendant nad oedd dwyfoldeb yn perthyn i gerfluniau a wnaed allan o aur ac arian (pennod 10:9). Dywed bod Duw Israel yn 'wir Dduw; ef yw'r Duw byw a'r brenin tragwyddol; y mae'r ddaear yn crynu rhag ei lid, ac ni all y cenhedloedd ddioddef ei ddicter' (adnod 10). Mae'r emyn mawl i Dduw (10:12–16) yn ymwybodol o Dduw'r creawdwr a'r Duw a luniodd y genedl.

Unwaith y bydd dyn wedi ei orseddu ei hun fel duw ar orsedd ei fywyd a gwadu'r Arglwydd Dduw, mae'n gadael 'i angau ddringo trwy ein ffenestri, a dod i'n palasau' (9:21). Mae'n rhaid bod bywyd wedi bod yn uffern i Jeremeia, ac yntau wedi wynebu sawl ymdrech gan ei bobl ei hun i'w garcharu a'i ladd. Gwyddai beth oedd arswyd angau ar lefel bersonol a chenedlaethol. Dim ond mewn un ffordd roedd modd concro angau wedyn, ac fe ddigwyddodd hynny ganrifoedd wedi marw 'proffwyd gofidiau' a gorseddu 'Arglwydd y bywyd'.

Gweddi

Rhyfeddaf, Arglwydd, at dy amynedd tuag ataf, ac at y ddynoliaeth. Gorseddodd dyn ei hun megis brenin, ond byrhoedlog fu ei deyrnasiad. Trugarha wrthym, a maddau i ni ein camweddau. Amen.

Llestri Pridd Duw

Gweddi

Gwn, Arglwydd, fod llawer wedi edrych drwy ddrws gweithdy'r crochenydd, fel y gwnaeth Jeremeia gynt. Agor fy llygaid i weld dy fwriad yn fy mywyd i heddiw, a dangos sut y gallaf wneud a dweud rhywbeth a fydd er lles eraill. Amen.

Darllen Jeremeia 18

Myfyrdod

O blith holl adrannau'r casgliad o negeseuon y proffwyd, mae'n siŵr mai'r weledigaeth ar ffurf dameg am Dŷ'r Crochenydd yw'r un fwyaf cyfarwydd. Mwy na thebyg bu bob pregethwr yn mowldio neges wrth fyfyrio ar y bennod weledol hon. Mae'n bwysig i ni gofio bod Jeremeia yn siarad â gweddill cenedl a oedd yn gwbl analluog i'w hamddiffyn ei hun yn filwrol, ac a oedd wedi colli ffydd yn Nuw a heb syniad ble i droi. Ei fwriad, fel pob proffwyd, oedd datgan barn a chynnig gobaith i'w genhedlaeth.

Gwêl rhai bod y ddameg hon yn rhy arwynebol i fod yn eiddo i Jeremeia, tra bydd eraill yn awyddus i nodi bod y proffwyd yn gweld neges gadarnhaol yng ngweithdy'r crochenydd. Wrth wylio'r crochenydd yn anfodlon ar ei ymdrechion cynnar, mae'n gwasgu'r clai yn ôl ar y droell ac ailddechrau. Gwelodd y proffwyd fod y genedl yn cael ei gwasgu, ac roedd am iddynt werthfawrogi bod Duw yn bwriadu iddynt gael eu hailffurfio o'r newydd. Pan edrychodd Omar Khayyam yn y gweithdy, cân o anobaith oedd ganddo. Beth fydd ein cân ni? Tybed beth a welwn ni?

i) Fod dyn, fel y clai, yn fregus ac nad oes modd creu llestr perffaith na fydd byth yn malurio? Mae bywyd yn cynnig amgylchiadau llawen a thrist, a'r hyn sy'n bwysig yw y byddwn yn ceisio delio â'r amgylchiadau heriol mewn ffordd gadarnhaol. Gweddi gyson Jeremeia oedd bod ei genedl yn ymddiried yn Nuw ac yn plygu i'w ewyllys. Yn amlach na pheidio, bydd y sawl sy'n brwydro yn erbyn Duw yn ymdeimlo â'i fethiannau. Mae'r sawl sy'n medru derbyn profiadau bywyd, pa mor anodd bynnag y bônt, ac yn dal i gofio bod Duw yn ei garu yn berson dedwyddach na'r sawl sy'n gwrthod Duw ac yn methu dygymod â'i amgylchiadau.

ii) Fod Duw yn amyneddgar? Yr hyn sy'n cael ei amlygu drwy'r Beibl yw fod Duw yn rasol a chariadlon. Duw felly oedd Duw Jeremeia hefyd, a hyd yn oed mewn adfyd, gwelodd y byddai'r genedl yn dychwelyd i Jerwsalem ac yn ailddarganfod ei ffydd. Ni welodd Jeremeia gymaint o'r trugaredd yn Nuw ag a ddatguddiwyd yn Iesu Grist, ond roedd wedi sylweddoli nad Duw i gefnu ar ei bobl oedd ei Dduw ef. Yn wyneb pob anhawster, roedd Jeremeia yn annog ei genedl i ymddiried y byddai Duw gyda hwy yn eu hadfyd, ac y byddai'n ailfowldio'r genedl drachefn.

iii) Fod Duw yn dyheu am weld dyn yn byw fel llestr defnyddiol? Mae'r rhiant yn caru ei blentyn beth bynnag fo gallu a hanes yr epil. Mae Duw yn ein caru ni er ein gwendidau amlwg ac anamlwg. Gwêl ddefnydd ym mhawb, a bod pob llestr yn medru cludo rhywbeth o fudd i fwrdd y ddynoliaeth. Yr her yn aml yw gweld beth yw'r defnydd a wêl Duw ynom ni. Beth sydd gennym i'w gludo er mwyn eraill? Yn Mathew 25, sef dameg Iesu am y geifr a'r defaid, gwelir bod y sawl sy'n ymateb i angen eraill yng nghorlan y defaid ac yn derbyn y bendithion. Mae'r sawl sydd yng nghorlan yr hunanol ac yn ddall i ofynion eraill yn colli'r fraint honno. 'Carwch eich gilydd fel y cerais i chwi' oedd anogaeth Iesu i bawb sydd am fod yn llestr defnyddiol yn llaw Duw.

Gweddi

Sylweddolaf, Arglwydd, mai llestr pridd ydw i fel pawb arall. Diolch dy fod yn ymddiried dy gariad a'th ras i mi bob dydd. Helpa fi i rannu dy fendithion gydag eraill. Amen.

Buddsoddiad mewn bywyd

Gweddi

Arglwydd, gwyddost fy mod i'n simsanu'n aml, ac yn cerdded fel dyn cloff. Serch hynny, rwyf am dreulio amser yn dy gwmni heddiw, gan wybod bod dy fendith di yn rhoi sicrwydd i'r camau simsan, a sioncrwydd i'r cerddwr cloff. Amen.

Darllen Jeremeia 32

Myfyrdod

Bu perchenogi eiddo yn arwydd o gyfoeth a dylanwad erioed, ym mhob gwlad a chyfnod. Bydd llawer o bobl heddiw yn dal i gredu bod yna wirionedd yn y dywediad 'as safe as houses'. Polisi llawer yw buddsoddi mewn tai fel modd o ddarparu incwm ar gyfer cyfnod ymddeol. Mae'n siŵr bod enghreifftiau lle nad yw hynny'n gweithio, ond mae hyder y farchnad yn cael ei adlewyrchu ym mhrisiau tai. Mewn cyfnod o ddirwasgiad, bydd gwerth eiddo yn gostwng, a daethom i arfer gyda'r ymadrodd am ecwiti negyddol, lle mai person wedi talu mwy am ei eiddo na'i werth ar y farchnad agored. Buddsoddiad sâl fyddai prynu tŷ a fyddai'n cael ei ddymchwel neu dir a fyddai'n debygol o gael ei ddinistrio. Dyna'n union a wnaeth Jeremeia.

Roedd ei amgylchiadau yn amhosibl, ac yntau mewn carchar am iddo ddigio'r brenin. Gwyddai fod y Babiloniaid yn mynd i ymosod ar ei wlad, ac nid oedd sicrwydd y byddai'n goroesi'r cyfnod. Ofnai am ei fywyd. Serch hynny, ymdeimlodd â gair oddi wrth Dduw, a'i hanogodd i brynu tir yn ei ardal enedigol yn Anathoth. Dyma oedd tir ei dylwyth, ac yn rhan o'i dreftadaeth. Cefnder iddo o'r enw Hanamel oedd yn gwerthu, ac efallai y byddai ef yn tybied mai gwell fyddai cael arian yn ei boced wrth fentro i gyfeiriad yr Aifft rhag dialedd y Babiloniaid, gan feddwl y gallai brynu bwyd neu sicrhau cysgod i'w deulu. Nid felly y gwelodd Jeremeia'r sefyllfa. Cyflwynodd ddatganiad o ffydd yn Nuw a dangos hyder yn nyfodol ei genedl drwy brynu'r tir oddi wrth ei gefnder. Sail ei hyder oedd bod Duw wedi addo y byddai'r genedl yn dychwelyd i

Jerwsalem ar ôl cyfnod y gaethglud. Faint ohonom allai fentro edrych tu hwnt i gyfnod o dywyllwch a gweld y wawr newydd?

Yn Ioan 14, clywn Iesu yn paratoi ei ffrindiau ar gyfer cyfnod o dywyllwch gan ddweud ei fod yn eu gadael ac yn addo y daw diwrnod yr ailgyfarfod. Mae Ioan yn cadarnhau ym mhennod 16 bod tristwch yn troi'n llawenydd a bod ei fuddugoliaeth dros y byd yn llwyr. Ni ellir osgoi dydd Gwener y Groglith, ond yng Nghrist mae sicrwydd o Sul y Pasg. Dyna oedd byrdwn neges Paul hefyd: 'O angau, ble mae dy fuddugoliaeth?' (1 Corinthiaid 15:55).

Beth amdanom ni? A fyddem yn buddsoddi drwy brynu tir yn Anathoth? Daw profiadau i'n rhan sy'n arwain at ddigalondid llethol. Bydd rhai milwyr yn digalonni'n llwyr ar ôl damwain ar faes y gad, tra bydd eraill yn derbyn y prosthesis ac yn chwilio am ffyrdd i fyw o'r newydd. Mae ffydd yn fuddsoddiad yn yr amhosibl o safbwynt dyn: ond o safbwynt y sawl sy'n ymddiried yn Nuw mae'n fenter yn y sicr. Yn y tymor byr, gŵr y cwpan hanner gwag oedd Jeremeia ac yn haeddu cael ei alw'n 'broffwyd gofidiau'. Mewn gwirionedd, gŵr y cwpan hanner llawn oedd ef, gan iddo hyrwyddo gobaith yn y tymor hir, wrth gyhoeddi bod Duw yn datgan 'dychwelaf hwy i'r lle hwn, a gwnaf iddynt breswylio'n ddiogel' (32:37).

Gweddi

Trugarha wrthyf, O Arglwydd, fy nghraig a'm sicrwydd, am anobeithio pan ddaw'r cymylau tywyll heibio. Agor fy llygaid i weld dy ogoniant o ganol stormydd bywyd ac i gyhoeddi gobaith mewn adfyd. Amen.

Plannu brigau ir

Gweddi

Gwyddost, Arglwydd, fy mod yn teimlo'n flinedig yn aml, a heb yr egni hyd yn oed i geisio dy fendith di. Cod fi i'th fynwes a helpa fi i feddwl am dy gariad amyneddgar a'th fendith ryfeddol wrth ystyried y darlleniad hwn heddiw. Amen.

Darllen Eseciel 17:1–21

Cyflwyniad

Bydd Jeremeia, Eseciel ac Ail Eseia yn cael eu hystyried fel prif broffwydi pobl Dduw yn yr Hen Destament. Roedd cenadwri'r proffwydi eraill yn berthnasol ac yn werthfawr, ond o ran swmp a gweledigaeth, roedd y tri yma yn treiddio'n ddwfn i ddeall y genedl o natur a gofal Duw dros ei bobl. Roedd y tri yn perthyn i bobl Jwda, a thra bod Jeremeia yn llefaru cyn y gaethglud, ac wedi ei garcharu gan ei bobl ei hun, roedd Eseciel ac Ail Eseia yn llefaru yng nghyfnod y gaethglud ym Mabilon. Cludwyd Eseciel i Fabilon yn 597 CC a byw yng nghymuned Jwda ar lan yr afon Chebar. Roedd yn cael ei ystyried yn ŵr ysbrydol gan ei bobl ei hun, ac fe drodd arweinwyr y cymunedau ato am arweiniad gan gredu ei fod yn negesydd Duw.

Roedd Eseciel yn fab i offeiriad ac yn hyddysg yn arferion a thraddodiad y Deml. Ystyrid ef yn ŵr o weledigaeth eang a werthfawroga'i ddelweddau a symbolaeth grefyddol. Cafodd ei alw i fod yn broffwyd i'r Arglwydd, ac ystyrid ef yn berson rhyfedd; 'abnormal' yw term rhai amdano. Roedd ei ddiwinyddiaeth yn gadarn gan bwysleisio sancteiddrwydd a gogoniant Duw. Cyhoedda iddo dderbyn profiad o Ysbryd Duw ac mae'n tystio i rym Duw ei annog i broffwydo. Mae ei broffwydoliaethau yn ymestyn o farn ar y genedl a addolai dduwiau gau gan weld y genedl fel putain nad oedd yn ufuddhau i Gyfraith Duw, hyd at y proffwydoliaethau a bwysleisiai adferiad y genedl.

Myfyrdod

Cyfeiria Eseciel ym mhennod 17 at eryrod ei gyfnod, sef Babilon a'r Aifft. Fel Jeremeia, roedd ef yn hapusach i ymddiried dyfodol Jwda mewn cynghrair gyda Babilon nag yng ngofal yr Aifft. Yn y bennod dywed fod Jwda fel gwinwydden wedi ei phlannu fel bod ei gwreiddiau yn tyfu'n gryf a'i changhennau yn cyfeirio tuag at y dwyrain (Babilon). Mae'n gweld bai ar Sedeceia am dorri'r cytundeb â Babilon a chynghreirio â'r Aifft.

Y nod oedd bod Jwda yn gweithredu fel ffrind i Fabilon, ac roedd Sedeceia i fod yn arweinydd yno. Roedd Sedeceia yn hanner brawd i Jehoiachin, y brenin blaenorol a orchfygwyd gan Fabilon. Gosodwyd Sedeceia fel pyped o frenin, a addawodd deyrngarwch i Nebuchadnesar, ond trodd at yr Aifft a thorri ei ymrwymiad i Babilon. Dychwelodd Nebuchadnesar a difa Jerwsalem yn llwyr, caethgludwyd mwy, a gwanhawyd Jwda ymhellach.

Onid yw'r byd gwleidyddol yn llawn o gynghreirio a thorri addewidion? Mae'r sawl sy'n siomi un partner er mwyn troi at un arall yn siŵr o ddioddef. Gwelwyd gangiau o bobl ifanc yn ninasoedd Lloegr yn ailadrodd yr un arferion ag a welir yng ngweddill y byd. Nid oes gwahaniaeth rhwng Nigeria a'r Unol Daleithiau, gan mai 'treched y trechaf' yw athrawiaeth pobl felly.

Onid yr un nodwedd sydd ym myd busnes – ac fe ddaw'r term 'cut-throat' i'r meddwl? Onid yw felly ym mhob maes, hyd yn oed crefydd? Prin fod yna bobl mor wahanol i'w gilydd â'r Sadwceaid snobyddlyd uchel-ael, a'r Phariseaid gweinyddol ac ymroddedig i'r agenda o foderneiddio Iddewiaeth y ganrif gyntaf o oed Crist. Yn rhyfeddol, gwyddai Eseciel y byddai Duw yn plannu'r brigyn ir ar ben y mynydd, ac y byddai coeden newydd a fyddai yn cynnig nerth a chysgod i'r genedl o'r newydd. Onid Iesu yw'r brigyn hwnnw, ac onid yw'n parhau i blannu cedrwydd yn ei gymunedau, boed yn unigolion neu yn gymunedau ffydd?

Gweddi

Diolch, Arglwydd, am i ti arfer dy amynedd gyda mi, a'm helpu i weld bod teyrngarwch yn bwysig. Gwerthfawrogaf y cedrwydd cryf sydd yn fy mywyd – pobl ac eglwysi sy'n gwreiddio'n ddwfn yn naear ffydd ac yn cynnig cysgod i holl adar yr awyr. Diolch yn arbennig am Iesu – pren y bywyd. Amen.

Anadla, anadl Iôr

Gweddi
Arglwydd Dduw, edrych arnaf yn dy drugaredd a maddau i mi am fod yn araf i symud i'th gyfeiriad. Wrth i mi droi at eiriau cyfarwydd Eseciel heddiw, carwn innau hefyd brofi'r anadliad dwyfol sy'n cyffroi ac yn cadarnhau ffydd. Amen.

Darllen Eseciel 37

Myfyrdod
O blith holl benodau cyfoethog llyfr y proffwyd Eseciel, prin fod un sy'n fwy cyfarwydd na'r bennod amdano'n gweld llawr y dyffryn yn llawn esgyrn sychion. Bu llawer o bregethu arni ar draws y blynyddoedd. Mae'r olygfa yn un arswydus, ac anodd dychmygu llun mwy ofnadwy i bortreadu cenedl wedi hen farw. Nid cyrff oedd yno, dim ond casgliad o esgyrn sych a'r rhain wedi eu cymysgu yn ddi-ffurf.

Rhyfeddod y weledigaeth oedd bod Duw yn medru trawsnewid yr esgyrn hyn i fod yn bobl o'r newydd. Cam wrth gam, daeth y cnawd a'r croen ynghyd, fel bod yr esgyrn wedi ymffurfio yn gyrff marw ar lawr y dyffryn. Roedd angen un elfen arall, ac yn adnod 10, daw'r cyrff yn fyw ac yn fyddin gref. Troes y ddelwedd o fyd y marw amhosibl i'r byw milwriaethus. Dylem gofio bod Eseciel yn cyfarch pobl Jwda a hwythau yn alltudion caeth ym Mabilon.

Yr elfen hanfodol oedd yr anadliad dwyfol, sef grym yr Ysbryd Glân, a fyddai'n trawsnewid y meirwon yn bobl fyw. Ar ddydd y Pentecost gwireddwyd y weledigaeth hon ym Mabilon, mewn ffordd newydd a gwahanol. Bob tro y daw diwygiad i'r eglwys bydd yr adnewyddu hwn yn digwydd. Tybed beth oedd adwaith gwŷr Jwda wrth wrando ar y proffwyd yn cyflwyno'r neges? Ai sgeptigiaeth flinedig neu hyder newydd?

Pan fydd y pregethwr yn cyhoeddi neges gadarnhaol am lwyddiant y genhadaeth yng Nghymru, a'r negesydd yn cyhoeddi y bydd y tyrfaoedd yn dychwelyd at orsedd gras, a fyddwn yn gobeithio hynny'n ddifeddwl? Neu a fyddwn yn ei chredu'n frwdfrydig, ac yn ymroi i ddwyn ein tystiolaeth at bawb? Onid yw'n dibynnu i ba raddau yr ydym wedi derbyn yr anadliad dwyfol i'n ffroenau?

Os oedd gweledigaeth y rhan gyntaf o'r bennod yn anodd ei dirnad, roedd yr ail ran yr un mor anodd. Nid diwygiad ysbrydol sydd gennym, ond cyfannu cenedl a ymrannodd dros ddwy ganrif ynghynt. Sonnir bod Israel, teyrnas y Gogledd, yn dychwelyd i ffurfio un genedl gyda Jwda, teyrnas y De.

Mae gennym ddigonedd o enghreifftiau gwleidyddol cyfoes lle bu ymrannu, ac yna pobl yn dod ynghyd o'r newydd. Yr enghraifft fawr ddiweddar yn Ewrop yw'r Almaen, ond prin mai cymhelliad ysbrydol a arweiniodd at y rhyfeddod hwnnw. Bydd llawer wedi bod yn dadlau dros uno'r enwadau, a cheisio cydweithrediad eglwysig ar draws yr enwadau.

Un eglwys sydd, ac eglwys Iesu yw honno, ac ar ddiwedd y bennod clywn y llais dwyfol yn trefnu cyfamod heddwch a hynny am byth, a bod Duw ei hun yn sancteiddio'r gymuned honno. Beth bynnag oedd ym meddwl Eseciel wrth broffwydo dydd gobaith newydd pobl Dduw yn Jerwsalem, mae'n hawdd i ni weld ailgyflawni'r broffwydoliaeth ym mherson Iesu ar ddydd y Pentecost.

Gweddi

Dduw'r Ysbryd sanctaidd, diolch am i ti fod yn effro i arswyd y genedl yn ei chywilydd ym Mabilon. Mae gennym ninnau hefyd gywilydd o'r modd mae'r eglwys wedi profi'r trai a'r cilio dros y degawdau diweddar. Cyffeswn ei ffaeleddau ger dy fron. Helpa ni i weld yr esgyrn yn dod ynghyd ac i'r anadliad dwyfol ddeffro ffydd y sawl a aeth ar goll. 'Ysbryd byw y deffroadau, disgyn yn dy nerth i lawr, rhwyga'r awyr â'th daranau, crea'r cyffroadau mawr' (R. R. Morris, *C.Ff.* 584). 'Tyred, Arglwydd Iôr, i lawr, tyred yn dy gariad mawr; tyred, una ni bob un yn dy gariad pur dy hun' (R. J. Derfel, *C.Ff.* 206). Amen.

Dyddiau gwell i ddod

Gweddi

'Yn y dwys ddistawrwydd dywed air, fy Nuw; torred dy leferydd sanctaidd ar fy nghlyw' (Emily M. Grimes, *cyf.* Nantlais, *C.Ff.* 781). Amen.

Darllen Eseciel 43:1–12; 48:30–35

Myfyrdod

Mae wyth pennod olaf Eseciel yn waith anodd i'w ddarllen, ac yn sicr yn dreth ar wrandawiad darlleniad cyhoeddus mewn oedfa, ond mae'r hyn a ddywedir ynddynt yn bwysig. Roedd Eseciel yn dal mewn caethiwed ym Mabilon, yn 573 CC, sef y dyddiad a roddir i gyfansoddi'r deunydd hwn. Roedd yn ŵr aeddfetach ei oed a'i farn bellach, a'r caethiwed wedi bod dros gyfnod o genhedlaeth. Mae'n siŵr ei fod yn sylweddoli bod Babilon yn gwanhau, ac na fyddai pobl Jwda yn hir cyn cael eu rhyddhau o'r wlad honno. Edrychai Eseciel ymlaen at ddychwelyd i Jerwsalem, a'r ddelwedd a gawn ganddo yw bod y genedl yn gweld ailadeiladu'r Deml, a hynny ar batrwm roedd Duw wedi ei roi iddynt. Mae'r uned yn gorffen gyda'r llwythau i gyd yn cydetifeddu'r tiroedd a addawyd i blant Jacob. Wrth i'r Deml gael y lle canolog (Eseciel 40:31), roedd Duw felly ynghanol ei bobl (pennod 43) ac roedd aberth yn parhau i fod yn fynegiant o addoliad y bobl i Dduw.

Neges gadarnhaol sydd gan Eseciel i'w bobl, yn cadarnhau adferiad y genedl gyfan, gyda threfn a therfynau pendant i'w bywyd. Gweledigaeth o obaith sydd yn y penodau hyn, a gallwn yn hawdd weld yr arweinwyr – pobl a fyddai wedi bod yn ifanc adeg y caethgludiad ddiwedd y ganrif flaenorol.

Bydd y sawl a gafodd gyfle i ddarllen Llyfr y Datguddiad yn fanwl yn sylweddoli bod sawl elfen o'r llyfr hwnnw wedi'u gwreiddio ym mhroffwydoliaethau Eseciel. Mae afon y bywyd yn llifo a gwelir y coed ffrwythlon bob ochr iddi (pennod 47). Ceir dinas newydd a honno yn gryf a diogel. Mae ei phyrth yn gadarn a'i phobl yn sylweddoli mai enw'r ddinas yw 'Y mae'r Arglwydd yno' (48:35).

Onid yr un yw dyhead pob cenedl ar hyd y canrifoedd a'r cyfandiroedd? Mae hunaniaeth glir, cartref diogel, cynhaliaeth a diogelwch yn nodweddion pob breuddwyd gadarnhaol. Sylweddolodd Eseciel nad oedd y fath freuddwyd yn bosibl heb fod Duw yn y canol. Cadw'r llygad ar y bêl yw anogaeth y sawl sy'n hyfforddi mewn sawl maes, ond cadw golwg ar Dduw oedd gair Eseciel i'w bobl.

Yn Iesu Grist, cawn yr holl elfennau y cyfeiriodd y proffwyd atynt. Mae'n fan cyfarfod rhwng dyn a Duw, yn 'Deml sanctaidd', mae'n dywysog ac yn un sy'n cyfannu ei bobl gyda'i gilydd. Mae'r terfynau 'yng Nghrist' a gellir dweud am y 'deyrnas' fod 'yr Arglwydd yno'.

Gweddi

Bendigedig fyddo dy enw, Arglwydd, dy fod 'yn llond pob lle, presennol ymhob man' (David Jones, *C.Ff.* 76). Diolch am glywed neges Eseciel o'i gaethiwed, yn credu bod rhyddid ar gael a'th fod yn hawlio dy orsedd. Hawlia dy orsedd yn fy mywyd i, a derbyn fi, os gweli yn dda, fel addolwr a dilynwr Iesu. Amen.

Duw'r chwyldro

Gweddi

Arglwydd Dduw, gwelaf annhegwch ac anhrefn yn y byd a charwn ddwyn pobl i sylweddoli bod pawb ar yr un lefel yn dy olwg di, boed yn frenhinoedd neu yn bobl sy'n anabl i godi o ffos anobaith. Agor fy llygaid a'm meddwl heddiw i glywed dy lais ac i ddilyn Iesu. Amen.

Darllen Eseia 40

Cyflwyniad

Mae 66 o benodau yn Llyfr Eseia, ac mae rhychwant y deunydd yn amrywio'n sylweddol. Ers canol y bedwaredd ganrif ar bymtheg, bu cytundeb cyffredinol ymysg yr ysgolheigion fod penodau 1–39 yn gyflwyniad o'r wythfed ganrif, a hynny gan berson a oedd yn gyfarwydd â thraddodiad, dysgeidiaeth ac arferion y Deml, a heb fod mewn caethiwed. Mae penodau 40–55 yn digwydd yn ystod cyfnod caethiwed y genedl ym Mabilon, tra bod penodau 56–66 yn rhan o gyfnod hwyrach fyth, pan oedd y genedl yn rhydd ac ychydig cyn bod Teml Jerwsalem yn cael ei hailadeiladu. Cyfeirir at y tri phroffwyd fel Eseia Jerwsalem, Ail Eseia a Thrydydd Eseia. Bydd rhai yn awgrymu bod gwaith mwy o awduron wedi cyfrannu at y llyfr cyfan, ac nid oes sicrwydd pryd y bu'r golygyddion yn casglu'r deunydd ac yn ei gyflwyno fel un gwaith. Roedd Cyrus brenin Persia yn amcanu ymosod ar Fabilon a chreu rheolaeth o'r ardal yn llwyr. Digwyddodd hynny yn 538 CC, a rhyddhawyd Jwda o'i chaethiwed, gan adael iddynt ddychwelyd i Jerwsalem.

Neges o gysur a rhyddid oedd gan Ail Eseia ac mae'n cyflwyno pedair cân sy'n cael eu hadnabod fel 'Caneuon y Gwas Dioddefus'. Ceir sawl dehongliad o feddwl y proffwyd, ond roedd yn amlwg fod Ail Eseia yn credu fel Eseciel bod Duw yn weithredol yn y broses o adfer y genedl.

Myfyrdod

Nodyn cadarnhaol a chalonogol yw'r cyfarchiad agoriadol. Dywedir nid unwaith ond dwywaith bod angen i'r genedl dderbyn gair cysurlon a chodi calon am fod Duw ar waith. Ceir neges chwyldroadol yn y bennod dan sylw. Mae'r geiriau wedi eu dyfynnu droeon ac wedi sbarduno barddoniaeth a cherddoriaeth. Bydd geiriau Handel yn y gwaith 'Meseia' yn gyfarwydd i bawb. Dyma weledigaeth sy'n sôn am Dduw yn paratoi ffordd newydd ac yn dwyn gogoniant i sylw'r bobl. Bydd y ddynoliaeth gyfan yn dystion i'r chwyldro a fyddai'n digwydd (adnod 5). Mae Duw yn bugeilio ei braidd ac yn darparu ar eu cyfer. Mae Israel yn rhydd o'i chosb ac fe ddaw adferiad a nerth. Pennod yr adfer a'r adnewyddu yw hon.

Faint o bobl sy'n teimlo bod eu bywydau yn ddibwys a diwerth ac fel petaent yn byw mewn gwlad bell a dieithr, a neb yn poeni amdanynt? Faint o bobl sydd mewn carchar, yn sylweddoli eu heuogrwydd a neb yn galw heibio? Onid oes llu o bobl wedi cael eu dal ym magl alcohol a chyffur, ac yn methu ymryddhau? Maent yn mynd o ddrwg i waeth, ac yn dwyn er mwyn talu am y cyffur sy'n rheoli bywyd. Pa sawl putain sydd yn gaeth i'w hamgylchiadau ac am fyw yn rhydd ond yn methu gwneud hynny? Merched yn bennaf, ond bechgyn hefyd, sy'n ystyried eu hunain fel pobl heb barch nac urddas ac yn ofni cael eu curo gan y sawl sy'n talu am ryw. Dichon eu bod yn methu wynebu realiti eu hamgylchiadau.

Byddai pobl felly yn ddiolchgar am neges a fyddai'n cyhoeddi rhyddid ac adferiad. Pwy bynnag oedd ym meddwl y proffwyd, caent ryddhad. Pwy fydd yn cynnig gwerth a gobaith i'r sawl sydd ar ymyl dalen cymdeithas heddiw? Yno, gyda'r di-rym a'r anamlwg, mae Iesu yn dweud wrth y difreintiedig a'r tybiedig ddiwerth – caraf di.

Gweddi

Arglwydd, rwyt yn Dduw rhyfeddol, a sylweddolaf dy fod yn fy ngharu heb unrhyw haeddiant. Diolch am agor drws gobaith i mi. Helpa fi i ddweud wrth rywun arall bod lle iddynt yn dy deyrnas di, a bod pobl Iesu o'u plaid. Boed iddynt weld dy gariad di yn fy mywyd i. Amen.

Dysgu byw gyda maddeuant

Gweddi

Arglwydd Dduw, pan fyddaf yn wynebu fy nghyflwr personol, mae fy nghywilydd yn fy arswydo. Trugarha wrthyf am bob elfen hunanol a di-ras yn fy mywyd i. Wrth i mi agor y Beibl nawr, helpa fi i feddwl am dy amynedd a'th ras wrth ymwneud â phobl dy deyrnas. Amen.

Darllen Eseia 52:13–53:12

Myfyrdod

Roedd Eseia yn awyddus i rannu neges gadarnhaol â'i bobl yng nghaethglud Babilon. Cyhoeddodd fod Duw nid yn unig yn sôn am fywyd gwell i'w bobl, ond y bydd ef yn sicrhau'r llwyddiant drwy waith ei Was. Ceir pedwar caniad i'r Gwas Dioddefus, ac mae natur y Gwas a'i waith yn wahanol i unrhyw ddatganiad arall a gafwyd gan y proffwydi. Rhan o'r llun a geir yn y tair cyntaf (42:1–4; 49:1–6; 50:4–9); ond yn y bedwaredd gân, ceir llun llawnach o'r Gwas yn ei uniaethu ei hun â'r bobl ac yn cymryd arno'i hun eu hylltra a'u gofid, ac yn dioddef drostynt. Duw sydd yma yn uniaethu gyda'i bobl ac yn sicrhau llwyddiant ar eu rhan. Nodweddir y gwas gan wyleidd-dra.

Cwestiwn amlwg a pherthnasol yw trafod pwy yw'r Gwas ym meddwl a syniad Eseia. Ceir sawl awgrym, ond nid oes ateb amlwg. Gallai fod yn unigolyn penodol, boed yn Cyrus, arweinydd y Persiaid a fyddai'n concro byddin Babilon ac yn rhyddhau pobl Jwda, neu'r proffwyd ei hun. Gallai fod yn cyfeirio at y genedl ei hun, gan addef y byddai Duw yn eu plith ac na fyddai'r genedl yn dychwelyd heb greithiau ac yn teimlo'n ddolurus. Syniad arall sy'n cael ei awgrymu yw mai rhan o'r genedl, pobl y cyfeirir atynt fel y 'gweddill ffyddlon', a fyddai'n sicrhau diogelwch y genedl a'i pherthynas gyda Duw. Wrth gwrs, bydd y Cristnogion yn dehongli'r broffwydoliaeth yng nghyd-destun Iesu, ac mae ef ei hun yn dyfynnu'r gân yn ei weinidogaeth. Mae'n anodd tybied bod y proffwyd yn rhagweld cyfnod o bum can mlynedd a mwy, cyn gwireddu'r broffwydoliaeth. Ffolineb fyddai tybied mwy na datgan bod Duw yn dioddef dros y genedl, yn eu caru ac yn barod i faddau eu pechodau yn ei erbyn.

Byddwn yn darllen y bennod hon yn gyson adeg y Pasg, a sylweddoli bod Iesu yn gwireddu'r broffwydoliaeth mewn ffordd unigryw. Wrth ddweud bod Duw yn gariad, a bod cariad yn maddau i'r sawl sy'n pechu yn ei erbyn, bydd y pechadur yn wylaidd hyderus wrth gyfaddef ei fai ac yn ceisio bendith Duw o'r newydd. Yn ein myfyrdod personol bydd angen gofyn a ydym yn medru maddau i eraill, fel y mae Duw yn maddau i ni. Mae i faddeuant gost i'r sawl sy'n maddau, gan nad oes y fath beth â thrugaredd rad. Rhywbeth difeddwl, ffwrdd-â-hi, fyddai dweud 'anghofia'r peth'. Does yna ddim budd mewn dial, gan atgoffa'r sawl a dramgwyddodd beth oedd ei fai yn ddiddiwedd. Mae gofyn i edifeirwch, cyffes ac awydd i adfer perthynas fod yn ddidwyll a chymodlon. Dyna fydd byrdwn yr uned olaf o bennod 55 a gall pobl ffydd ddisgwyl tudalen lân wrth dderbyn maddeuant Duw.

Gweddi

Diolch i ti, Arglwydd, am fy nerbyn er fy meiau, a gadael i mi aros yn dy gwmni di. Helpa fi i faddau i bobl eraill, ac i ollwng pob awydd dialgar o'm gafael. Boed i'r byd ddarganfod gwirionedd Efengyl Iesu a byw yn debyg iddo. Amen.

Jerwsalem newydd

Gweddi

Dduw Dad, byddaf yn falch o bob cyfle a gaf i ddarllen dy Air a myfyrio ar dy wirionedd. Agoraf fy meddwl a'm calon i ti heddiw, gan weddïo y byddi'n cadarnhau fy ffydd ac yn bywhau fy enaid. Amen.

Darllen Eseia 54 a 55

Myfyrdod

Mae'r ddwy bennod olaf o adran 2 Eseia yn cynnig lluniau cadarnhaol. Mae Seion yn cael ei hailadeiladu, a bydd angen darparu at weld cynnydd yn niferoedd y bobl. Cyfeirir at yr addewid a wnaed gan Dduw i Noa gynt, ac y bydd cyfamod Duw gyda'i bobl yn gyfamod heddychlon (54:9–10). Bydd Jerwsalem yn gadarnach nag erioed, gyda'i 'meini mewn morter a'i sylfeini mewn saffir'. Bydd y tyrau mewn rhuddem a'r pyrth o risial a'r muriau o feini dethol (54:11–13). Gwelir Jerwsalem fel caer gadarn ac ni lwydda unrhyw ymosodiad yn ei herbyn.

Yn y bennod olaf o'r adran, cadarnhawyd darpariaeth ddigonol i'r sawl a oedd mewn angen, a bod cyfamod cadarnhol yn cael ei gynnig. Bydd heddwch rhwng Israel a chenhedloedd eraill (55:5) a bydd Duw ar gael i'w bobl. Dyma broffwydoliaeth sy'n sôn am wanwyn cenedl, gyda'r hadau'n egino, ac addewid am gnydau yn dwyn ffrwyth yn ddiweddarach. Mae'r frawddeg olaf yn gweld adferiad dramatig gyda'r tir diffaith yn newid a'r coedydd braf yn tyfu lle bu drain a mieri cynt.

Cyfrinach y cyfan yw bod y bobl i ymddiried yn Nuw a darganfod hyder ynddo. Beth fyddai ymdeimlad unrhyw genedl ar eu cythlwng o glywed bod gwynfyd o fewn cyrraedd? Daw llawer o wledydd y dwyrain canol i'r un casgliad wrth gofio am eu sefyllfaoedd. Yn anffodus, trodd sawl gwlad at elfennau mwyaf eithafol Moslemiaeth a thybied mai drwy roi min ar eu cleddyfau yr oedd byw i ddelfrydau eu crefydd. Mae'r drain a'r mieri yn dal i fod mewn cymunedau a gyfiawnhaodd ddialedd treisgar. Yn Syria ceir tystiolaeth o'r diniwed yn cael eu lladd fel rhan o'r hyn a elwir yn lladd y llwythau (ethnic cleansing). Sut bydd y cymunedau hyn yn ail-greu eu hunaniaeth genedlaethol a beth fu profiad gwleidydd a

130

welodd ryfeloedd cartref megis Swdan, Libya a'r Aifft yn y blynyddoedd diweddar?

Fel gyda llu o'r proffwydoliaethau hyn, byddai'r geiriau yn cael eu hailadrodd o genhedlaeth i genhedlaeth, fel hanesion y Mab Darogan yng Nghymru, neu'r naratif am Owain Glyn Dŵr, Merched Beca, y Scotch Cattle a'r Siartwyr yng Nghasnewydd. Aeth yr hanes gwreiddiol yn gytgan gobaith i'r cenedlaethau diweddarach. I Iddewon, Duw oedd yn sicrhau Jerwsalem, ond i Gristnogion Iesu oedd y 'gaer' nad oedd modd ei goresgyn. Ef oedd y dyfroedd a fyddai'n disychedu a'r hwn a ddaeth â 'chlod i'r Arglwydd, yn arwydd tragwyddol na ddilëir mohono'(55:13).

Gweddi
Dduw'r bendithiwr mawr, helpa fi i weld yr yfory fel yr wyt ti yn ei weld ac i gredu na all unrhyw beth drechu Iesu yn fy mywyd i. Amen.

Blaenoriaethu a chalonogi

Gweddi
Arglwydd Dduw, rwyt yn arweinydd ac yn gynhaliwr. Gwn dy fod yn fy neall ac yn barod i'm bendithio. Helpa fi heddiw yn fy nefosiwn a rho i mi fy ngweld fy hun yng nghanol trigolion Jwda wrth iddynt ddychwelyd i Jerwsalem. Amen.

Darllen Haggai 1 a 2

Cyflwyniad
Dychwelodd y grŵp cyntaf o bobl Jwda i Jerwsalem tua 520 CC, gyda Sorobabel yn gweithredu fel arweinydd seciwlar a Josua yn archoffeiriad, a nodir yn fanwl pryd y llefarodd y proffwyd y pum oracl y cyfeirir atynt yma. Roedd Dareius yn llywodraethwr Persia rhwng 521 CC a 486 CC a neges ganolog Haggai oedd annog ei bobl i fod yn deyrngar i Dduw ac ailadeiladu'r Deml. Nodir bod gwerth y llyfr, fel gyda gwaith Sechareia, mewn nodi amgylchiadau a hwyliau'r genedl wrth ddychwelyd o Fabilon i Jerwsalem.

Myfyrdod
Gwelwyd lluniau droeon ar y teledu o bobl yn dychwelyd i'w cartrefi ar ôl cyfnod o ryfel cartref neu yn dilyn effaith corwynt. Mae'n hawdd dychmygu'r olygfa ond yn amhosibl ein rhoi ein hunain yn esgidiau'r sawl a ddychwelodd. Pan fydd cartref wedi dioddef llifogydd, fe gymer fisoedd i ddod â'r tŷ yn ôl i drefn. Mae'n amhosibl dychmygu ymateb y dychweledigion wrth weld sefyllfa druenus Jerwsalem ar ôl hanner can mlynedd o ddiffyg gofal. Y tai wedi chwalu a'r Deml yn deilchion. Nid oedd JCB na tharw dur yn agos i'r lle, a phrin fod yna fanciau i fenthyg arian i dalu contractwyr. Llafur llaw oedd yn eu hwynebu ac roedd y defnyddiau wedi sarnu a muriau amddiffynnol y ddinas wedi syrthio hefyd. Dyna beth oedd golygfa dorcalonnus. Pa ryfedd iddynt chwilio am loches, ar ôl teithio mil o filltiroedd ar droed! Nod y proffwyd oedd annog ei bobl i flaenoriaethu'n ddoeth. Heria hwynt drwy ofyn pa werth yw cael popeth arall yn ei le os nad oedd eu perthynas â Duw yn iach ac yn gadarnhaol.

Perygl y bobl sy'n methu blaenoriaethu yw gwneud yr hyn sy'n ymylol heb fwrw ati i gyflawni'r hyn sy'n hanfodol. Mae perygl i bawb fwrw ati i wneud y gwaith symlaf a hawsaf, heb weld ble mae'r man cychwyn gwirioneddol. Pwy fydd am hau hadau blodau cyn paratoi'r pridd, drwy glirio'r sbwriel a chodi hen chwyn?

Neges bwysig arall gan Haggai yw peidio â digalonni. Bydd ambell dasg yn edrych yn fwy nag y gall yr unigolyn ei wynebu, ac mae ildio i feddylfryd methiant yn llwybr hawdd. Dyna beth yw cau llygaid i'r gwirionedd a thybied nad yw'n real. Mae'r proffwyd yn y bennod gyntaf yn sicrhau'r bobl bod yr Arglwydd wrth eu hochr a bod modd adfer, nid yn unig y Deml fel adeilad, ond y drefn grefyddol sydd i ddigwydd yn y Deml. Roedd y dasg a roddwyd i'r dychweledigion hyn yn gofyn am ganolbwyntio ar yr hanfodion a bwrw iddi. Deuparth gwaith yw ei ddechrau, medd yr hen ddihareb, a bydd pawb wedi clywed mai wrth ein traed mae dechrau codi cerrig mewn cae. Cofiwn fod Moses wedi rhestru ei resymau pam na allai ddychwelyd i'r Aifft er mwyn arwain ei bobl allan, ac roedd gan Dduw ateb iddo ar bob cynnig. Felly gyda phobl Jwda, wrth iddynt dybied nad oeddent yn medru cyflawni'r dasg. Mae Duw yn dweud y bydd ef yn eu mysg.

Neges felly gafodd yr eglwys wrth wynebu'r her ryfeddol o gyfarch y byd yn enw Iesu. Bydd yr Ysbryd Glân gyda chwi yn arwain ac yn cynnal. Pa mor aml y clywn ein hunain yn dweud na allwn ymgodymu â her benodol? Faint a dybiodd na allent faddau i berson a dramgwyddodd yn eu herbyn, neu a dybiodd na allent ddychwelyd i rannu mewn oedfa o addoliad ar ôl cadw draw am gyfnod hir? Byddai Arglwydd Haggai yn awyddus i ddwyn ei fod yn cydgerdded y daith, ac yn calonogi a chadarnhau ei bobl. 'O'r dydd hwn ymlaen fe'ch bendithiaf,' medd yr Arglwydd (2:19).

Gweddi

Arglwydd sanctaidd, diolch am glywed anogaeth Haggai i'w bobl, ac am brofiad o'r Ysbryd Glân ym mywyd yr eglwys. Maddau i mi am ddal yn ôl a thybied bod sawl tasg yn ormod i mi. Calonoga fi o'r newydd a bywha fi yn dy bwrpas sanctaidd. Amen.

Goleuwch y gannwyll

Gweddi

Plygaf yn wylaidd ger dy fron wrth synhwyro fy mod yn cael dod i'th bresenoldeb o'r newydd. Maddau i mi fy ngwendid a'm ffolineb a helpa fi i dderbyn mai ti yw'r goleuni yn fy mywyd. Amen.

Darllen Sechareia 4

Cyflwyniad

Cyplysir Haggai a Sechareia gyda'i gilydd, er bod Sechareia yn broffwyd ifancach. Roedd Sechareia yn hanu o deulu offeiriadol, ac mae'r bennod gyntaf yn nodi'r flwyddyn 520 cc fel blwyddyn y proffwydo. Mae'r wyth pennod gyntaf yn rhoi pwyslais ar adfer yr arferion defodol ynghyd â hyrwyddo'r gwaith o adfer Jerwsalem. Mae'r proffwyd yn effro i'r traddodiad proffwydol cyn y Gaethglud, ond yn cyfarch Sorobabel a Josua yn benodol. Yn yr adran olaf o'r gwaith, ceir gweledigaeth hirdymor, gan gyflwyno neges am y Meseia. Ceir sawl trafodaeth ar undod y llyfr ac amser cyfansoddi'r gwaith. Derbynnir bod yr wyth pennod gyntaf yn perthyn i gyfnod y dychwelyd i Jerwsalem, tra bod yr adran olaf yn gasgliad o oraclau sy'n hawlio dyddiad hwyrach.

Yn yr wyth gweledigaeth gyntaf, gallwn grynhoi drwy nodi bod 1:7–17 yn cyfeirio at y pedwar marchog yn cyhoeddi heddwch ar y ddaear, ac yn 1:18–21 bod y pedwar saer yn cyhoeddi gwaredigaeth oddi wrth y gelynion. Yn 2:1–5 mesurir dinas Jerwsalem er mwyn nodi ei hehangder a'i chadernid fel dinas, ac yn 3:1–7 mae Josua yn cael ei gyhoeddi'n ddieuog a'i lanhau. Pwyslais 4:1–14 yw bod Duw yn oleuni i'r genedl, ac yn 5:1–4 cyhoeddir bod Duw yn puro'r genedl. Gweledigaeth ddramatig a geir yn 5:5–11 yn sôn am wraig yn cael ei chario mewn effa i Fabilon, sy'n broses o lanhau'r bobl, ac yn olaf yn 6:1–8 mae'r cyswllt yn ymestyn dros yr holl ddaear.

Myfyrdod

Byddwn wedi arfer â'r defnydd o oleuni a thywyllwch fel delweddau mewn sawl maes, a bu'r nos yn fodd o bortreadu anobaith llwyr. Pan ddaw'r wawr, mae gobaith yn lledu dros y tir. Yn y bumed weledigaeth 4:1–14, gwelir mai Duw yw'r ganhwyllbren a bod Sorobabel a Josua yn ddwy olewydden. Llun sydd yma o addoliad yn y Deml, a bod Duw ei hun yn oleuni ynghanol y gwasanaeth. Mae'r saith llusern sanctaidd yn cynrychioli gofal Duw dros ei bobl. Cofiwn fod y rhif saith yn rhif perffeithrwydd ac felly yn nodwedd o'r presenoldeb dwyfol. Dyma broffwydoliaeth gadarnhaol yn arwain y genedl i werthfawrogi y bydd Duw yn sicrhau addoliad yn y Deml ac y bydd ef yn oleuni i'w bobl.

Ai rhan o'r weledigaeth wreiddiol neu ryw olygydd a osododd adnodau 6b–10a, sef yr adrodd am Sorobabel, oddi mewn i'r weledigaeth am y ganhwyllbren? Pwy a ŵyr beth oedd yn y gwaith gwreiddiol! Dehongliad o hyn fyddai bod ymdrech dyn i ddigwydd oddi fewn i bresenoldeb a bendith Duw. Byddwn yn ddyfal yn cynllunio a datblygu darpariaethau oddi mewn i fywyd eglwys, ond ofer gwaith dyn oni bai ei fod oddi mewn i lewyrch Duw.

Neges y weledigaeth a'r cyfnod yma yn hanes Israel yw bod angen gweld bywyd ar gynfas addoliad. Hanes llawer yw rhoi cymaint o bwyslais ar ymdrech dyn i ddwyn trefn a chyfeiriad i'w fywyd, gan feddwl bod angen rhyw 'gwtsh dan stâr' o le ar gyfer Duw. Y gwrthwyneb ddylai fod yn wir, sef bod holl rychwant bywyd yr unigolyn i ddigwydd o fewn cynllun eang Duw. Diolch bod lle i ni yn nhŷ Dduw, a gofalwn fod pob ystafell o'n bywyd yn lle i Dduw.

Gweddi

Arglwydd y goleuni, llewyrchaist yn ystafelloedd ein bywyd, a molwn dy enw. Gwelaist ein hannibendod a'n bryntni, a deisyfwn arnat i ddwyn trefn a glendid ynom bob dydd. Amen.

Ei deyrnas â o fôr i fôr...

Gweddi

Arglwydd Iesu, rwy'n ceisio nesáu atat o ddydd i ddydd, ac yn gweddïo y bydd pobl yn dychwelyd i deulu'r ffydd, ble bynnag maent ar hyn o bryd. Bydd rhai yn gaeth i anffyddiaeth ac eraill heb glywed am dy wahoddiad. Helpa fi i fod yn gadarnach fy ffydd, ac yn barotach i rannu fy mhrofiad a'm hargyhoeddiad ohonot. Amen.

Darllen Sechareia 9:1–10:2

Cyflwyniad

Mae ail hanner Llyfr Sechareia (penodau 9–14) yn wahanol i'r rhan gyntaf am nifer o resymau. Nid oes cyfeiriadau at Sorobabel y brenin na Josua'r Archoffeiriad fel yn yr adran gyntaf. Mae cyd-destun a neges y penodau yn cymryd gogwydd gwahanol i'r hanner cyntaf hefyd. Bydd yr arbenigwyr testunol yn dadlau bod yr iaith yn wahanol a bod tebygrwydd i lyfr Malachi. Afraid dweud nad oes modd cynnig dyddiad pendant i'r oraclau hyn. Serch hynny, byddai'n anghyfrifol eu hepgor na'u hosgoi. Nodir yn yr oraclau hyn bwyslais ar farn, gobaith ac adferiad y genedl, gyda phwyslais ar gyhoeddi bod y brenin gwahanol ar ddyfod.

Myfyrdod

Mae'r llais proffwydol yn gyfarwydd ag amgylchiadau'r cenhedloedd cyfagos i Israel, ac, er bod ganddynt adnoddau amlwg a gwerthfawr, mae gair yr Arglwydd yn gryfach na holl gyfoeth ac eiddo'r cenhedloedd hyn. Dywedir y bydd y brenin hwn yn fuddugoliaethus ac yn gyfiawn. Nodir bod y brenin yn llwyddo a'i fod yn frenin gostyngedig a heddychlon, gan farchogaeth ar gefn ebol asyn. Bydd ei lywodraeth yn estyn o'r Ewffrates hyd bellafoedd y ddaear. Adleisir hyn mewn brawddeg gofiadwy o emyn Cymraeg sy'n sôn am y deyrnas yn ymestyn o 'fôr i fôr'.

Pryd bynnag y lluniwyd yr oraclau hyn, roedd tybied y byddai brenin Israel yn teyrnasu dros diroedd mor eang yn rhyfeddol. Pa ryfedd fod Cristnogion yn dyfynnu'r geiriau hyn a gweld eu perthnasedd i fywyd a gwaith Iesu Grist? Mae'n rhyfedd fel y gwrthododd y Phariseaid Iesu, er bod y proffwydoliaethau hyn yn cyfeirio eu sylw tuag ato. Beth yw hyd a lled teyrnas Iesu yn ein ffydd ni? Os nad yw yn deyrnas fyd-eang, faint llai o fyd y dylem ei ystyried? Bydd rhai yn anghyfforddus gyda chenhadaeth eglwysi, ond pa fodd sydd i'r sawl nad ydynt wedi derbyn Iesu'n Arglwydd, oni bai fod rhywun yn dweud yr hanes ac yn egluro iddynt? Bydd hanes Philip yn siarad â'r eunuch o Ethiopia yn Actau 8 yn anogaeth i ni rannu ein profiad a'n cred am Iesu yn ein bywyd.

Yn adnodau 11–16 clywn am adferiad y genedl a geilw'r proffwyd y sawl sydd yn gaeth mewn gwledydd eraill i ddychwelyd adref. Yn adnod 14, bydd Duw yn symud 'uwch eu pennau', fel pe bai yn angel gwarcheidiol yn eu hamddiffyn rhag unrhyw berygl. O adnod 17 ymlaen dros ddechrau'r bennod nesaf, delwedd Duw, yr hwn sy'n rhoi bywyd, a gawn, ac mae'r proffwyd am gadarnhau bod Duw yn peri cynnydd, ac i'r cynhaeaf fod yn gynhaliaeth i'r bobl. Galwad i ymddiried sydd yma, a bod y dyfodol yn sicr yn nwylo'r Arglwydd. Tybed a fyddwn yn teimlo presenoldeb Duw yn ein bugeilio a'n gwarchod, ac y byddwn yn profi cynhaliaeth Duw yn ein bywyd? Iesu a ddisgrifiodd ei hun fel y 'bugail da'. Ef a ddarparodd fwyd i'r pum mil, ac yn Ioan 21 gwelwn lun o'r Iesu yn darparu ar gyfer anghenion y pysgotwyr. Bydd y Swper Olaf yn fodd i werthfawrogi Iesu yn estyn modd i'r disgyblion gael ymgeledd a chynhaliaeth fel bod pob darn o fara yn troi'n goffadwriaeth ac yn gynhaliaeth ysbrydol.

Gweddi

Diolch i ti, Arglwydd, am gael bod yn rhan o deyrnas nad oes terfyn iddi. Helaetha derfynau dy deyrnas yn fy mywyd ac ar draws y byd. Gwerthfawrogwn dy fod yn gofalu amdanom, ac nad oes angen i ni bryderu am yr yfory gan dy fod yn Arglwydd ddoe, heddiw, yr un ac yn dragywydd. Amen.

Mewn ysbryd a gwirionedd

Gweddi

Arglwydd Dduw, diolch am bob lle o addoliad sydd wedi bod yn bwysig
i mi. Heddiw, trysoraf yr ystafell lle rwyf nawr, a gwn ei bod yn lle sanctaidd
am dy fod di yma. Amen.

Darllen Eseia 56

Cyflwyniad

Ar ôl ysgrifau Haggai a Sechareia y cyfansoddwyd y rhan o broffwydoliaeth
Eseia a briodolir i Trydydd Eseia. Mae'r trydydd llais yn y llyfr yn wahanol
i'r ddau gyntaf, o ran byrdwn diwinyddol a phwyslais cenhadol y
negeseuon. Nid oes awgrym pwy oedd yr awdur. Bellach mae'r genedl
wedi dychwelyd (tua 538 cc) ac mae'r Deml wedi ei hailgodi (rhwng 529
a 516 cc). Bydd ysgolheigion yn gosod dyddiadau Trydydd Eseia yn
agosach at gyfnod Esra a Nehemeia, sef canol y bumed ganrif (450 cc).
Byddai cynulleidfa'r proffwyd hwn wedi eu geni yn Jerwsalem, ac yn ail
neu yn drydedd genhedlaeth o blith y dychweledigion. Mae nodwedd y
drydedd genhedlaeth o unrhyw fudiad yn rhoi llai o bwyslais ar y sêl
genhadol, a mwy ar gyfundrefn y sefydliad. Cyfeirir at drefn addoliad, ac
at ddisgwyliadau moesoldeb a chyfiawnder. Wrth ddarllen sylwadau'r
proffwyd ar addoliad ei bobl, adleisir gwendidau cyfnodau'r gorffennol,
gan fod defod yn dod yn bwysicach na Duw. Yn y myfyrdodau hyn, mae'n
deg gofyn ai dyma nodweddion y Sadwceaid a'r Phariseaid yng nghyfnod
Iesu? A oes lle i feirniadu crefydd ein cyfnod ni am roi mwy o bwyslais ar
yr adeilad a llai ar yr addoliad?

Myfyrdod

Yn y bennod gyntaf o'r hyn a gyflwynir gan Trydydd Eseia, mae'n
pwysleisio bod cadw'r Saboth yn bwysig. Wedi'r cyfan roedd cadw'r
Saboth, sef dydd Sadwrn i'r Iddew, yn un o orchmynion Duw i bobl Moses.
Mae'n rhaid bod cyfoeswyr Eseia wedi torri'r arferion hyn cyn ei fod yn
trafod y pwnc. Nodwedd pobl yw cicio yn erbyn y tresi a bydd un
genhedlaeth yn herio arferion y genhedlaeth a aeth o'i blaen. Mae i rym

arferiad ei werth amlwg. Pwy na fyddai'n cymeradwyo gweld person ifanc yn ildio ei sedd ar fws, neu'r arfer o ddal drws ar agor i rywun arall? Oni bu i ni golli rhywbeth gwerthfawr pan fo cymdogaeth yn parhau yn ddihid heb ddangos parch ar achlysur cynhebrwng? Pa arferion sydd wedi mynd ar goll yn ystod yr ugain mlynedd ddiwethaf? Bu'n arfer i bobl fynychu oedfa yn gyson ac roedd gwerth i hynny. Ar y llaw arall, ni ddylai addoliad fod yn arferiad ffurfiol a dim mwy! Dywed y salmydd fod Tŷ'r Arglwydd yn dŷ gweddi, ond a oes perygl inni dybied mai dim ond mewn adeilad priodol y gellir addoli a gweddïo?

Yn y bennod hon, sylwn fod bywyd y Deml wedi mynd yn fan i eithrio rhai, boed am eu bod yn methu bod yn rhieni, neu eu bod yn bobl o genedl arall. Rhagfarn a hiliaeth fyddai hynny, ond roedd Iddewiaeth wedi bod yn elitaidd cyn bod Eseia yn cyfeirio at y materion hyn. Pa ragfarnau sy'n bodoli yn y Gymru gyfoes tybed?

Beth yw natur yr addoliad yn y Deml? I'r proffwyd, nodir bod y sawl sy'n dringo'r mynydd sanctaidd ac yn mynychu'r tŷ gweddi i brofi llawenydd Duw. Nid lle i agweddau diflas yw oedfa ond cyfle i gadarnhau'r cyfamod ac i ddathlu perthynas rhwng dyn a Duw. Bydd y darlun o'r Iesu yn taflu'r cyfnewidwyr arian allan o'r Deml ar ddechrau'r Wythnos Sanctaidd yn dod yn rhwydd i'r cof.

Ym mharagraff olaf y bennod, rhaid gofyn pa mor ddiweddar y cafodd y geiriau hyn eu llunio? Maent mor gyfoes ag unrhyw beth a ysgrifennir heddiw. Pam fod pobl yn dewis meddwi ar ddiod gadarn? Ai i geisio hapusrwydd ffug neu i fod yn berson arall dros dro a pheidio â bod yn hwy eu hunain? Mae'r proffwyd yn herio ei gyfoeswyr i ystyried canlyniadau bywyd heb Dduw – ac mae'n ein herio ninnau hefyd.

Gweddi

Maddau i mi, O Dduw, am unrhyw a phob arwydd o wneud crefydd yn arferiad a dim mwy. Trugarha wrthyf os bu i mi dybied mai fy ffordd i o'th addoli yw'r unig ffordd, ac mae'n flin gennyf am feddwi ar bethau'r byd heb ymroi i fyw yn unol â'th fendith di. Amen.

Gwneud diffeithwch yn ardd ddyfradwy

Gweddi

Arglwydd, cyffesaf fy ngwendidau ger dy fron, a chydnabod nad yw fy addoliad bob amser yn ddidwyll ac yn llawn ystyr. Eto, rwyf am ganolbwyntio arnat a cheisio dy fodloni heddiw. Amen.

Darllen Eseia 58

Myfyrdod

Mae'n siŵr mai dyma'r bennod fwyaf cyfarwydd o'r oraclau sy'n cael eu cyflwyno gan Trydydd Eseia. Mae Duw yn ymwybodol fod y bobl yn effro i'w hangen i fyw'n gyfiawn a chael eu barnu'n deg. Yn yr ail bennill o'r oracl clywn y bobl yn cyfleu eu bod yn dyheu bod Duw yn gweld eu hymdrech i addoli drwy ymprydio. Onibai ei fod yn sylwi ar yr ympryd, pam ymprydio? Yn y cymal nesaf o'r oracl, dywed Duw ei fod yn deall yn iawn beth oedd cymhelliad y ddefod arddangosiadol ond nad yw ympryd y bobl yn golygu llawer. Sioe a fawr ddim arall yw'r hyn a welir ganddo. Pa rinwedd sydd mewn defodaeth wag ac arwynebol (adnodau 4–5)?

Dywed yr Arglwydd fod addoliad ac ympryd yn ymwneud mwy â gwasanaeth na dim arall. Bydd teyrngarwch i Dduw yn cael ei gyflwyno yn y modd y bydd pobl yn byw bob dydd a'r egwyddorion cymdeithasol sydd i'w bywydau. Mae gan addoliad lawer i'w wneud â chyfiawnder cymdeithasol a bywyd teuluol. Dyma a rydd foddhad i Dduw yn hytrach na chadw llythyren deddf.

Pwyslais Ail Eseia oedd cydnabod beth a wnaeth Duw dros ddyn, ond roedd Trydydd Eseia a mwy o gonsyrn â'r modd mae dyn yn cydnabod Duw yn ei fywyd bob dydd. Ceir delweddau hyfryd o fywyd fel gardd ddyfradwy a ffynnon na fydd byth yn sychu. Yr hyn sy'n flaenoriaeth yw'r modd mae'r addolwr yn ceisio boddhau Duw. Pan ddigwydd hynny, mae yn ei seithfed nef, ac yn profi'r etifeddiaeth o law Duw ei hun.

Beth yw ein deall ni o addoliad gwag? Ai cyfaddef bod ein meddyliau yn crwydro wrth wrando gweddi a phregeth, neu ein bod yn sôn am garu cymydog, a'i gasáu ar yr un pryd? Ai addoliad gwag yw siarad am rannu eiddo, tra mewn gwirionedd yn cadw'n heiddo i ni ein hunain? Bu sawl stori am Gristnogion pybyr yn berchen caethweision, a mwy o hanesion lle roedd sefydliadau eglwysig yn buddsoddi mewn cwmnïoedd a oedd yn cam-drin caethweision.

Pwy sydd yn gweithredu gofal cyfiawn dros eraill heddiw? Efallai y bydd hanesion sy'n tarddu o lenyddiaeth y Gymdeithas Genhadol yn dod i'r cof, neu o wefannau Cymorth Cristnogol. Unwaith y daw hunangyfiawnder i mewn i'r hafaliad o wasanaethu eraill, mae'n troi o fod yn addoliad i fod yn hunanfoddhad. Daw'r stori am Iesu i'r cof yn gweld dau yn offrymu yn y Deml. Rhoddodd dyn cyfoethog yn hael, mewn modd a sicrhaodd fod eraill yn gweld ei haelioni, tra bod gwraig weddw a roddodd ddwy hatling yn rhoi yn y dirgel. Sylw Iesu oedd bod rhodd y wraig lawer yn fwy na rhodd y gŵr cyfoethog, a hynny am resymau amlwg.

Diolch am fudiadau fel Amnest Rhyngwladol a Christnogion yn Erbyn Poenydio ac asiantaethau dyngarol fel Y Groes Goch, Achub y Plant, Oxfam, Cymorth Cristnogol, Tearfund ac eraill sy'n lleisiau clir mewn byd o grochlefain hunanol. Lle mae hunanoldeb fel chwyn yn tyfu, mae yna ddiffeithwch o anghyfiawnder. Gwelodd y proffwyd yr angen am bobl i wasanaethu cyfiawnder, datod clymau a rhyddhau'r gorthrymedig. A glywn ni'r alwad ac ymateb iddi heddiw?

Gweddi
Diolch, Nefol Dad, am bawb sy'n gweithredu cariad ac yn hyrwyddo cyfiawnder yn ein byd. Maddau i ni am laesu dwylo'n or-aml a byw mewn ffordd hunanol. Trugarha wrthym a dyro i ni weld y gwaith o wasanaethu eraill fel arwydd o'n haddoliad ohonot. Amen.

Golchi'r clytiau budron

Gweddi

Mentraf unwaith eto, fy Arglwydd a'm Duw, i geisio dy gwmni ac i'th gydnabod yn Arglwydd fy mywyd. Cymer fy amser a'm doniau a defnyddia fi i'th bwrpas sanctaidd di dy hun. Amen.

Darllen Eseia 63:7–64:12

Cyflwyniad

Nodwyd eisoes nad oes dyddiad i awduraeth Trydydd Eseia, na sicrwydd o undod y gwaith. Dywed Gwilym H. Jones yn ei *Arweiniad i'r Hen Destament* fod sawl llais yn y casgliad ac nad ydynt yn cyfarch Israel yn yr un cyfnod. Maent yn ymdrechion cyson i ddwyn sylw'r genedl at waith a natur Duw a hynny mewn cyfnodau anodd. Roedd y genedl yn anghyson ei theyrngarwch i Dduw, ac ansawdd yr addoliad yn amrywio. Mae'n siŵr bod pobl Dduw wedi bod yr un mor anghyson ar draws y canrifoedd. Mae'n debyg y byddem ninnau'n cyfaddef mai'r unig beth sy'n gyson am ein haddoliad fel unigolion ac eglwysi yw ein hanghysondeb. Drwy'r cyfan i gyd mae'r llais proffwydol yn yr oraclau hyn yn rhyfeddu at gysondeb amynedd Duw. Yn y bennod olaf mae'n parhau i obeithio yn Nuw er gwaethaf gwendid dyn.

Myfyrdod

Mae'r proffwyd yn awyddus i foli Duw a chyflwyno ei weddïau ger ei fron. Dechreua'r gân drwy ganmol ffyddlondeb yr Arglwydd a chanu ei glodydd. Mae hefyd yn ymwybodol fod yr Arglwydd yn cynnig arweiniad sicr a diogel (adn. 13–14). Nid yn aml y daw'r proffwydi i gyfarch Duw fel tad, ond dyna a wneir yma (adn. 63:16, 64:8). Mae'r weddi yn cadarnhau dibyniaeth y proffwyd ar Dduw, a'i ddyhead i aros yn ei gwmni. Fel gyda Jeremeia, ganrif a mwy ynghynt, mae'r proffwyd yma hefyd yn ymweld â thŷ'r crochenydd ac yn gweld dyn fel clai yn nwylo Duw.

Os y prif linyn yn y gerdd-weddi yw moli Duw, mae hefyd yn cyfaddef gwendid dyn. Pobl wrthryfelgar a phechadurus yw pobl y proffwyd, 'pethau aflan, a'n holl gyfiawnderau fel clytiau budron' (64:6).

Gadawyd Jerwsalem i fynd yn anghyfannedd ac i'r deml fynd yn lludw. Eto, mae'n dal i ymbil am faddeuant a gofyn am fendith.

A yw hi'n deg disgrifio pobl Anghydffurfiaeth Cymru, Yr Eglwys Wladol neu'r Eglwys Babyddol fel bratiau budron, sydd wedi gadael i dŷ Dduw fynd fel llwch ac anialdir? Mae'n siŵr fod sawl rheswm pam fod aml i adeilad, a fu unwaith yn gartref ysbrydol i lawer, wedi troi'n adfail, ac i'r gymdogaeth fethu arfer parch ac anrhydeddu'r adeilad. Pa mor hyll bynnag yw gweld yr adeiladau yn troi'n adfeilion, golygfa waeth yw gweld cymdogaeth yn colli pob gafael ar yr ysbrydol a byw i bethau'r byd. Addolir eiddo bellach, boed yn gartrefi crand neu yn amgylchiadau moethus byd. Bydd rhai cyrff seciwlar yn barod i noddi anghenion cymdeithasol, ond nid yw'r mudiad mwyaf dyngarol yn amgyffred yr anghenion ysbrydol nac yn gwybod sut i ddarparu ar eu cyfer. Sawl meddyg a ddywedodd mai gwir angen llawer o gleifion yw clywed bod modd maddau bai a dileu euogrwydd?

Neges y proffwyd yw cyhoeddi mai Duw trugaredd a maddeuant yw Duw Israel, ac erbyn canol pennod 65 cyhoeddir y bydd nefoedd newydd a daear newydd. Mae hyn yn ein hatgoffa o ddiwedd Llyfr y Datguddiad. Ceir anogaeth i ymlawenhau a gorfoleddu am fod Duw yn creu o'r newydd. Erbyn pennod 66 clywn neges sy'n alwad i obeithio. Duw felly yw ein Harglwydd ni. Diolch iddo.

Gweddi

Dduw trugaredd, plygaf gyda'r proffwyd gynt i foli a gweddïo am dy fendith. Ymddiriedaf ynot y byddi yn cydgerdded gyda fi ar fy nhaith. Maddau i mi bob arwydd hunanol, a gad i minnau fod yn gyfrwng llawenydd i eraill drwy rym dy Ysbryd di. Amen.

Pwy sy'n llunio'r agenda?

Gweddi

Deuaf ger dy fron, O Arglwydd, yn ymwybodol o'm tuedd i dybied fy mod yn gwybod beth sydd orau, ac yn credu bod fy agenda i yn cysgodi dy agenda di. Helpa fi i ddeall dy gynllun a'th bwrpas ar gyfer fy mywyd heddiw. Amen.

Darllen Obadeia 1

Cyflwyniad

O holl lyfrau'r Hen Destament, Llyfr Obadeia yw'r byrraf a'r lleiaf diddorol. Nid oes barn gref am ei awduraeth na'i undod. Nid oes gan yr ysgolheigion syniad pwy oedd yr awdur na chwaith pryd y cafodd ei ysgrifennu. Cyfeiria'r 14 adnod gyntaf, sef Gweledigaeth Obadeia, at gosb Edom. Gwlad i'r de-ddwyrain o'r Môr Marw oedd hon, a'i phobl yn ddisgynyddion Esau, a heb unrhyw ymlyniad gyda phobl Jwda. Cyfeiria Eseia, Jeremeia ac Eseciel at gwymp Edom, ond nid yw hynny'n cynnig dyddiad sicr i'r gwaith yma chwaith.

Mae'r ail ran o'r gwaith yn sôn am ddyfod Dydd yr Arglwydd a bod Israel a Jwda yn uno yn erbyn Edom, a hynny'n dangos bod Dydd yr Arglwydd yn sicr o ddod. Sonnir eto am oruchafiaeth dros diroedd Esau, a bod pobl Dduw yn profi buddugoliaeth a llawenydd. Mae dyddiad diwedd Edom yn hwyrach na dychweliad Jwda o Fabilon, ac felly rhoir y gwaith yn agosach i gyfnod Malachi yn y bumed ganrif cyn Crist. Os un awdur sydd i'r gwaith, yna mae'n edrych yn ôl ac yn dathlu aflwyddiant Edom, a goruchafiaeth Jwda. Prin yw'r deunydd cadarnhaol ac ysbrydol yn y gwaith.

Myfyrdod

Profiad rhyfedd yw gwrando ar berson mewn bws neu mewn ciw i dalu mewn siop, neu berson ar fwrdd cyfagos sy'n siarad mor uchel fel na ellir osgoi clywed ei sylwadau. Pan fydd y sylwadau hyn yn dathlu methiant rhywun arall ac yn rhagweld y bydd y person hwnnw/honno yn siŵr o wynebu tristwch, bydd ein chwilfrydedd yn dyfalu beth oedd wedi digwydd cyn yr hanes a ddaeth mor ddi-alw-amdano i'n clyw. Mae'r sawl sy'n barnu neu yn collfarnu eraill yn cynnig sylw ar sail mympwy neu wedi dioddef o dan law y cyhuddwr. Beth bynnag y gwir, prin fod yna wrthrychedd na thegwch. Cawn y syniad mai gŵr felly oedd Obadeia. Roedd yn dathlu dinistr Moab, am mai Moab oedd yn dioddef. Pa mor ysgafn tybed yw dathliad ambell un sy'n falch fod tîm o Loegr yn methu, beth bynnag yr amgylchiadau?!

Pa mor barod fyddwn ni i ddathlu methiant person neu bobl eraill mewn gwirionedd? Pe bai gyrrwr anghyfrifol yn ein goddiweddyd ar y ffordd mewn modd anghyfrifol, a'n bod yn gweld ei gar ar ei gefn filltir i lawr y ffordd, ai'n tuedd fyddai meddwl iddo gael ei haeddiant? A yw dathlu methiant eraill yn iach a chyfrifol?

Mae ail ran yr hyn sydd gan Obadeia i'w ddweud yn pwysleisio bod Dydd yr Arglwydd ar ddod. Mae'n gweld Israel wedi dod ynghyd – hynny yw uno'r ddwy deyrnas, a bod yr oll yn eiddo'r Arglwydd. Cawn ganddo wers genedlaethol, ddaearyddol a hanesyddol o fewn cwmpawd ychydig adnodau, gyda'r weledigaeth fuddugoliaethus o lwyddiant Israel. Yr hyn sy'n rhyfedd am Obadeia, ac yn anghyson gyda llawer o'r proffwydi eraill, yw mai llwythau Israel sy'n llwyddo oherwydd dyna yw ewyllys yr Arglwydd. Nid yw'n dweud dim am berson Duw na'i nerth. Nid oes ganddo air i'w ddweud am natur Duw ac nid oes sôn am briodoleddau'r Arglwydd. Mae diwinyddiaeth Obadeia yn gyfyngedig i'r syniad am farn a dialedd ar y naill law a phenarglwyddiaeth ar y llall. Tybed i ba raddau mae hyn yn adlewyrchu meddylfryd crefyddwyr heddiw, yn Iddewon ac yn Foslemiaid? Ac os ystyriwn agwedd Cristnogion, mae'n siŵr y daw enghreifftiau i'r meddwl lle mae delfrydiaeth gyffredinol yn gyfystyr â chyffes ffydd. Wrth ofyn sut Dduw oedd Duw Obadeia, dylem ofyn i ni ein hunain, sut Dduw yw ein Duw ni?

Gweddi

Arglwydd, mae'n ddrwg gennyf os bu i mi gyfleu fy mod yn cynllunio beth ddylet fod yn ei wneud a'i ddweud. Trugarha wrthyf, ac arwain fy meddwl i weld dy bwrpas a'th waith ym mherson dy Fab Iesu. Helpa fi i weld fy rhan i yn dy bwrpas mawr di. Maddau i mi am ystyried dathlu methiant pobl eraill, ond yn hytrach helpa fi i geisio gweld 'pob mab i ti yn frawd i mi, O Dduw' (E. A. Dingley, *cyf.* Nantlais, *C.Ff.* 805). Amen.

Yfed o gwpan ufudd-dod

Gweddi
Arglwydd Dduw, gwyddost fy mod yn ei chael yn anodd ufuddhau i ti yn aml. Fel Jona gynt, caf fy nenu i gymryd y ffordd hawdd, ac osgoi fy nyletswyddau i ti. Yn ystod fy nefosiwn heddiw, hoelia fy sylw ar dy air ac i ymroi i fod yn ffyddlonach i hyrwyddo'r Deyrnas. Amen.

Darllen Jona 2

Cyflwyniad
O blith hanesion yr Hen Destament, prin fod stori sy'n fwy cyfarwydd na stori Jona. Mae'n cael ei hystyried fel dameg sy'n seiliedig ar y cymeriad Jona. Yr unig berson o'r enw yma yw'r proffwyd sy'n cael sylw yn 2 Bren hinoedd14:25, ac mae'r hanes yn perthyn i'r wythfed ganrif. Syrthiodd Ninefe yn 612 CC i'r Babiloniaid ac mae'r llyfr hwn yn cael ei ddyddio yn ddiweddarach na hynny. Fel gydag eraill o'r proffwydi, nid oes modd gwybod yn union pwy a'i hysgrifennodd na phryd. Serch hynny mae'r neges yn amlwg ac yn berthnasol i Israel a Jwda yn y cyfnod ar ôl ailadeiladu Jerwsalem. Nid agweddau felly sydd o wir bwys, ond yr argyhoeddiad fod Duw yn gofalu am bobl tu hwnt i ffiniau cenedlaethol neu diriogaethol. Bydd rhai yn awgrymu nad proffwydoliaeth sydd yma, ond darn o ryddiaith ddamhegol wedi ei hoelio'n llwyr ar gymeriad anamlwg yn y gorffennol er mwyn cyfarch y genedl yn y cyfnod pan oedd Persia yn rym o bwys yn y byd.

Myfyrdod
Bu Israel a Jwda yn ofnus o'r môr ar hyd y cenedlaethau. Pobl a ddaeth dros y môr oedd y Philistiaid ac roeddynt yn fyddin i'w hofni. Mae'r syniad o storm yn frawychus i bawb, ac yn arbennig felly i'r genedl hon. Ceir cyfeiriadau at fôr a stormydd yn y Testament Newydd, fel yn hanes y disgyblion yn tybied bod eu dyddiau yn dod i ben yn y storm ar fôr Galilea (Marc 4: 35–41) neu daith Paul i Rufain (Actau 27). Beth tybed yw ein delwedd ni o arswyd? Beth bynnag yr ateb, byddwn yn fwy ofnus o'r sefyllfa sydd y tu hwnt i'n rheolaeth, a lle bo tybiaeth fod y diwedd yn

agos. Sefyllfa felly oedd yn wynebu'r morwyr yn hanes Jona. Bydd rhai yn awgrymu mai Babilon oedd y morfil mawr sydd yn llyncu Jwda yn llwyr. Mae'r proffwyd am annog y genedl i sylweddoli bod Duw yn ymwybodol o argyfwng y genedl, ac yn gwrando ar ei gweddi. Bydd llawer o bobl yn wynebu argyfwng, ac mae gweddi Jona yn anogaeth i'r sawl a fu'n anufudd i Dduw i gyffesu hynny a gofyn am faddeuant.

Cofiwn am weddi'r Mab Afradlon (Luc 15), 'pechais yn erbyn y nef ac o'th flaen dithau, gwna fi yn un o'th weision cyflog'. Ai elfen o gryfder neu o wendid yw'r parodrwydd i gyfaddef bai? Bydd y sawl sy'n cuddio camgymeriadau mewn ffordd hunangyfiawn yn methu gofyn am faddeuant, ac yn cario baich euogrwydd. Bydd y sawl sy'n sylweddoli gwendid y natur ddynol ac yn cydnabod hynny yn fwy tebygol o ddarganfod rhywrai yn trugarhau wrthynt. Gair y Beibl am wendid y natur ddynol yw 'pechod', a phan fydd y pechadur yn ymwybodol o faddeuant Duw, daw i werthfawrogi bod Duw, sef y 'Tad Nefol' yn y ddameg, yn derbyn yr edifeiriol adref.

Mynd i Ninefe oedd tasg Jona yn y stori, ac nid dianc i Darsus. Ei genhadaeth oedd cynnig arweiniad i'r bobl yno. Beth yw ein cenhadaeth ni? Mae ufudd-dod yn golygu gwneud yr hyn sy'n anodd ac annymunol. Dyfynnir Iesu yn dweud y byddai'n dda ganddo beidio ag yfed y cwpan (Mathew 26:39) – ond mae Ioan yn dyfynnu Iesu yn dweud, 'Onid wyf am yfed y cwpan y mae'r Tad wedi ei roi imi?' (Ioan 18:11).

Gweddi

Arglwydd Iesu, diolch i ti am fy nerbyn er fy ngwendid, ac am fy mendithio a minnau'n haeddu dim. Plygaf ger dy fron a gofyn dy faddeuant. Amen.

Onid yw bywyd yn boen!

Gweddi

Arglwydd Dduw, ceisiaf droi at dy Air yn gyson a meddwl am dy wirionedd. Rhywfodd, teimlaf fy mod yn cael fy nenu i feddwl fel y bobl roedd Malachi yn eu hannerch. Agor dy Air i mi heddiw, fel y byddaf yn sicrach fy ffydd ac yn gadarnach fy nhystiolaeth i eraill. Amen.

Darllen Malachi 2:17–3

Cyflwyniad

Llyfr Malachi yw'r olaf o lyfrau'r Hen Destament, a'r diweddaraf o Lyfrau'r Proffwydi. Nodwyd ynghynt ei bod yn bwysig dyddio'r gweithiau proffwydol cyn ystyried eu neges ac mae Malachi yn llefaru ar ôl ailadeiladu'r Deml (515 CC) a chyn cyfnod diwygiadau Esra a Nehemeia (458 CC). Dyma gyfnod o dri chwarter canrif, pan oedd llwythau Israel yn ceisio ailddarganfod eu hunaniaeth genedlaethol, heb roi gormod o sylw i'w crefydd a natur Duw. Roedd trechu llwyth Moab, disgynyddion Esau brawd Jacob, yn mynnu sylw, ac nid oeddent yn glir am bynciau moesol a chrefyddol megis ysgariad. Geilw Malachi ar ei bobl i fod yn ffyddlon i Air Duw, ac ar yr offeiriaid i fod yn ddidwyll a diffuant (2:1–12). Roedd ar y genedl angen deall gair Duw yn well, a dyna oedd cyfraniad Nehemeia ac Esra dros ail hanner y bumed ganrif cyn Crist.

Myfyrdod

Mae yna rywbeth tebyg rhwng brawddegau Malachi yn y bennod hon a'r geiriau a ddyfynnir o Lyfr Eseia wrth gyfeirio at Ioan Fedyddiwr yn Efengyl Marc.

Os mai peth ffôl yw cymharu drygioni un cyfnod â drygioni cyfnod arall, peth gwirionach yw cymharu daioni dau gyfnod neu ddwy genhedlaeth. Mae amgylchiadau pobl mor amrywiol. Onid gwir dweud y dylid condemnio dwyn, ond mae'n haws deall cymhelliad y tlodion a gafodd eu halltudio i Awstralia am ddwyn dafad, na'r lleidr sy'n dwyn er mwyn ychwanegu at ei domen o dlysau. Saif y gwirionedd fod twyllo'n annerbyniol, boed hynny yn anonestrwydd wrth lenwi ffurflen treth incwm neu'r modd y bydd rhai cwmnïau masnachol byd-eang yn osgoi talu treth gyda'u cwmnïau ffug sy'n nodi cyfeiriadau ar ynysoedd pellennig.

Mae'n anodd cerdded y llwybr syth, a chadw at y nod. Mae'n reddfol i dorri corneli a chwilio am y ffordd hawsaf o wneud popeth. Mae bywyd sy'n cyfaddawdu yn llai trafferthus, ac mae modd cyfiawnhau pob pechod a'i wneud yn ddeniadol a pharchus. Bydd darllen am sgandalau pobl eraill yn medru bod yn ddifyr, ac weithiau byddwn yn eiddigeddus o sêr y cyfryngau a 'celebs' y byd.

Roedd Malachi yn dwyn sylw'i bobl at eu drygioni – yn ddewiniaid a godinebwyr, pobl gelwyddog a gorthrymwyr y gwan, pobl digroeso i estroniaid a heb ofni Duw. Er i'w hymddygiad fod mor ofnadwy, mae Duw yn dal i'w harddel a'u harbed, fel tad yn arbed ei fab. Mae Duw Malachi yn Dduw trugaredd ac yn paratoi ar gyfer ei bobl. Onid Duw felly a lefarodd yn Iesu Grist oddi ar groes Calfaria, a maddau i'r dyrfa ar lethrau Golgotha? Felly y mae o hyd.

Gweddi

Arglwydd, mae'n fy arswydo wrth feddwl dy fod yn gweld fy ngwendidau, ac yn sylweddoli fy mhechod. Trugarha wrthyf, O Dduw. Ar ôl darllen geiriau Malachi heddiw, gwn fod yn rhaid i minnau hefyd edifarhau a cheisio byw yn agosach at Iesu. Amen.

Y dychwelyd a dechrau o'r newydd

Gweddi

Plygwn, Arglwydd, ger dy fron, wrth agor dy ysgrythur a cheisio dy wirionedd ar ein cyfer heddiw. Gweddïwn am dy fendith sanctaidd a dyhëwn am gael profi gwefr dy gwmnïaeth. Amen.

Darllen Esra 3

Cyflwyniad

Wrth ddarllen pob rhan o'r Hen Destament, bydd angen gofyn pwy fu'n gyfrifol am ei ysgrifennu, beth oedd safbwynt y sawl a olygodd y gwaith a pha ffynonellau oedd ar gael iddynt. Cwestiwn pwysig arall yw ystyried dyddiad y gwaith. Mae'r llyfrau sy'n dwyn enw Esra a Nehemeia yn gymhleth wrth ystyried y cyfan hyn. I'r sawl sydd â diddordeb yn y maes, yna bydd darllen y drafodaeth yn *Arweiniad i'r Hen Destament* gan Gwilym H. Jones yn gymorth. I bwrpas y myfyrdodau hyn, gellir derbyn yn gyffredinol bod y ddau wedi dychwelyd i Jerwsalem ar ôl y gaethiwed ym Mabilon, a hynny felly ddiwedd y bumed ganrif cyn Crist. Derbynnir bod Nehemeia wedi dychwelyd yn gynt nag Esra, ac i'r cyntaf arwain yn y gwaith o ailadeiladu'r ddinas a'r Deml, tra bod Esra wedi ailosod sylfaen grefyddol y genedl. Heb os, bu cyfraniad y ddau yn bwysig yn hanes y genedl Iddewig, a bu eu tystiolaeth yn werthfawr fel pobl a fu'n deyrngar i Dduw mewn cyfnod chwyldroadol.

Myfyrdod

Ble bynnag y byddwn yn gweld adfail, cawn yr ymdeimlad o dristwch am yr hyn a fu. Gall fod yn lleoliad adeilad ym maes diwydiant, iechyd neu addysg o bosibl, a daw'r atgofion yn ôl am y gogoniant a fu. Daw gweld hen furddun lle bu teulu'n byw â theimladau dwysach, ac yn yr un modd gweld hen gapel sydd wedi colli pob arwydd o barch ac urddas. 'Drain ac ysgall mall a'i medd, mieri lle bu mawredd' (Ieuan Brydydd Hir).

  Pan ddychwelodd cenedl Israel o Fabilon, mae'n siŵr bod y don gyntaf o'r dychweledigion wedi arswydo o weld dinas Jerwsalem, ac yn arbennig y Deml, megis adfail. Byddent wedi blino'n llwyr ar ôl teithio mil o filltiroedd ar droed, yn dilyn dros hanner canrif mewn caethiwed. Os yr haen ifancaf o bobl Israel oedd mwyafrif y sawl a ddychwelodd gyntaf, ni fyddent erioed wedi gweld Jerwsalem, gan y byddai'r sawl a gaethgludwyd yn wreiddiol wedi marw ym Mabilon. Byddent wedi clywed eu hynafiaid yn sôn am y ddinas a'r Deml, a hawdd dychmygu'r drydedd genhedlaeth hon yn ansicr beth i'w wneud am y gorau. Eu cyfrifoldeb hwy oedd diogelu'r amddiffynfeydd, ac ailadeiladu'r muriau allanol, cyn bod y don nesaf o ddychweledigion yn cyrraedd.

Yn adnod 11 clywn ddyfynnu'r gweithwyr yn cadarnhau ffydd yn Nuw, 'Y mae ef yn dda, a'i gariad at Israel yn parhau byth.' Nod y cofnodydd oedd pwysleisio mai anogaeth ysbrydol oedd yn cynnal y gweithwyr, a bod ffydd yn Nuw yn ganolog i'r holl waith. Dywedir bod rhai yno a gofiai'r adeilad gwreiddiol, ac iddynt fod yn emosiynol wrth weld yr ailadeiladu. Pa ryfedd hynny?

Bydd ailosod y sylfeini hyn yn ddelwedd hwylus i sôn am bob dychweliad i berthynas gyda Duw. Os digwydd i ni dybied i ni fod mewn 'gwlad bell', ac yn ddieithr i weithgareddau'r Deml, bydd ailgodi'r allor a sicrhau'r sylfeini yn bwysig i bawb ohonom. Nid ailddychwelyd i leoliad daearyddol yn unig a gofnodir yn y penodau hyn, ond ailddechrau perthynas â Duw, ac y mae hynny yn destun diolch bob tro.

Gweddi

Arglwydd, diolchwn dy fod yn Dduw trugaredd, ac yn maddau'r ymbellhau sy'n ein nodweddu yn aml. Helpa ni i ddarganfod sylfaen ein ffydd a datblygu ein haddoliad ynot ti. Diolch ein bod yn medru dod yn enw Iesu i gymdeithas fyw gyda thi. Amen.

Ffocws ein ffydd

Gweddi

Gwn, Arglwydd, mor bwysig yw gweddi yn fy mywyd. Helpa fi yn y defosiwn hwn i weld fy mywyd o'th bersbectif di, a dibynnu arnat o'r newydd. Amen.

Darllen Esra 8:15–36

Myfyrdod

Nodwyd eisoes bod Nehemeia wedi dychwelyd cyn Esra, ond roedd golygyddion y llyfr am bwysleisio bod addoliad yn ganolog i fywyd y genedl, ac na ellid addoli heb ympryd a gweddi. Roedd yr Iddewon cynnar yn deall gwerth a phwysigrwydd y wedd ddefosiynol hon cyn cychwyn ar y daith o arfer addoliad ystyrlon. Bydd ympryd yn arwain at y sylweddoliad nad yw anghenion corfforol person gymaint ag y tybir. Gall person beidio â bwyta am gyfnod sylweddol, a bydd hynny yn crisialu'r meddwl ar anghenion eraill dyn, yn arbennig yr ysbrydol. Bu Iesu yn yr anialwch am ddeugain diwrnod ac yn canolbwyntio ar bwrpas ei fywyd. Byddwn yn or-barod i fyw er mwyn bwyta, yn hytrach na bwyta i fyw.

Pan fydd cynulleidfa yn canu'r intrada, bydd yn paratoi ei hunan i addoli. Nid arfer dibwrpas ydyw, ond darganfod cyweirnod defosiynol. Byddai'n briodol i ni ystyried ystyr y geiriau a ddywedir neu a genir gennym. Bu'n arfer gan eglwysi ar draws y canrifoedd i'r diaconiaid offrymu gweddi dros lwyddiant yr oedfa a'i chyflwyno i Dduw. Cyn i bregethwr roi ei droed ar ris gyntaf y pulpud, bydd yn briodol iddo offrymu gweddi yn gofyn am nerth i gyflawni ei waith, ac i ogoneddu Duw ym mhob peth a ddywed ac a wna. Bu'n arfer gan eglwysi anghydffurfiol i gynnal Cwrdd Gweddi bob wythnos, a Chwrdd Paratoad o flaen yr Oedfa Gymun.

Mewn oedfaon sefydlu person i swyddogaethau eglwysig, clywir y cymal 'Duw fyddo yn gymorth im'. Mae perygl i rywrai feddwl mai fformiwla ffurfiol yw hynny, ond y gwir yw na all unrhyw berson wireddu ei waith yn yr eglwys heb ei fod yn 'bwrw ei faich ar yr Arglwydd'. Unwaith y bydd person yn tybio ei fod yn ddigon abl i wneud unrhyw ddarn o waith heb Dduw, mae'n gwadu Duw, ac ni ellir hyrwyddo gwaith Duw a'i wadu ar yr un pryd. Dwy ochr o'r un geiniog yw addoliad a gwasanaeth i Dduw.

Pan ddychwelodd Esra o Fabilon, gwelodd nad adeilad hardd na strwythur crefyddol oedd angen ei atgyweirio ym mywyd y genedl, ond defosiwn didwyll i gynnal perthynas fyw gyda Duw. Felly y mae ym mhob oes, wrth i Iesu fod yn ffordd i ni ddod yn agosach at y Tad Nefol.

Gweddi

Maddau i mi, O Dduw, os wyf yn mentro ar unrhyw ddarn o waith gan feddwl fy mod yn medru gwneud hynny heb dy arweiniad. Ti yw'r hwn sy'n fy nghynnal a'm cyfeirio. Mae fy mywyd oll yn rhodd gennyt ti, a chyflwynaf fy mywyd i'th addoli a'th wasanaethu. Amen.

Gair i'w gredu a'i ddathlu

Gweddi

Deuaf atat o'r newydd, Arglwydd heddiw gan ofyn am dy fendith wrth ddarllen dy Air. Diolch am fywyd Esra a'i ffyddlondeb i ti. Helpa fi i ddod yn agosach atat yn fy mywyd. Amen.

Darllen Nehemeia 8

Myfyrdod

Yn y myfyrdod blaenorol, nodwyd bod Esra yn galw ar y bobl i arfer ympryd a gweddi. Yn y bennod hon, cofnodir iddo alw ar y gynulleidfa i gymryd yr ysgrythur o ddifrif, drwy ddarllen darnau o Gyfraith Moses iddynt. Nid oes cofnod o beth a ddarllenwyd oherwydd nid hynny sy'n bwysig. Dywedir i'r darllen ddigwydd 'o doriad gwawr hyd hanner dydd' a nodir hefyd bod gŵyr a gwragedd yn gydbresennol, a'u bod wedi deall yr hyn a glywsant. Cawn y syniad yn aml fod Iddewiaeth yn gosod y wraig mewn safle israddol ar yr aelwyd, yn y gymdeithas ac yn y Deml. Dyma'r math o dystiolaeth nad oedd hynny'n gwbl wir.

Pa mor aml y byddwn yn darllen y Beibl, nid yn unig fel disgyblaeth bersonol, ond fel ffynhonnell i geisio ysbrydoliaeth i fywyd? Mae'r llyfrau sanctaidd yn bwysig i bob crefydd, ac wrth wrando ar y gair a'i fyfyrio, caiff yr addolwr ei arwain at brofiad o'r dwyfol a'r sanctaidd. Y mae'r ysgrythur yn allweddol i gynnal ffydd a chredo'r sawl sy'n dymuno byw i Dduw.

Dengys yr hanes yn y bennod hon fod y bobl wedi ymateb yn frwdfrydig. Wrth ddweud 'Amen' roeddent yn cadarnhau'r gwirionedd a glywsent yn bersonol, ac wedi perchenogi'r gwirionedd hwnnw. Wrth ddweud 'Amen', byddwn yn derbyn yr hyn a ddywedwyd fel gwirionedd i ni (adnod 6). Bydd y gwirionedd yn sylfaen i fyw wrtho, ac yn sylfaen i adeiladu arno. Mewn byd o dwyll ac ansefydlogrwydd, mae'n anodd dychmygu pa werthoedd sydd gan bobl nad ydynt yn credu mewn unrhyw beth y tu allan iddynt eu hunain. Roedd y sawl a luniodd yr adroddiad yn y bennod hon am gynnig sylfaen i fywyd crefyddol y genedl. Beth bynnag oedd rhinwedd a nerth sylfeini muriau Jerwsalem fel amddiffynfa rhag y gelynion, roedd sylfeini'r bywyd ysbrydol yn bwysicach. Mae'n siŵr y byddai'r Croniclydd wrth lunio'r hanes am ddadlau y gallai bywyd y genedl fod yn fwy llewyrchus pe byddai wedi rhoi blaenoriaeth i'w chyfamod gyda Duw, yn hytrach na rhoi gormod o bwyslais ar gynghreirio gyda chenhedloedd eraill ar hyd ei hanes.

Roedd dydd y deffroad ysbrydol hwn wrth i Esra ddarllen yr Ysgrythur yn ddydd sanctaidd ac emosiynol yn ôl y bennod, ac yn achos dathlu (adnodau 10–12). 'Peidiwch wylo,' meddai Esra wrthynt, ond galwodd arnynt i orfoleddu yn eu perthynas gyda Duw. Gorfoleddwn ninnau yn Iesu, yr hwn sy'n ffynhonnell pob gwirionedd ac yn un i'w gredu bob dydd.

Gweddi

Arglwydd Iesu, mae gwrando ar dy eiriau yn dwyn cywilydd am ein methiannau ond hefyd yn achos llawenydd oherwydd ein perthynas gyda thi. Helpa fi heddiw i feddwl am dy eiriau ac i sylweddoli bod dy eiriau di'n gynhaliaeth i ni. Amen.

Caraf di

Gweddi

Diolch, Arglwydd, am y Salmydd a'r sawl a gasglodd y darnau defosiynol yma ynghyd. Wrth i mi heddiw geisio amgyffred rhyfeddod y profiad a gafodd y sawl a'u lluniodd, helpa fi i ymddiried ynot, a sylweddoli dy fod yn gymorth hawdd ei gael ym mhob cyfyngder. Amen.

Darllen Salm 19 a Salm 47

Cyflwyniad

Llyfr y Salmau o bosib yw'r llyfr mwyaf cyfarwydd i'r rhelyw ohonom – nid ein bod yn gyfarwydd â'r holl salmau, ond bod rhai ohonynt yn gyfarwydd iawn. Caniadau Moliant oedd yr enw gwreiddiol ac fe gynhwysir 150 o salmau i gyd. Ceir salmau eraill tu allan i'r llyfr yng ngweddill yr Hen Destament, e.e. Exodus 15:1–8, 1 Sam 2:1–10, Eseia 38:10–20. Gwelir bod modd rhannu'r salmau i bum uned (llyfr) fel y gweneir yn y Beibl, er nad oes sicrwydd pryd y cyfansoddwyd y salmau unigol na pha bryd y casglwyd hwy ynghyd. Mae'n fwy na thebyg fod nifer ohonynt wedi eu cyfansoddi cyn y gaethglud, ond na ddaeth y casgliadau ohonynt ynghyd hyd at yr ail ganrif cyn Crist. Mae'n bwysig ceisio dyddiad y llunio er mwyn gwerthfawrogi'r testun, ond mae ystyr ac arwyddocâd y caniadau yn werthfawr beth bynnag yw'r ateb i'r cwestiynau hyn. Rhennir y salmau i bum dosbarth, sef salmau moliant, galarnadau cynulleidfaol, salmau brenhinol, galarnadau unigol a cherddi diolch. Yn y myfyrdodau hyn, ceisiwn droi at enghreifftiau o'r pum dosbarth yn eu tro. Dyma enghreifftiau o'r salmau moliant i ddechrau.

Myfyrdod

Yn aml bydd pobl yn cysylltu mawredd gyda maint, ac er mwyn pwysleisio nerth yr Arglwydd Dduw, byddwn yn sôn amdano fel yr Un mwyaf sy'n bod. Pa mor fawr yw ein Duw ni? Dywed y salmydd fod y nefoedd yn tystio i'w fawredd a bod y ffurfafen yn mynegi gwaith ei ddwylo (19:1–2). Tanlinellir ei rym a'i gyfiawnder, ei berffeithrwydd a'i fendith yn y salm a ddarllenwyd, ac mae addoliad y salmydd yn llawn moliant.

Byddwn yn benthyg brawddegau'r salmydd i grisialu ein moliant ni o Dduw, a bydd emyn a cherdd yn hylaw hefyd. Serch hynny, pa ddelwedd sy'n dod i'r meddwl wrth ymateb i Dduw? Aethom i ddefnyddio'r radd eithaf i sôn am bethau'r byd, ac nid oes gennym yr eirfa briodol sy'n ddigonol i sôn am Dduw. Dibrisiwyd geiriau fel 'rhyfeddol', 'eithriadol', ac 'unigryw', i ddisgrifio perfformiadau cerddorol, gwaith celf, neu olygfeydd natur. Mae cymaint o bethau yn cael eu disgrifio yn Saesneg fel 'awesome', 'brilliant', a 'fantastic', fel ein bod yn dyheu am fodd gwahanol a newydd i sôn am Dduw.

Serch hynny, nid y geiriau ynddynt eu hunain sy'n gwir gyfrif. Mae moliant yn llawer mwy na geiriau; mae'n awydd i ymateb ac ymroi i berson sanctaidd yn ei burdeb a'i berffeithrwydd, ac yn sicr o realiti Duw yn Iesu Grist. Nid camp lenyddol yw gweddi, ond enaid dyn yn cyfathrebu ag enaid Duw. Bydd dyn yn ymwybodol o'i annheilyngdod i rannu yn y broses honno, ac yn ymwybodol o'i fryntni bydol yng ngŵydd y glân a'r holl ddaionus Dduw.

Diolch byth nad yw Duw'n poeni am gywirdeb iaith a hyd defosiwn. Yr hyn mae'n wir awyddus i'w glywed yw didwylledd y moliant. Nid arddangosfa er mwyn pobl yw oedfa – cariadon yn cadw oed gyda Duw y cariad nad yw'n oeri. Pa ryfedd i'r salmydd orffen ei gerdd drwy ddweud – 'Bydded ymadroddion fy ngenau'n dderbyniol gennyt, a myfyrdod fy nghalon yn gymeradwy i ti, O Arglwydd, fy nghraig a'm prynwr.'

Gweddi

Arglwydd, diolch i ti am fy nerbyn fel un o'th deulu, er fy ngwendidau amlwg. Trugarha wrthyf, a helpa fi i deimlo'n agosach atat nag erioed. Amen.

Breuder y cenhedloedd

Gweddi

Dduw'r cymunedau a'r cenhedloedd, ceisiaf nesáu ger dy fron fel unigolyn. Gwn am fy angen i, a sylweddolaf fy mod yn rhan o gymuned a chenedl. Helpa fi heddiw i weld fy mywyd yng nghyd-destun cymuned letach y byd ac oddi fewn i gymdeithas yr eglwys. Amen.

Darllen Salm 74

Myfyrdod

Ceir tua dwsin o salmau o fewn y dosbarth sy'n alarnadau cynulleidfaol neu genedlaethol. Fel y mae gennym emynau cenedlaethol eu natur, roedd gan Israel salmau ar gyfer yr achlysuron hynny. Roedd gofid mawr am gyflwr y genedl, a hwythau'n sylweddoli bod y genedl dan fygythiad. Prin fod modd dyddio'r salmau dan sylw, ond sylweddolwn fod trychinebau cenedlaethol yn gofyn am ganiadau ar gyfer defodau'r achlysuron hynny. Ymhlith y dosbarth yma o salmau gellir cynnwys Salmau 74, 79, 80 ac 83.

Yn y salmau hyn bydd yr addolwr yn ymwybodol o'i gyflwr a'i amgylchiadau truenus. Cawn ddelweddau o goed wedi eu chwalu, eiddo wedi ei ddifrodi neu o'r gelyn wedi amharchu'r genedl a'i ffydd. Mae'r weddi yn ymddiried yn Nuw, ac yn galw arno i weithredu ac adfer ei bobl. Profiad cynulleidfa sydd yn y salmau hyn ac ymwybyddiaeth o gywilydd a gwendid torfol. Bu gan yr Israeliaid nifer fawr o gyfnodau o wendid, ac roedd y sawl a luniodd y salmau hyn yn sylweddoli bod angen geiriau a fyddai'n cynnig delweddau a defosiwn cyfaddas. Cenedl fechan oedd Israel o'i chymharu â chenhedloedd eraill. Nid oedd modd nodi ffiniau daearyddol i'r cenhedloedd a byddai'n hawdd i'r diwylliannau a'r crefyddau gael eu gwanhau ar adegau drwy gymysgu â'i gilydd. Onid yw'r un peth yn wir heddiw mewn byd lle mae hedfan yn gymharol hawdd i lawer, a'r teledu a'r ffilm yn plethu meddwl, gwerthoedd a thraddodiadau'r cenhedloedd i'w gilydd?

Yn ystod y cyfnod diweddar, gwelwyd enghreifftiau o Foslemiaid yn amddiffyn eu daliadau crefyddol yn erbyn yr hyn y tybiant sy'n sarhad ar hanfodion eu ffydd. Cawn yr argraff fod y Taliban ac Al Qaeda yn eu gweld eu hunain fel milwyr yn ymladd dros ddaliadau crefyddol a bod presenoldeb cwmnïau masnachol o draddodiad gwahanol yn sarhad ar eu crefydd, ac yn bygwth eu daliadau crefyddol. Arf effeithiol o'u safbwynt hwy yw defnyddio hunan-fomwyr i danseilio hyder cymuned, ac wrth gofio'r hyn a ddigwyddodd yn Efrog Newydd yn 2001 gallwn ddeall sut y mae un genedl yn bygwth cenedl arall. Mae'r salm hon yn gyfoes iawn.

Ein tuedd barhaus yw cyfiawnhau gweithredoedd ein cenhedloedd a disgrifio cenhedloedd eraill fel pobl ddrwg. Onid yw pob cenedl yn medru ymddwyn yn hunanol, ac onid oes nodweddion anystyriol yng ngwleidyddiaeth ryngwladol y mwyafrif o genhedloedd daear? Ffenomen ryfeddol diwedd yr ugeinfed ganrif a dechrau'r ganrif bresennol fu gweld gwledydd yn ymrannu, a'r hen lwythau (cenhedloedd) yn hawlio byw.

Sut byddai Cristion Coptig yn darllen y salm hon, ac ym mha fodd y bydd Iddewon a Christnogion Jerwsalem yn dehongli neges a defosiwn y salmydd? Byddai gofyn am ddehongliad Cristion o blith Arabiaid y Llain Orllewinol yr un mor ddifyr. Sut byddwn ni yn ystyried gwledydd eraill, ac a fydd ein cefnogaeth i fudiadau dyngarol fel Cymorth Cristnogol yn ymateb deallus i bennill olaf y salm (adnodau 20–23)?

Gweddi

'Rho imi weld pob mab i ti yn frawd i mi, O Dduw' (E. A. Dingley, *cyf.* Nantlais, *C.Ff.* 805). Amen.

Gweddi dros arweinwyr

Gweddi

Ymgrymaf ger dy fron, Arglwydd, gan dy gydnabod fel brenin fy mywyd. Agor fy llygad i ganfod gair ar fy nghyfer heddiw yn y darlleniad, a helpa fi i weld fy nghyfle i wasanaethu eraill. Amen.

Darllen Salm 20

Myfyrdod

Dosrennir grŵp arall o salmau a'u galw'n Salmau Brenhinol. Yn eu plith cawn Salmau 2, 101, 110 a 132. Maent i gyd yn cyfarch y brenin ac yn eiriol drosto, gan ofyn i'r Arglwydd ei fendithio gyda nerth a llwyddiant. Tybiwyd yn aml mai Dafydd oedd prif gyfansoddwr y salmau, er bydd eraill yn dadlau bod y sawl a gyfansoddodd y salmau yn cyflwyno'r gweithiau iddo, neu yn defnyddio ei enw er mwyn rhoi statws brenhinol i'r salmau. Yn sicr, bydd llawer yn dadlau dros ddweud bod y salmau yn y dosbarth yma wedi eu cyfansoddi pan oedd y frenhiniaeth yn gadarn, a dylanwad y brenin yn gryf ar y genedl.

Roedd i'r brenin swyddogaeth grefyddol gan i'r Iddewon gredu bod perthynas dda rhwng yr Arglwydd a'r brenin yn allweddol i lwyddiant, diogelwch a chyfoeth y genedl. Gwelodd llawer o genhedloedd gysylltiad tebyg rhwng crefydd a gwleidyddiaeth. Mae'r salm a ddarllenwyd yn weddi dros y brenin ac yntau yn mynd i ryfel, a chenir salm arall megis Salm 18 wrth iddo ddychwelyd yn fuddugoliaethus. Byddai'n ddiddorol gwybod a fyddai'r genedl mewn alltudiaeth yn canu'r salmau hyn o gwbl. Maent yn weddïau dros unigolyn, a'r unigolyn hwnnw yn ymgorfforiad o unoliaeth y genedl.

Yn gam neu'n gymwys, mae tuedd ym mhob cenedl i ddosrannu cyfnodau hanes i gyfnodau'r sawl sy'n arwain, boed yn frenhinoedd neu'n arweinwyr gwleidyddol. Beth bynnag ein tueddiad gwleidyddol, mae camgymeriadau gwladweinwyr yn cael effaith andwyol ar drigolion y wlad. Prin fod trwch y boblogaeth yn yr Almaen wedi dathlu polisïau Adolf Hitler pan oedd yntau'n ganghellor, ond nid oedd y mwyafrif ohonynt yn medru gwneud dim ond ufuddhau. Pan fydd America yn ethol Arlywydd newydd, bydd hyn yn cael effaith ar y rhan fwyaf o wledydd y byd. Byddwn yn ymddiddori'n fwyfwy yn y broses o ethol arweinyddiaeth y gwledydd dylanwadol eraill, megis China a Japan, Ffrainc a'r Almaen, am resymau tebyg.

Bydd yr Eglwys Wladol yn gweddïo'n gyson dros y sawl sydd ar yr orsedd, nid am eu bod yn frenhinwyr o reidrwydd, ond oherwydd bod eu traddodiad yn gweld y brenin neu'r frenhines yn cynrychioli'r sawl sy'n ddeiliaid cenedl. Yn yr un modd, bydd yr Eglwys Babyddol yn eiriol dros y Pab, am ei fod yntau yn ymgorffori dyheadau a llywodraeth y corff eglwysig cyfan.

Yn y weithred o weddïo dros y sawl sy'n arwain cenedl, byddwn yn gofyn i Dduw fendithio y person ei hun, a'r oll sydd ynghlwm yn unoliaeth y genedl neu'r corff dan sylw. Wrth i gynulleidfa baratoi at yr addoliad, bydd yn gofyn bendith Duw ar y sawl sy'n arwain y gwasanaeth. Wrth gydnabod angen eraill, hyd yn oed y brenin, byddwn yn cydnabod ein hangen ein hunain ac yn gosod unigolion, cymunedau a chenhedloedd yng ngofal yr Arglwydd.

Gweddi

Diolch i ti, O Dduw, am godi arweinwyr ym mhob maes. Bendithia hwy gyda'r ymwybyddiaeth honno eu bod yn dy wasanaethu di ac yn byw er budd eraill. Dyro iddynt ddoethineb, dewrder a gwyleidd-dra wrth ymgymryd â'u dyletswyddau. Helpa fi i gynnig a derbyn cyngor pan fydd hynny'n briodol. Amen.

Help !

Gweddi

Drugarog Dduw, gwn am fy meiau ac mae'n ddrwg gen i am yr hyn a ddywedaf ac a wnaf sy'n peri cywilydd. Sylweddolaf dy fod yn fy ngweld bob munud ac yn arfer dy amynedd rhyfeddol wrth i ti wrando ar fy nefosiwn. Helpa fi i wneud y salm heddiw yn berthnasol i'm bywyd bob dydd, a cheisio bod yn agored a gonest gyda thi. Amen.

Darllen Salm 51

Myfyrdod

Y dosbarth mwyaf niferus o salmau yw'r rhai sy'n alarnadau unigolion. Ynddynt mae'r addolwr yn ymwybodol o'i amgylchiadau argyfyngus ac yn galw ar yr Arglwydd i'w gynorthwyo, e.e. Salmau 3, 5, 6 a 7. Bydd rhai o'r salmau hyn yn edifeiriol eu gwedd, ac eraill yn pledio diniweidrwydd am wendidau'r addolwr. Cawn salmau eraill yn llawn galar am deulu, e.e. Salmau 28 a 69.

Yn y salm gyfarwydd a ddewiswyd, clywn y salmydd yn cyffesu ei feiau ac yn ymbil am drugaredd Duw (adnodau 11–15). Mae'n cydnabod ei bechod (adnodau 1–5) ac yn gofyn i'r Arglwydd ei lanhau (adnod 10). Cyn diwedd y caniad, clywn y salmydd yn addo ymroi i addysgu eraill yn y ffydd ac i gyflwyno aberthau dilys i Dduw.

Bydd greddf llawer o bobl yn galw ar Dduw yng nghanol cyfyngderau bywyd, hyd yn oed y sawl sy'n dweud nad ydynt yn bobl grefyddol. Wrth edrych i lawr ar ddibyn ein hamgylchiadau, byddwn yn cael ein cynnal wrth sylweddoli bod y dwyfol yn cadw cwmni gyda ni.

Ar adegau eraill, pa mor edifeiriol fyddwn ni? Pan fydd y wasg yn codi stori am ffaeleddau'r sawl sydd yn llygad y cyhoedd, boed yn 'sêr' ai peidio, byddwn yn clywed brawddegau edifeiriol am dramgwyddau'r gorffennol, ac yn aml daw ymdrech i egluro'r amgylchiadau hynny. Dro arall, bydd pobl yn gwadu hyd at y diwedd y gwendidau a ddaeth i'r amlwg. Mae'n ddiddorol faint o ddrwgweithredwyr sy'n pledio'n ddieuog yn y llys barn, er bod tystiolaeth sylweddol yn eu herbyn, ac yn cael eu dyfarnu'n euog yn y diwedd.

Mae pob un yn ffaeledig, hynny yw, yn amherffaith, ac wrth gydnabod hynny bydd yr 'hunan' a'r 'hunanol' yn ei chael yn haws i dderbyn cymorth. Wrth gyfaddef bai a throi at un sy'n cynnig glanhau ein bywyd, golchi'r briwiau a sychu'n dagrau, daw profiad o gyfle newydd arall. Roedd y salmydd yn deall y seicoleg ddynol ymhell cyn bod meddygaeth o'r fath yn bod. Mae gwaith y seicolegydd heddiw yn hynod bwysig, ond yr hyn sydd ei angen arnom yn aml yw profiad o gyffesu gerbron Duw a gofyn maddeuant yn enw Iesu. Dywedodd Iesu wrth lawer, 'Dos, ac na phecha mwyach.' Byddai awdur Salm 51 yn deall yn iawn.

Gweddi

Nefol Dad, diolch am brofiad ac arweiniad y salmydd gynt. Helpa fi i estyn fy llaw i'th gyfeiriad nawr, gan ofyn i ti faddau fy meiau a'm glanhau o staen ac arogleuon y byd, drwy dy ras. Amen.

Jubilate

Gweddi
Nefol Dad, mentraf yn wylaidd ger dy fron yn dymuno agor y drws a cheisio dy brofi di o'r newydd. Deuaf yn wylaidd ac yn obeithiol. Ceisiaf rannu bwriad y salmydd a dwyn fy ngwerthfawrogiad o'th fendith a'th faddeuant. Amen.

Darllen Salm 32

Myfyrdod
Y pumed dosbarth o salmau yw rhai sy'n ddiolchgarwch personol. Tair enghraifft ohonynt yw Salmau rhif 30, 32 a 34. Mae diolch yn elfen naturiol i bawb a gafodd rodd neu fendith, ac mae'r salmydd yn sylweddoli ei ddyled i Dduw. Yn Salm 32 dywed yr addolwr yn bendant fod y sawl a dderbyniodd faddeuant am ei fai mewn gwynfyd.

Cofia am yr ymdeimlad anghyfforddus pan nad oedd mewn heddwch gyda Duw, ond unwaith roedd y salmydd wedi 'cydnabod ei bechod' (adnod 5), a derbyn maddeuant Duw, roedd yn ddyn newydd. Sut byddwn yn cyfieithu'r syniad o fod yn anghyfforddus heddiw? Dywedir am berson a wnaeth ddrwg i rywun arall, fod 'euogrwydd yn ei fwyta'n fyw'. Bydd y sawl sy'n troi a throsi yn y gwely yn poeni am ryw bethau, nid yr ymdeimlad o euogrwydd o reidrwydd, ond yn aflonydd ac yn methu ymdawelu. Bydd yr athrawon profiadol yn gwybod yn naturiol pan fydd disgybl yn dweud celwydd, neu yn cuddio ei wir deimladau. Gwyddom felly fod yna ryddhad wrth ddweud y gwir, beth bynnag y canlyniad. Syniad cyffredin gennym yw dweud 'na ellir byw celwydd'.

Unwaith y bydd y gyffes wedi ei gwneud, daw rhyddhad dyfnach eto, pan fydd y sawl y troseddwyd yn ei erbyn yn maddau'r gwendid. Mae'r profiad o droi at dudalen lân yn adeg y gobaith newydd. Defnyddiwyd y ddelwedd droeon am berson yn dileu'r ddyled, ac mae nifer o gyfeiriadau Beiblaidd lle mae baich dyled yn cael ei ddileu. Yn Llyfr Lefiticus, clywn am yr arfer Hebreig o ddathlu blwyddyn y Jiwbili drwy ddileu dyledion, rhyddhau caethweision a phrofi gwawr newydd.

Roedd traddodiad tebyg gan yr Eifftwyr hefyd a bu'r proffwydi fel Eseciel a Jeremeia'n hyrwyddo'r arfer yn eu tro.

Ateb y sawl sy'n troi i'r dafarn fydd boddi gofidiau, ond ateb y Cristion fydd ceisio heddwch gyda Duw. Yr hyn a ddywed Iesu wrth ei ddisgyblion yw bod Duw yn Dduw trugaredd, a bod y sawl sy'n cyffesu yn profi maddeuant. Mae dameg y Mab Afradlon yn dweud am gariad y Tad Nefol, sydd nid yn unig yn croesawu'r afradlon adref ond yn dathlu hynny. Dyma lun yr adfer a'r bywyd newydd. Pa ymateb sy'n weddus wedyn, onid dathlu'r rhyddid a llawenhau? Dyna a wna'r salmydd, a phawb sy'n dymuno heddwch yn ei enaid. 'Rho im yr hedd na ŵyr y byd amdano...' (Elfed, *C.Ff.* 787)

Gweddi

Arglwydd Dduw, gwyddost fy mod i yn poeni llawer am fy mywyd, ac o bob gofid yn gweld fy hun yn byw mewn ffordd hunanol a bydol. Trugarha wrthyf. Diolch i Iesu 'am dalu swm ein dyled' a'n helpu i ddod i gymundeb newydd gyda thi. Gwn am deimlad yr emynydd a ganodd am 'euogrwydd fel mynyddoedd byd dry'n ganu wrth dy groes' (William Williams, *C.Ff.* 493). Amen.

Wynebu'r heriau?

Gweddi

Plygaf o'th flaen, Arglwydd, gan gydnabod fy meiau. Gwn dy fod yn gweld fy ffolineb a'm gwendid, ac ni allaf ond gofyn am dy faddeuant. Helpa fi heddiw i amgyffred arwyddocâd llenyddiaeth Llyfr Job a cheisio gosod fy mywyd yn dy ddwylo diogel di. Amen.

Darllen Job 42

Cyflwyniad

Mae'n anodd crynhoi'r drafodaeth am ddyddiad a dilysrwydd Llyfr Job mewn ychydig eiriau gan nad oes unrhyw gyfeiriadaeth at linell amser oddi mewn i'r llyfr, ac mae'n cael ei gyflwyno fel drama, gyda phrolog ac epilog. Oddi mewn i'r gwaith cyfan, ceir cyflwyniadau gan yr Arglwydd, Elihu a Job. Deallwn fod Job yn gymeriad moesol ac aruchel, ond ei fod yn profi dioddefaint yn gyson. Daw'r syniad fod ei ddioddefaint fel prawf arno, ac yn yr epilog, sef y bennod olaf o'r llyfr, dywed yr Arglwydd fod Job wedi bod yn ufudd a'i fod i dderbyn y fendith nefol. Fel gyda phob drama Roegaidd bydd angen canllaw i egluro'r plot a'r cymeriadau, ac i'r sawl sydd am fentro arni, bydd *Arweiniad i'r Hen Destament* gan y Parch. Ddr Gwilym H. Jones yn gwmni diogel.

Myfyrdod

Cwestiwn oesol sy'n real i bob cenhedlaeth yw trafod dioddefaint. Bydd rhai yn amau bodolaeth Duw am na allant gysoni Duw daioni gyda dioddefaint dyn. Honnir na fyddai Duw trugaredd yn caniatáu sefyllfaoedd lle mae'r diniwed yn profi ing. Daw'r syniad yma yn ôl dro ar ôl tro, a gwelwn fod y diwinyddion Hebreig a luniodd y ddrama gelfydd hon gyda'i hiaith goeth yn ceisio ymdopi â'r cwestiwn. Pwy ohonom na ddyfynnodd deitl y ddrama deledu o'r wythdegau, *Tydi bywyd yn boen!* a gweld Delyth, y prif gymeriad, yn ymdopi â realiti bywyd? Mae'r gwrthdaro rhwng da a drwg, tegwch ac annhegwch, i'w weld ar dudalennau ein llenyddiaeth a'i weld ar sgrin teledu, ffilm a llwyfan.

Daw'r un math o ymholi wrth drafod trasiedïau cymdeithas, a phan fydd plentyn neu blant yn dioddef bydd y gwewyr emosiynol yn dod i'r golwg eto. Bydd enw pentref Aberfan, yn agos i Ferthyr, yn dwyn atgofion poenus i'r sawl sy'n cofio'r drychineb honno a ddigwyddodd yn Hydref 1966. Pwy all warantu bywyd diogel i unrhyw berson? Mae breuder bywyd yn amlwg i bawb.

Yn Llyfr Job mae'r genedl yn cael ei chymell i ymddiried yn Nuw beth bynnag yr amgylchiadau. Mae'n naturiol ymresymu bod y sawl sy'n achos poen yn cynhyrfu dicter Duw, ond roedd Job yn cael ei gyflwyno fel gŵr da a duwiol (1:1–5).

Os mai prif neges y llyfr cyfan yw dweud bod pawb yn debygol o brofi dioddefaint rywbryd, mae hefyd yn dweud bod y modd yr ydym yn wynebu'r sefyllfaoedd hynny yr un mor bwysig. Mae'n anodd credu bod Duw yn achosi poen i bobl, ond tystiolaeth yr eglwys yw bod Iesu wedi ei uniaethu ei hun â phoen pobl ac wedi profi yn ei farwolaeth arswyd y profiad. Ceisiodd yr Ail Eseia drafod problem poen yng nghaniadau'r Gwas Dioddefus a gwelwn fel y mae Llyfr Job yn ceisio dweud bod Duw yn gefn i'r dioddefwr. Yn Iesu Grist, gallwn ddechrau dirnad beth yw ffordd Duw o drafod poenau dyn, ac yn nydd yr Atgyfodiad, ei fod yn dangos ei fod yn drech na dioddefaint. Dyna'r grym sydd yn cael ei rannu i deulu'r ffydd, fel bod modd i'r gwannaf fod yn rym, i'r mwyaf ofnus i feithrin hyder ac i'r meirw gael byw.

Gweddi

Diolch, Arglwydd, dy fod yn gryfach na'm gwendid i, ac ymddiriedaf ynot i fod yn gefn i mi wrth wynebu treialon bywyd. Cofiaf yn fy nefosiwn heddiw am bawb sy'n gweld bywyd fel poen a dyheu y byddant yn profi Iesu yn gadernid ac yn gysur. Amen.

Gwir ddoethineb yw...

Gweddi

Plygaf yn wylaidd ger dy fron, O Arglwydd fy Nuw, gan gyfaddef fy ngwendidau. Trugarha wrthyf, a helpa fi i fod yn fwy ymdrechgar wrth ddilyn Iesu. Amen.

Darllen Diarhebion 2

Cyflwyniad

Tybir mai'r brenin Solomon a luniodd Lyfr y Diarhebion neu Lyfr Doethineb. Fel gydag adrannau eraill o'r Hen Destament, mae'n amhosibl dyddio'r gwaith. Roedd doethineb y brenin yn enwog (1 Brenhinoedd 3; 4:29–34), ac er i'r casgliad gwreiddiol o ddiarhebion fodoli yn ei gyfnod, credir yn gyffredinol bod llaw gadarn y Brenin Heseceia, a oedd yn byw 250 o flynyddoedd ar ôl Solomon, wedi golygu a datblygu'r llyfr. Mae'n ddigon posibl nad oedd y ffurf sydd yn yr Hen Destament heddiw yn bod tan ddechrau'r ail ganrif cyn Crist.

Sail doethineb dyn yw parchedig ofn o'r Arglwydd, ac mae'n ganllaw diogel i berson i'w ddilyn ar daith bywyd. Yn y llyfr cyfan, ceir nifer o themâu pwysig. Bydd y ffurf lenyddol yn defnyddio cwpledi, gan osod y ffurf negyddol a chadarnhaol o'r ddoethineb ochr yn ochr. Nid oes unedau thematig clir, ond gellir crynhoi'r brawddegau i'r themâu canlynol. Mae llenyddiaeth sawl cenedl yn trafod y gŵr doeth a'r ffŵl, felly hefyd y gymhariaeth rhwng y sawl sy'n dda a chyfiawn o'u cymharu â'r drygionus. Bydd y teulu yn bwysig i'r Iddew a chynigir amryw o frawddegau yn trafod y modd mae cyfrifoldebau'r teulu'n ymblethu. Ceir sawl isadran yn ymwneud â dyn a'i gymdeithas – ei gyfrifoldeb tuag at y difreintiedig a'r modd y mae pobl yn rhannu dyheadau ac ofnau. Bydd yr arweiniad a gynigir yn hyrwyddo perthynas iachus â'r Arglwydd Dduw, ac yn ystod ein hymwneud â'r llyfr hwn, byddwn am ofyn i ba raddau mae ein crefydd ni yn meithrin moesoldeb cyfiawn ac yn datblygu perthynas fyw â'r Arglwydd Dduw.

Myfyrdod

Bydd y rhan fwyaf ohonom wedi derbyn cyngor gan riant, athro neu berson hŷn rywbryd yn ein hanes, a mwy na thebyg i ni gynnig arweiniad i eraill yn yr un cyweirnod. Bydd y cyngor yn amlach na pheidio yn codi o brofiadau'r gorffennol a daw'r hen air sy'n sôn am 'yr hen a ŵyr a'r ieuanc a dybia' i'w briod le. Weithiau gall y cyngor ymddangos yn or-awdurdodol, gan beri i'r ifanc neu'r dibrofiad deimlo'n fach ac yn annigonol. Onid dyhead i weld llwyddiant y newyddian ar daith bywyd yw cynnig cyngor ac awydd iddo beidio â mynd ar goll neu fyw yn ofer? Pa un sydd hawsaf, cynnig cyngor doeth ac adeiladol, neu dderbyn cyngor gan sylweddoli ei fod yn berthnasol i'n bywyd ni? Mae angen didwylledd a gostyngeiddrwydd o'r ddwy ochr, onid oes?

Greddf y claf yw troi at feddyg, a bydd y cyfrifydd, y cyfreithiwr a'r athro yn ffynonellau doeth mewn materion eraill. Bydd rhai yn troi at wefannau cyfrifiadurol i geisio arweiniad, tra bydd rhai yn anfon gohebiaeth at gylchgrawn neu bapur newydd. Bydd rhai yn troi at offeiriad neu weinidog am arweiniad, a bydd aelodau o'r teulu yn debygol o helpu hefyd. Ergyd Llyfr Doethineb yw mai Duw yw ffynhonnell gwir ddoethineb a bod y sawl sy'n ymddiried yn yr Arglwydd yn mynd i gerdded ymlaen ar hyd y ffordd union. Iesu ddywedodd mai ef yw'r wir a'r fywiol ffordd (Ioan 10). Yr hyn sy'n bwysig i'w ystyried nawr yw i ba gyfeiriad y teithiwn ni. Os byddwn wedi colli'r ffordd yn foesol ac yn ysbrydol, yna at bwy y byddwn am droi am arweiniad?

Gweddi

Trugarha wrthyf, O Dduw, am fy ffolineb a'm hanallu i fod yn gyson ddoeth. Rwy'n euog yn or-aml o fod yn ddoeth ar ôl llithro ac o ddoethinebu heb wir brofiad. Dyro i mi'r modd i wrando ar gyngor aeddfed ac i rannu profiadau bywyd gydag eraill yn wylaidd. Amen.

Diolch am Ferched

Gweddi

Arglwydd grasol, cyfaddefaf fy mod yn aml yn dweud a gwneud pethau gwirion sy'n arddangos fy hunanoldeb. Maddau i mi am dynnu sylw ataf fy hun, heb lwyddo i gyfeirio sylw eraill atat ti. Helpa fi heddiw i ddarllen dy Air yn ddidwyll, ac i geisio byw'r bywyd rhinweddol a Christ-debyg. Amen.

Darllen Diarhebion 31:10–31

Myfyrdod

Pa mor aml tybed y byddwn yn clywed y darlleniad am y wraig rinweddol mewn cynhebrwng? Ceir yn y gerdd hon lu o frawddegau a delweddau cyfoethog a chyflwynir y wraig ddelfrydol i'r darllenydd. Mae'n briod ac yn fam, yn darparu'n helaeth ar gyfer y teulu ac yn ddiarbed ohoni ei hun.

Ai dyma'r ddelwedd y bydd merched yn ei dymuno yn yr unfed ganrif ar hugain? Daethom yn gyfarwydd â chydraddoldeb ar yr aelwyd ac yn y gweithle. Prin y byddem yn awyddus i hyrwyddo delweddau o ferched yn gaeth i'r gegin neu heb fodd i gyfrannu i'r gymdeithas letach gan gyflawni ei photensial. Cofnodir cyfraniad y 'suffragettes' ganrif yn ôl, a bydd hanes yn cofio'r camau sylweddol a wnaed gan wragedd gwledydd Prydain yn ystod yr Ail Ryfel Byd o ran annibyniaeth a chyflogaeth.

Ar draws y byd, prin yw'r gwragedd a ddaeth yn wladweinwyr amlwg – eithriadau yw'r enghreifftiau a gafwyd ym Mhrydain a'r Almaen, India a Phacistan. Ordeinio merched yn offeiriaid yw problem Pabyddiaeth a chysegru merched yn esgobion yw problem yr Anglicaniaid, tra bod Bedyddwyr y De yn America yn gwrthod ordeinio merched yn fugeiliaid eglwysi. Prin fod gwragedd yn cael eu statws priodol mewn llawer o wledydd. Cyflwynwyd statws y ferch mewn gwledydd sy'n drwm dan ddylanwad y grefydd Foslimaidd i'n sylw dros y degawdau diweddar. Mae'n siŵr y byddwn yn clywed mwy am eu dioddefaint i'r dyfodol wrth iddynt hawlio cyfleoedd tebyg i'r hyn sy'n datblygu yn y gwledydd gorllewinol.

Bydd lle gan y mwyafrif ohonom, mae'n siŵr, i ddiolch am wragedd ein haelwydydd a'n cymdeithas. Bu eglwysi Cymru dros yr ugeinfed ganrif yn dra dyledus i wragedd am hyrwyddo achos Iesu, er i'r dynion dderbyn y cyfrifoldebau i arwain a llywio gwaith yr eglwys dros y rhan helaethaf o'i hanes. Diolch am y gwragedd sydd wedi cydio yn yr awenau a gogoneddu enw'r Arglwydd.

Yr hyn sy'n rhyfeddol am y darlleniad ym mhennod olaf Llyfr y Diarhebion yw ei fod yno o gwbl. Mewn crefydd mor wrywaidd ei natur mae'r adran hon yn ceisio cydnabod cyfraniad canolog y ferch i gymdeithas ac yn sylweddoli mor allweddol yw hynny i wareiddiad. Byddai'n dda pe gallai Iddewiaeth a Moslemiaeth ailystyried eu dysgeidiaeth ar y pwnc yn fuan, fel bod pob merch yn cael hawliau cyfartal ar draws y byd.

Gweddi

Arglwydd Iesu, diolch am bob gwraig yn ein bro a'n byd ac yn arbennig y rhai oddi mewn i'm teulu i. Maddau i mi pan na fyddaf yn cymryd pobl o ddifrif ac yn dangos y parch dyladwy. Gweddïaf dros wragedd ar draws y byd a dyheu y bydd i bawb, yn wryw a benyw, gael y cyfleoedd priodol i gyfrannu i ddynoliaeth gyflawn. Amen.

Ond cariad pur sydd fel y dur...

Gweddi

Nefol Dad, wrth agor y Beibl heddiw ar dudalennau dieithr, helpa fi i werthfawrogi harddwch y cerddi a dilysrwydd y profiad lle bydd unigolion yn darganfod cyfoeth mwy oddi fewn i'r berthynas na chyfanswm teimladau'r unigolion. Helpa fi i fod yn berson cariadlon heddiw a bob dydd o'm hoes. Amen.

Darllen Caniad Solomon 1 (a gweddill y cerddi pan ddaw cyfle)

Cyflwyniad

Mae'n anodd meddwl bod llawer o bregethwyr erioed wedi codi testun pregeth o Lyfr Caniad Solomon, na darganfod ysbrydoliaeth i bregeth Gristnogol. Nid oes modd dyddio'r gwaith. Gan fod y llyfr wedi ei dderbyn i gasgliad llenyddiaeth sanctaidd yr Iddewon, fe'i derbyniwyd hefyd i gorff y Beibl Cristnogol. Nodir enw Solomon bedair gwaith yn y testun ond nid mewn modd sy'n awgrymu mai ef oedd yr awdur. Dadleua llawer ar sail yr eirfa nad yw'r gwaith yn hŷn na'r drydedd ganrif cyn Crist. Ceir chwe chaniad barddol yn llawn cyfeiriadau at berthynas mab a merch, a defnyddir delweddau byd natur i ddisgrifio'r cariad rhyngddynt. Bydd Iddewiaeth yn gweld delweddau yn y gwaith sy'n sôn am berthynas Duw â'r genedl, tra bydd Cristnogion yn gweld portread o berthynas Iesu â'i eglwys. Mae'n farddoniaeth hyfryd beth bynnag yw tlodi diwinyddol y cerddi, ac wrth ddarllen y geiriau mae'n hawdd dychmygu rhywrai fel Ann Griffiths yn cael eu cyffroi gan y gwaith.

Myfyrdod

Lluniwyd sawl pregeth dros y degawdau a'r canrifoedd yn nodi bod geiriau gwahanol yn yr iaith Roeg i sôn am gariad. Bydd 'erôs' yn disgrifio'r cariad rhwng mab a merch, sy'n perthyn yn agos i'r gair erotig, tra bod 'philia' yn cyfeirio at gyfeillgarwch. 'Storge' yw'r cariad teuluol ac yna mae'r gair 'agapê', sef y gair a ddefnyddir am y cariad sanctaidd sydd o Dduw. Er bod y pregethu Cristnogol yn rhoi'r prif sylw haeddiannol i'r olaf, ni ddylid bod yn ddibris o'r lleill chwaith.

Gwelwyd cynnydd bellach yn nifer yr ysgariadau sy'n digwydd yn ein cymunedau, a hynny ochr yn ochr â'r patrwm o weld pobl yn cyd-fyw heb briodi yn ffurfiol. Mae'n siŵr fod llawer wedi dioddef yr hunllef o aros mewn priodas ddigariad, a digon posibl i'r sefyllfa honno fod yn garchar tywyll. Os oedd y ferch yn feichiog cyn priodas, roedd pwysau cymdeithasol ar y cariadon i briodi hyd yn oed os nad oedd gwir serch yn bodoli. Bellach ceir yr ymdeimlad fod gwahanu wedi dod yn broses mor hawdd fel nad oes llawer o ymdrech i weithio ar y berthynas a datrys y problemau.

Dros y chwarter canrif diwethaf a mwy, mae rhyw a rhywioldeb yn britho cymaint o'n celfyddydau nes i'r cyfan ymddangos yn rhad a masweddol. Hedfanodd y blynyddoedd ers i Mary Whitehouse godi llais yn erbyn y defnydd o ddelweddau rhywiol ym mhobman. Bu'r ffenomen erotig i'w gweld ym mhob cyfnod ac ar draws y diwylliannau. Pan aeth y delweddau hynny yn eithafol, ac i fedlam y ffasiwn foesol fynd i'r pegwn arall, bu math gwahanol o annhegwch. Mae angen dychwelyd at burdeb yr 'erôs', heb roi llwyfan i'r erotig. Roedd y farddoniaeth yng Nghaniad Solomon yn fodd i'r Israeliaid ddeall y cariad rhwng mab a merch yng nghyd-destun crefydd gan ddiolch am y reddf rywiol fel rhodd hardd oddi wrth Dduw'r Crëwr. Yn yr un modd roedd priodas yn cynnig sefydlogrwydd mewn teulu a chymuned, ac er bod y sefydliad priodasol yn cael ei herio yn ein cyfnod ni, erys yn un o gonglfeini ein cymdeithas.

Gweddi

Nefol Dad, diolch am deulu. Gwerthfawrogwn y fendith a ddaeth ac a ddaw oddi mewn i aelwyd gartrefol a chariadlon. Gweddïwn dros y sawl sy'n profi priodas anhapus a thros y plant sy'n cael eu magu mewn awyrgylch o ddialedd a chasineb. Diolch am y gallu i brofi a rhannu cariad rhwng pobl a'i gilydd, a boed i'r byd heddiw barchu, anrhydeddu a hyrwyddo pob perthynas gadarn a chariadlon rhwng pobl. Amen.

Torri cadwynau gormes

Gweddi

Dduw trugaredd, deuaf yn wylaidd ger dy fron yn sylweddoli bod arnaf angen profi dy fendith o'r newydd heddiw. Wrth i mi dreulio'r cyfnod hwn yn dy gwmni, agor fy llygaid yn llydan i weld dy ogoniant di ac i glywed cri'r anghenus yn y byd. Amen.

Darllen Galarnad Jeremeia 5

Cyflwyniad

Nodwyd yn flaenorol bod sawl llaw wedi llunio'r gwahanol lyfrau yn y Beibl, ac felly y mae gyda'r casgliad o bum galarnad yn y llyfr hwn. Bydd yr arbenigwyr testunol yn sylwi ar debygrwydd ieithyddol i broffwydi heblaw Jeremeia, a bydd rhai yn gweld perthynas Jerwsalem â'r cenhedloedd eraill mewn modd gwahanol. Mae'r drydedd alarnad yn un bersonol tra bod y gweddill yn llefaru torfol. Bydd y ffocws hanesyddol yn rhagweld cwymp Jerwsalem yn y bennod gyntaf ac yn edrych yn ôl ar y cwymp yn y lleill. Ynghanol gwae'r genedl, mae'r galarnadau yn gweld mai unig obaith y bobl yw ceisio cwmnïaeth a bendith Duw. Nid yw yn anobeithio a hynny yw gwerth y gwaith. Duw trugaredd yw Duw Galarnad Jeremeia, ac mae'n cynnig cysur i'r darllenydd sy'n meddwl bod ei fywyd yn deilchion.

Myfyrdod

Mae'n amhosibl i unrhyw un ddychmygu bod yn fyw mewn sefyllfa o anobaith llwyr. Sut deimladau fyddai gyda'r glöwr pan yw'r llwybrau allan wedi cau mewn tanchwa a'i gydweithwyr o'i gwmpas wedi marw? Beth sy'n mynd drwy feddwl y person sy'n gaeth i gyffuriau ac yn gwingo wrth gasáu'r hyn a wna, ond yn methu peidio, ac yn ymwybodol ei fod yn ei ladd ei hun ac yn dwyn oddi ar ei deulu? Pa ddelweddau sy'n dod i'n meddyliau ni wrth feddwl am uffern? A ddaw lluniau o siambrau lladd yr Almaenwyr yn ystod yr Ail Ryfel Byd neu ddelweddau o Belsen a llefydd tebyg i'r meddwl?

I rai, mae'r dioddefaint yn ganlyniad camwedd; i eraill mae'n ganlyniad trais rhywun arall. Bydd arswyd euogrwydd yn poenydio rhai, a bydd eraill yn cael eu harteithio gan anghyfiawnder byd. I nifer, mae bywyd yn boen go iawn. Mae'r teledu yn cynnig graffeg dirdynnol o ddioddefaint pobl, ac mae 'na berygl i'r gwyliwr yn ei gadair freichiau fethu synhwyro'r arswyd mae eraill yn ei brofi. Pwy bynnag a luniodd y galarnadau hyn, gwyddai beth oedd colled. Mae hiraeth a thristwch yn gadwyni wedi eu gwau ynghyd a'u clymu wrth bostyn anobaith. Serch hynny, mae'r enaid yn galw ar Dduw yn ei gyfyngder, ac y mae gobaith yn mynnu offrymu gweddi daer.

Yn ystod 2011, gwelwyd y modd y cododd pobl mewn gwrthryfel mewn gwledydd fel yr Aifft a Libya, ac yn ystod 2012 bu brwydro ffyrnig yn Syria. Cofiwn am sefyllfaoedd tebyg mewn gwledydd yng nghanol cyfandir yr Affrig, ac yn Nwyrain Ewrop. Sut y bu hi ar y gwrthryfelwyr hyn dros y cyfnod cyn i'r byd glywed am eu tynged? Beth oedd natur yr arteithio? Lluniau tebyg i hyn a gawn yng Ngalarnadau Jeremeia, ac mae'n addas cofio am bawb sy'n ffoaduriaid yn eu gwledydd eu hunain heddiw.

'Yr oedd ein herlidwyr yn gyflymach na fwlturiaid yr awyr; yr oeddent yn ein herlid ar y mynyddoedd, ac yn gwylio amdanom yn y diffeithwch. Anadl ein bywyd, eneiniog yr Arglwydd, a ddaliwyd yn eu maglau, a ninnau wedi meddwl mai yn ei gysgod ef y byddem yn byw'n ddiogel ymysg y cenhedloedd' (4:19–20).

Gweddi
Arglwydd, cymer drugaredd arnom am fod mor ddi-hid o ddioddefaint eraill, yn arbennig y sawl sy'n cael eu cam-drin yng ngharchardai gormes, anghyfiawnder a thlodi. Dyro fodd i'r Cenhedloedd Unedig a'r asiantaethau dyngarol weithredu'n gyflymach a thorri'r cadwynau sy'n eu caethiwo. Amen.

Ai gwagedd yw bywyd?

Gweddi

Mentraf, Arglwydd, i geisio dy fendith o'r newydd wrth imi agor adran arall o'r Beibl. Helpa fi heddiw i gofio cyfnod a chymhelliad y sawl a luniodd y doethinebau hyn, ac i geisio sylweddoli bod rhywrai o hyd yn plygu dan bwysau pryderon bywyd. Amen.

Darllen Llyfr y Pregethwr 11–12

Cyflwyniad

Dyma enghraifft arall o lyfr yn llawn doethinebau diddorol a chofiadwy. Mae'n rhyfedd faint o'r cymalau hyn sydd ar lafar gwlad. Cysylltir y gwaith â Solomon – efallai am iddo fod yn gysylltiedig â doethinebau – ond prin fod gosod y gwaith yng nghyfnod Solomon yn gywir. Bu rhai yn awgrymu bod sawl awdur wedi cyfrannu i'r cyfanwaith, ond nid oes modd profi hynny chwaith. Mae darllen y cyfan yn ddiymdrech, ac er nad yw'n Iddewig ei natur mae'n cynnig persbectif gwahanol ar fywyd a thystiolaeth y genedl. Bydd amryw yn tybio bod y gwaith yn yr un gorlan â Llyfr Job, yn llawn pesimistiaeth, ond mae'n gwahodd y darllenydd i ofyn ai gobaith neu anobaith yw prif nodwedd ei fywyd? Meddylfryd negyddol ddaw i'r sawl sy'n anghofio ei Greawdwr (12:1), tra yn 8:17 clywn argyhoeddiad yr awdur fod Duw yn dal yn Dduw beth bynnag yw amgylchiadau dyn. Pregethwr yw'r un sy'n cyfarch ei gynulleidfa ac yn rhannu neges sy'n bwysig iddo. Mae'r awdur hwn yn ymwybodol o annhegwch cymdeithas yn galw ar y bobl i ddarllen arwyddion y tywydd (11:2–3).

Myfyrdod

Pa fath o bobl ydym ni? Y sawl a wêl y botel yn hanner llawn neu yn hanner gwag? Gall y comic mwyaf hwyliog fod yn drist tu ôl i'r masg. Adroddir yr hanes am ddyn yn mynd at ei feddyg gan adrodd am ei gyflwr trist ac i'r meddyg ei gynghori i fynd i lawr i'r syrcas i wylio'r clown wrth ei waith. Dywedodd y claf mai ef oedd y clown! Mae angen gofyn i ba raddau y byddwn yn gwisgo mwgwd i guddio ein gwir deimladau ac a oes modd rhoi gwên ar yr wyneb sy'n bod o dan golur ein preifatrwydd? Bydd rhai wrth eu bodd yn cwyno am bopeth, yn gweld beiau a brychau bywyd heb feddwl am godi calon a chefnogi ymdrech. Bydd eraill yn rhoi minlliw ar wynebau trist bywyd ac yn amharod i ofyn beth yw achos y tristwch.

Yn Iesu cawn bregethwr a ddeallai ei gynulleidfa o un, a'i gynulleidfa o gannoedd. Gwyddai feddyliau pobl cyn iddynt fentro gair. Rhannai air addas ym mhob sefyllfa, gan adael y gwrandawr mwyaf negyddol yn rhyfeddu at ei ddoethineb. Nid gwagedd oedd gair Iesu ond llawnder, un a oedd yn llawn gras a gwirionedd (Ioan 1:14). Yr un oedd hanes yr Eglwys Fore yn profi llawnder o'r Ysbryd Glân. Roedd y dwyfol am droi'r oferedd yn bwrpasol ac am rannu gydag eraill.

Tybed faint o bobl sydd yn gwegian dan bwysau eu beichiau ac yn gweld popeth yn dywyll? Bydd rhai yn troi eu cefnau at y byd a syllu i'r gornel mewn anobaith. Bydd eraill yn ceisio cyffuriau i gynnal fflam dros dro, a llawer yn ffugio pleser.

Mae'n wir dweud bod byd heb Dduw yn fyd gwag, a pha mor llawn bynnag yw agenda bywyd pob person, prin fod unrhyw beth yn parhau am byth ac eithrio'r hyn a rydd Duw i ddyn. 'Gwywa y gwelltyn, syrth y blodeuyn, ond gair ein Duw ni a saif byth.'

Arglwydd Iesu, llanw d'Eglwys
   â'th Lân Ysbryd di dy hun
fel y gwasanaetho'r nefoedd
   drwy roi'i llaw i achub dyn:
dysg i'w llygaid allu canfod,
   dan drueni dyn, ei fri;
dysg i'w dwylo estyn iddo
   win ac olew Calfarî. (W. Pari Huws, *C.Ff.* 839)

Gweddi

Trugarha wrthyf, Arglwydd, os byddaf yn tybied ar adegau bod bywyd yn wag. Gyda thi wrth y llyw, mae bywyd yn llawn ystyr a phwrpas. Ynot ti mae digon i'w gael. Maddau i mi am unrhyw arwydd o ddiflastod. Agor fy llygaid i weld cymaint a rennaist yn fy mywyd ac i ddathlu cyfoeth fy myd. Amen.

Ateb yr alwad

Gweddi

Plygaf yn wylaidd ger dy fron, O Arglwydd fy Nuw, gan gydnabod dy Arglwyddiaeth a'th anogaeth i wasanaethu. Helpa fi i glywed dy lais ym mhob hanes ac i sylweddoli dy fod yn siarad gyda mi drwy bob dull o gyfathrebu. Arglwydd, rwy'n ceisio gwrando arnat o'r newydd nawr. Amen.

Darllen Llyfr Esther 6–7

Cyflwyniad

Mae Llyfr Esther yn destun anodd i lawer i'w ddeall, ac nid oes ynddo yr un cyfeiriad at Dduw. Dyddir y gwaith fel un diweddar – yn yr ail ganrif cyn Crist – pan oedd yr hunaniaeth Iddewig yn fregus. Roedd llawer o blant y genedl ar wasgar ac yn ymwneud â diwylliannau cenhedloedd eraill. Mae'r academyddion yn dadlau bod dylanwad Persaidd ynddo gyda chysylltiad â Gŵyl y Pwrim. Er bod yna ddylanwadau mytholegol amlwg ar y gwaith, cyflwynir cymeriadau cryf ynddo, gyda neges genedlaethol afaelgar. Mae'r prif gymeriadau yn gyfarwydd i ni, a gwnaeth Saunders Lewis gymwynas fawr drwy lunio ei ddrama arobryn ar sail y stori hon. Mae a wnelo'r gwaith â themâu gwrthdaro a gonestrwydd, gwasanaeth ac aberth. Efallai bod darllen y ddrama yn haws na darllen y llyfr, ond nofel hanesyddol yw'r gwaith Beiblaidd, ac ynddo cawn ein herio i feddwl am ein dycnwch ni o blaid yr achos mawr ac i ystyried faint o hunanaberth rydym yn barod i'w wneud.

Myfyrdod

Pa mor aml ar draws y blynyddoedd a'r cenhedloedd y bu gofyn i un person fentro ei fywyd dros achos rhywrai eraill? Mae'n siŵr bod sefyllfaoedd rhyfel wedi cynnig enghreifftiau wrth y miliynau. Aeth llawer peilot Siapaneaidd o'r byd gan gredu bod ei aberth Kamikaze yn sicrhau gwynfyd iddo. Yr un fyddai cred yr hunan-fomwyr sydd wedi dod i'r amlwg dros y blynyddoedd diweddar yn y gwrthdaro rhwng eithafiaeth Al Qaeda a'r sawl y maent hwy yn eu hystyried yn elynion.

Anfonwyd y dirifedi i'w marwolaeth ar faes y gad heb obaith o lwyddiant, yn aml pan oedd y strategaeth filwrol yn annoeth. Aberthwyd pobl ddiniwed hefyd, nad oeddent yn rhan o beiriannau rhyfel, heb fawr o ystyriaeth ddyngarol. Yn hanes Esther, gwelir yr unigolyn yn gorfod dewis rhwng mwynhau bywyd cyfforddus yn llys y brenin a wynebu marwolaeth drwy sefyll dros ei phobl. Yna cawn ddiweddglo llawen, ond gallai fod yn stori wahanol i'r arwres. Pwynt arwyddocaol arall yw mai gofyn i'r ferch aros wnaeth Mordecai ac nid mynd ei hun. Efallai y gwyddai nad oedd gobaith iddo ef a'i fod yn dibynnu ar dynerwch calon y brenin.

Pa mor anodd yw hi i wrthsefyll anghyfiawnder ar lefel bersonol, heb sôn am sefyll o blaid eraill? Byddwn yn or-barod i ddewis y llwybr hawdd a'r man cysurus, ac mae nodwedd y llwfr yn perthyn i'r mwyafrif ohonom. Roedd rhai o'r disgyblion yn awyddus i ddilyn Iesu ond heb ddeall beth fyddai'r gost. Gwyddai Iesu beth oedd i ddigwydd a rhybuddiodd ei ddisgyblion droeon am ei ddiwedd. Dywedodd nad oedd cariad mwy yn bod na pharodrwydd un i roi ei fywyd dros ei gyfeillion.

Gweddi

Trugarha wrthyf, O Dduw, am fod yn llwfr pan alwyd arnaf i fod yn ddewr. Diolch am y sawl sy'n barod i aberthu popeth, hyd yn oed eu bywydau, dros eraill yn y byd. Diolch am Iesu a roddodd ei fywyd ei hun er mwyn i ni gael modd i'th adnabod di. Amen.

Dehongli'r freuddwyd

Gweddi
Plygaf o'th flaen, Arglwydd, gan gydnabod dy hawl arnaf a'th ddylanwad drosof. Rwyf fel clai yn dy ddwylo ac eto gwelaist yn dda i'm caru i'r fath raddau fel fy mod yn gwybod dy fod wedi marw er fy mwyn. Addolaf di wrth glosio atat heddiw. Amen.

Darllen Llyfr Daniel 2

Cyflwyniad
Bu llawer o drafod ar ddyddiad ac awduraeth Llyfr Daniel, ac mae'r hanesion a geir yn y rhan gyntaf (penodau 1–6) yn cael eu gosod yng nghyfnod caethglud Babilon, sef y chweched ganrif cyn Crist. Bellach mae'r academyddion yn medru profi nad yw'r cyfeiriadau hanesyddol yn gywir, ac mae'r iaith a'r delweddau yn codi o'r ail ganrif cyn Crist. Prin y byddai pobl Babilon yn siarad Aramaeg (2:4). Efallai fod yr hanesion yn gyfarwydd fel llên gwerin, ond mae'r awdur dienw yn defnyddio'r hanesion i alw gweddill ffyddlon Israel ei gyfnod i arfer ffydd gadarn. Mae'r hanesion yn y penodau cynnar yn adrodd hanes sy'n gysylltiedig â Daniel, tra bod y pedair gweledigaeth yn yr ail hanner (penodau 7–12) yn portreadu brwydrau'r genedl Iddewig â'r dylanwadau estron hyd at farwolaeth Antiochus Epiffanes yn 164 CC. Roedd Daniel yn cynrychioli'r garfan dduwiolfrydig yn yr ail ganrif, a hwy yn y man a roddodd fod i gymuned y Phariseaid, pobl a gredai y byddai Duw yn ymyrryd yn hanes ei bobl ac yn eu codi o anobaith a distryw i adfer y ffydd Iddewig yn llwyr.

Myfyrdod
Faint ohonom sydd wrth ein bodd gyda ffilmiau antur wyddonol, y sci-fi, a gweld y da a'r drwg yn brwydro yn erbyn ei gilydd? Maent yn ymestyniad o ddychymyg dyn ar hyd yr oesoedd lle mae gwrthdaro rhwng carfanau neu genhedloedd yn rhoi rhwydd hynt i ddychymyg dyn. Gall ei weld ei hun yn cael ei ddyrchafu mewn buddugoliaeth a'i wrthwynebwyr yn cael eu trechu'n llwyr. Onid yr un oedd nodwedd ffilmiau cowboi ac anturiaethau 007, a llu o arwyr dychmygol eraill?

Bu'r freuddwyd yn gyfrwng cyfleu neges broffwydol mewn sawl diwylliant, ac yn yr hanes hwn, mae'r brenin Nebuchadnesar yn chwilio am esboniad i'w freuddwyd ryfedd, a gelwir ar y dehonglwyr breuddwydion i ddatgelu'r neges iddo. Methant hwy a gwahoddir Daniel i egluro'r freuddwyd. Yn adnodau 14–24, daw Duw'r nefoedd i daflu golau ar y broblem, ac yn ei dro, mae Daniel yn rhannu hynny gyda'r brenin. Mae'r brenin yn fodlon gyda'r hyn a ddywedir wrtho ac yn gwobrwyo Daniel. Ceir adlewyrchiad yma o hanes Joseff yn yr Aifft, gyda'r dehonglwr llwyddiannus yn ennill ffafr y brenin, ac yn sgil hyn, mae achubiaeth ar gael i bobl Dduw. Y neges i Iddewon yr ail ganrif yw y bydd y cenhedloedd cryf a gormesol yn plygu gerbron yr Arglwydd (2:47).

Byd rhyfedd yw byd y breuddwydion, ac mae'r seiciatryddion a'r seicolegwyr yn mentro i faes sy'n ddirgelwch i lawer ohonom. Ceir hanesion rhyfeddol am bobl yn gwneud y pethau mwyaf rhyfeddol – ac weithiau'n gwbl erchyll – yn dilyn yr hyn a ddeallant fel neges gan yr ysbrydion. Beth tybed yw effaith cyffuriau ar allu pobl i ymresymu yn wrthrychol a goleuedig heddiw?

Bydd eraill yn ymwybodol o hanes, celf, cerddoriaeth neu lenyddiaeth, ac yn methu eu deall. Mae angen rhywun i daflu golau ar y pwnc dan sylw. Bydd llawer, fel yr eunuch yn Actau 8:26–40, sy'n methu deall hanfodion y ffydd Gristnogol, ac am i rywun egluro iddynt. Gyda chymorth Duw, mae modd helpu'r ymholwr i ddeall rhywfaint o'r hyn sy'n wirionedd oddi wrth Dduw. Yn Daniel 2:19, gwelwn mai Duw yw ffynhonnell pob datguddiad, ac yn Actau 8, gwelwn fod angen dechrau gyda Iesu er mwyn egluro beth yw natur ac ewyllys Duw. Mae angen gofyn am oleuni, ymddiried yn y gwirionedd a hyder i rannu, hyd yn oed gyda brenin teyrnas arall.

Gweddi

Diolch i ti, O Dduw, am sicrhau bod hanesion rhyfedd o lenyddiaeth Israel yn medru siarad â mi. Helpa fi i rannu fy mhrofiad ohonot, a phan ddaw'r cyfle nesaf, rhoi imi'r modd i ddweud am Iesu. Amen.

Plyg fi, trin fi...

Gweddi

Mentraf o'r newydd, Nefol Dad, i geisio dy fendith ac i fyfyrio ar dy Air.
Agor fy llygaid i weld dy ogoniant, a chymorth fi i wrando ar dy neges.
Amen.

Darllen Daniel 7

Cyflwyniad

Mae ail hanner llyfr Daniel yn newid o fod yn hanesion dehongli
breuddwydion pobl eraill i fod yn ddehongli profiadau Daniel ei hun. Daw'r
angylion i gynorthwyo, ac mae Gabriel yn dehongli tair ohonynt, ond
angel heb ei enwi sy'n egluro'r freuddwyd yn y bennod dan sylw.

Mae'r deunydd yn codi o amgylchiadau gwleidyddol Israel yn yr
ail ganrif, a'r pedwar anifail yn cynrychioli Babilon, Media, Persia a Groeg.
Mae'r brwydro yn ffyrnig, ond neges y weledigaeth oedd bod teyrnasoedd
y Fall yn sicr o syrthio, ac y bydd yr awdurdod yn cael ei gyflwyno i 'fab
y dyn', a hynny yn golygu 'y saint'. I'r awduron, byddai hyn yn cyfeirio
at y duwiolfrydig ymhlith pobl Israel. Neges oedd hon i galonogi pobl
Dduw yn yr ail ganrif, y byddai'r ymerodraethau dinistriol yn syrthio, ac
y byddai dydd yn dod pan fyddai Mab y Dyn yn cael ei gyfle o'r newydd.
Edrych ymlaen at ddyfod y Meseia a sefydlu teyrnas gwbl newydd. Dyma
neges pob cyfnod, ond yn gweddu'n amlwg yng nghyfnod yr Adfent.

Myfyrdod

Pa blentyn a glywodd hanesion Narnia neu a welodd y ffilm, *The Lion,
the Witch and the Wardrobe*, sef yr addasiad o waith gwreiddiol C. S.
Lewis, na phrofodd ramant yr hanes a derbyn bod daioni yn drech na
drygioni? Yn yr olygfa pan oedd Aslan yn cymryd lle Edmwnd, tybiwn
fod y Llew yn marw, ond yna daw'r darlun o'r bwrdd carreg yn chwalu ac
Aslan yn ailymddangos o'r newydd. Ar un gwastad, stori sydd yn y gyfres
o hanesion difyr sydd ganddo, ond i'r sawl sy'n gwybod bod C. S. Lewis
yn Gristion o argyhoeddiad, a'i fod yn dechrau'r gwaith o ysgrifennu yn
1950, ceir dehongliad dyfnach. Mae'r stori yn dechrau gyda'r pedwar

plentyn, Peter, Susan, Edmund a Lucy Pevensie yn gadael Llundain adeg bomio'r brifddinas yn 1940 ac yn cael eu cludo i gartref Digory Kirke sy'n byw yn y wlad, ac wrth gerdded drwy'r cwpwrdd dillad daw'r pedwarawd i brofi cyffro rhyfeddol.

Wrth wylio gwaith theatrig gwych *Wicked*, sy'n ddilyniant i'r gwaith *The Wizard of Oz*, ceir llu o gyffyrddiadau Cristnogol yn eu hamlygu eu hunain. Yn aml, bydd modd dehongli'r hyn sy'n cynnig ystyr a neges i'r sawl sy'n darllen neu yn gwylio'r gwaith. Mae Llyfr Daniel yn ymddangos yn ffansïol a hyd yn oed yn anodd ar yr olwg gyntaf, ond daw yn llenyddiaeth fyw a pherthnasol i'r sawl sy'n codi cwr y llen ar gynnwys y gwaith.

Wrth drafod ei ddrama *Saer Doliau*, gwadodd Gwenlyn Parry fod yna unrhyw arwyddocâd i'r ffôn yn canu ar y diwedd. Dehonglodd llawer mai neges Gristnogol oedd gan y dramodydd mewn golwg. Rhwydd hynt i ni ddeall a gweld yr hyn a ddymunwn, ac mae'r un gwirionedd yn ei ddrama *Y Twr*. Gallwn ofyn yr un math o gwestiynau am weithiau Saunders Lewis a'r dramodwyr eraill sy'n dal i siarad â ni.

Mae'r teitl 'Mab y Dyn' yn siŵr o'n harwain at Iesu, ac mae pobl teyrnasoedd y ddaear, pa mor greulon bynnag y maent, yn siŵr o ildio i'r grym dwyfol a phlygu o flaen 'brenin yr hollfyd'.

Gweddi

Trugarha wrthyf, Arglwydd, os tybiaf fy mod yn gryfach a phwysicach na neb arall. Plyg fi, trin fi, golch fi, cod fi, i weld Iesu'n Arglwydd a'i wasanaethu ef yn ddiamod. Amen.

Glaw ar dir sych

Gweddi

Drugarog Dduw, agoraf dy lyfr sanctaidd o'r newydd gan ddyheu am weld perthnasedd dy fendith di ar draws y canrifoedd yn fy mywyd i heddiw. Amen.

Darllen Joel 2:12–32

Cyflwyniad

Mae Llyfr Joel yn un o'r gweithiau yn yr Hen Destament sy'n anodd ei ddyddio. Bydd rhai yn tybied ei fod yn waith cynnar tra bod eraill yn dadlau ei fod yn waith sy'n pontio diwedd yr oes broffwydol a dechrau'r oes apocalyptig. Bydd rhai yn dyfalu mai diwedd y bumed ganrif oedd hynny. Ceir darlun agoriadol o locustiaid yn ymosod, fel pe bai'n farn ar y genedl, gyda'r bobl yn profi galar, ofn a braw. Ar ddiwedd y bennod gyntaf, ceir delweddau o gydnabod methiant gyda'r 'gwartheg mewn dryswch a diadelloedd defaid yn darfod'. Mae llif y llyfr yn alwad i droi at Dduw gyda Duw yn ateb gweddïau'r bobl. Daw trefn o anhrefn ac mae'r tir sych yn derbyn glaw. Daw gobaith, bendith a chynhaliaeth i gynulleidfa Joel, a daw haul ar fryn.

Myfyrdod

Ym myd a chyfnod Joel, roedd dyfodiad pla o locustiaid yn brofiad o bryfyn yn difetha'r cnydau ac yn fygythiad i obaith cenedl. Ni fyddai modd i'r amaethwr amddiffyn ei gnydau, a byddai'n gorfod derbyn ei dynged. I'r amaethwr bydd deall bod ei anifeiliaid yn dioddef o TB yn llun o anobaith; ac mae'n siŵr fod cymunedau glofaol wedi profi ing arswydus pan gyhoeddwyd cau nifer sylweddol o byllau glo yn chwarter olaf yr ugeinfed ganrif. Efallai y bydd rhai ohonom yn deall yn well drwy sôn am bydredd mewn pren neu bryf mewn ffrwyth. Pa ddelwedd neu brofiad o anobaith sy'n real i ni heddiw, tybed?

Neges Joel fel eraill o broffwydi'r Hen Destament oedd bod anffyddlondeb y genedl yn gancr yn eu cymdeithas ac yn difa eu bodolaeth. Yr unig ffordd i ddarganfod yr ymdeimlad o ddigonedd cenedlaethol ac ysbrydol oedd drwy wneud ymdrech gadarnhaol i adfer y berthynas â Duw. Cam cyntaf pob adfer yw edifeirwch.

Sut brofiad sy'n arwain at edifeirwch mewn gwirionedd? Ai euogrwydd am drosedd, neu fod y naill berson wedi dweud neu wneud rhywbeth anghyfiawn tuag at berson arall? Ynteu a oes ymdeimlad o wacter neu wendid oddi mewn i ni, fel batri fflat a'r car yn gwrthod tanio? Un o ffenomenau trist rhai aelodau o'r eglwys heddiw yw tybied eu bod yn ddigon hunangynhaliol yn ysbrydol fel nad oes angen cwmni ar y daith na chynhaliaeth ddwyfol. Bydd digon o garolau'r Nadolig yn cyfeirio at dinsel ar y goeden a'r bugeiliaid yn gwisgo tywel i actio'r rhan, fel pe bai'r Ŵyl yn ddrama hwyliog a dim mwy. Ceir gweddïau gennym sy'n gofyn i Dduw ein helpu i weld 'gwir ystyr y Nadolig', heb i ni ddangos llawer o dystiolaeth o edifeirwch chwaith. Adeg y Pasg a'r Pentecost, gall hyd yn oed selogion y ffydd ddweud y geiriau am y digwyddiadau mawr hyn heb brofi'r wefr a sylweddoli arswyd yr achlysuron. Mae rhywbeth braf o feddwl fod Duw fel y cymydog drws nesaf yn galw heibio am baned, ond mae angen sylweddoli hefyd ei fod yn torri drwy'r ffurfafen fel awyren enfawr. Daw gan gynnig cynhaliaeth i'r sawl sy'n llwgu, awyr iach i'r sawl sy'n brwydro am eu hanadl, a bywyd i'r sawl sy'n eu gweld eu hunain yn marw. Ei fendith ef yw'r glaw ar dir sych a'r awel sy'n bywhau.

Gweddi

Trugarha wrthyf, O Dduw, os rhoddais di ar ymyl y dudalen, neu yn y blwch gyda addurniadau'r Nadolig. Gwn dy fod yn Dduw sanctaidd ac eithriadol iawn, a dymunaf fod yn un o'th gynulleidfa di yn canu dy glod a byw dan dy fendith. Amen.

Mab Darogan Israel

Gweddi
Plygaf ger dy fron, O Dduw pob darpariaeth, ac ymddiried ynot. Rhoddaist y Beibl yn ein dwylo a'n gwahodd i'w ddarllen. Helpa fi i'w ddeall a chymhwyso ei neges ar fy nghyfer heddiw. Amen.

Darllen Eseia 9:2–7

Cyflwyniad
Roedd y proffwyd Eseia yn un o broffwydi amlycaf yr wythfed ganrif Cyn Crist ac yn gyfarwydd â defodau'r Deml. Cafodd brofiad personol o Dduw yn ei alw i lefaru ar ei ran (Eseia 6). Roedd ar y brenin Ahas ofn y cynghreiriau a gododd yn ei erbyn, a phenderfynodd droi at Tiglath-pileser, arweinydd yr Asyriaid. Cyngor y proffwyd oedd y dylai gadw rhag plygu i dalu llw i'r Asyriaid (pennod 7) ac yn hytrach ymddiried yn llaw Duw. Barn y brenin a orfu. Clywn y proffwyd yn lleisio digofaint Duw yn erbyn Ahas a'i bobl. Roedd y byd yn dywyll ac anobeithiol a dyma gefnlen wleidyddol y gân broffwydol sy'n cael ei darllen yn gyson adeg yr Adfent. Clywn y proffwyd yn cyhoeddi gobaith mewn byd o anobaith, ac yn dweud y byddai goleuni yn llewyrchu yn y tywyllwch. Cyhoeddir dyfodiad brenin delfrydol i wasanaethu'r bobl, un y byddai ei ddaioni a'i degwch yn amlwg o gyfnod ei blentyndod. Dyma un o'r caniadau enwocaf yn darogan dyfodiad y Meseia.

Myfyrdod
Mae'n siŵr bod sawl cenedl â'i hanes yn sôn am edrych ymlaen at weld dydd gobaith ar ôl cyfnod o dywyllwch ac anobaith. Dyma fydd dydd dyfod y Mab Darogan i'r Cymry, a phwy bynnag sy'n debygol o gyflawni'r ddyletswydd hon, bydd llawer yn darogan ei ddyfod yn eu cenhedlaeth hwy. Prin y bydd unrhyw ddiwylliant yn chwilio am ddyfodiad y Mab Darogan pan fydd popeth yn braf.

I lawer, mae crefydd fel cadw'r canhwyllau yn y twll dan grisiau, a bocs o fatsis wrth law. Mae crefydd yn rhywbeth angenrheidiol mewn cyfnod o arswyd neu argyfwng. Pan ddaw'r awr dywyll, yna bydd y bobl hyn yn gwybod ble i fynd. Ai dyna ein syniad ni o grefydd, ynteu a ydym, fel y plentyn a sylwodd fod y golau ynghyn yn y trên drwy'r amser, yn sylweddoli ei werth cyn bod y trên yn mynd drwy'r twnel? Ynteu a yw crefydd fel 'sat nav' yn hanfodol ym mhob rhan o'r daith, neu a yw crefydd yn fwy o awyr iach a thir cadarn o dan ein traed?

Efallai mai dim ond y bobl sy'n byw dan lywodraeth ormesol sy'n dyheu am ryddid a chyfiawnder, neu mai'r bobl sy'n gwerthfawrogi cael cyfle i sefyll wrth y lle tân yw'r sawl sy'n crynu oddi allan yn yr oerfel. Neges â realiti yw'r Nadolig am Dduw yn hawlio ei deyrnas ac yn sicrhau brenin teg a chyfiawn i'w bobl. Ni all wireddu teyrnas felly ar sail person o gig a gwaed, onibai ei fod ef ei hun yn ymddangos fel person o gig a gwaed. Nid dol sydd yn y preseb ond y Duw a ymddangosodd yn y cnawd. Wrth edrych ymlaen at y Nadolig, cofio'r gwirionedd rhyfeddol hwnnw a wnawn – ac ymroi i'w addoli.

Gweddi

Plygaf, O Dduw Dad, ger dy fron, yn ymwybodol dy fod wedi dod i'r byd i sefydlu teyrnas na all grymoedd Asyria na Babilon, Rhufain na Groeg, trais nac ariangarwch ei dinistrio. Helpa fi i ddathlu dy ddyfod i'r byd yn niniweidrwydd plentyn ac i hyrwyddo heddwch a chyfiawnder ymysg cenhedloedd daear heddiw. Ni allaf ddylanwadu ar yr hyn sydd oddi allan i'n cylch, ond rwy'n barod i rannu'r trysor mwyaf sydd gyda phobl fy myd bach i. Amen.

Ydwyf yr hwn ydwyf

Gweddi

Gwyddost, Arglwydd, mor brysur yw fy mywyd, yn ymhél â manion bethau'r byd. Caniatâ i mi dreulio egwyl dawel yn dy gwmni gan fyfyrio ar dy wirionedd heddiw. Amen.

Darllen Exodus 3

Cyflwyniad

Mae'r bennod hon yn gyfarwydd i lawer am ei bod yn adrodd hanes dramatig, ac mae'r stori yn hawdd i'w dilyn. Eto, a yw hi'n stori hawdd i'w deall? Roedd Moses wedi ei eni i Iddewes yn ystod caethiwed y genedl yn yr Aifft. Roedd Pharo wedi penderfynu lladd pob bachgen Hebreig gan fod eu niferoedd yn cynyddu ac yntau yn ofni eu bod yn mynd yn rhy gryf i'w ffrwyno (Exodus 1:15–22). Yng nghysgod yr hanes gormesol hwn y ganwyd Moses. 'Am ei fod yn dlws' cuddiodd ei fam ef a chynllwynio i adael i ferch Pharo ei ddarganfod gan adael iddi hi fod yn fam faeth i'w mab ei hun. Mae'r stori'n llawn rhamant, dyfeisgarwch a ffydd.

Ail adran yr hanes oedd i'w mab gael ei fagu ym mhalas Pharo, a dod i adnabod y meddylfryd Eifftaidd. Gwelodd anghyfiawnder yn erbyn ei bobl ac ymyrrodd yn yr hanes a lladd treisiwr Eifftaidd. Ffodd yntau i'r anialwch a chael ei dderbyn gan deulu Jethro. Llithrodd amser maith heibio rhwng yr anghyfiawnder a nodwyd yn y bennod gyntaf a datganiad a wnaed yn y drydedd bennod i Dduw alw Moses i ddychwelyd i'r Aifft ac adfer ei bobl. Mae'r hanes yn llifo fel yr epig o ffilm, ac yn y diwedd, genedlaethau yn ddiweddarach, cyrhaeddodd pobl Dduw 'wlad yr addewid'. Yr hyn sydd yn mynd ar goll ynghanol y ddrama fawr hon yw fod Duw yn ei gyflwyno ei hun mewn ffordd unigryw fel 'Yahwe' – 'Ydwyf yr hyn ydwyf' (Exodus 3:14). Beth bynnag yw hanes y genedl, yn ei llwyddiant neu ei haflwyddiant, ei gobaith a'i galar, gwyddai o hyn allan fod Duw wedi ei gyflwyno ei hun ac yn ymwneud â hanes y bobl.

Myfyrdod

Mae'r modd y bydd pobl yn eu cyflwyno eu hunain yn dweud llawer amdanynt. Bydd rhai yn rhwysgfawr a hunanbwysig, fel y milwr yn gwisgo ei fedalau er mwyn i'r byd wybod pa anrhydeddau a ddaeth i'w ran, neu'r academydd sy'n awyddus i bawb wybod am ei allu drwy ysgrifennu ei raddau helaeth wrth dorri ei enw ym mhobman. Bydd eraill yn fwy gwylaidd a gostyngedig, heb y dillad crand na'r ymgyflwyno bostfawr. Cyflwynodd Duw ei hun i fugail defaid ar lethrau mynydd Horeb, ond mewn modd cadarnhaol a diamod.

Yr un Duw a ddatguddiodd ei hun i'r byd mewn plentyn diniwed ym Methlehem Jwdea, a'i eni mewn stabl anifeiliaid heb unrhyw arwydd o'i frenhiniaeth, ei rym, ei allu na'i ddealltwriaeth. Rydym yn byw mewn oes sy'n deall 'Location, location, location' fel llaw-fer i ddoethineb wrth brynu eiddo, ond nid oedd gan Fab y Dyn le i roi ei ben i lawr.

Mae perygl i Gristnogion fynd i ddathlu'r Nadolig heb roi cymaint â hynny o sylw i ryfeddod yr Ymgnawdoliad – Duw yn ei gyflwyno ei hun i'r byd ac yn cynnig arweiniad drwy weithredu ei arglwyddiaeth. Yn hanes Moses, roedd angen iddo argyhoeddi Pharo ynghyd â'i bobl ei hun bod Yahwe yn arwain yr Exodus. Yn neges y Nadolig, mae Yahwe, y Duw cariadlon, yn galw ar bobl ffydd i'w ddilyn o gaethiwed hunanoldeb a bydolrwydd i weld a phrofi holl ogoniant teyrnas Dduw.

Gweddi

Arglwydd Dduw, rhyfeddaf at dy ras a'th gariad yn dy gyflwyno dy hun i'r byd yn Iesu Grist. Wrth i mi gadarnhau fy mod am dy ddilyn o ddifrif, helpa fi i'th gyflwyno i eraill y Nadolig hwn. Amen.

Pontio'r Hen a'r Newydd

Gweddi

Mentraf o'r newydd, Arglwydd, i'th bresenoldeb, a'th wahodd i mewn i'm bywyd. Arwain fy meddyliau heddiw, a maddau i mi bob elfen hunanol. Goleua fy llwybr, fel y caf fod wrth dy ochr. Amen.

Darllen Marc 1; Mathew 3:1–12; Luc 3:1–9; Ioan 1:19–28

Cyflwyniad

Efengyl Marc yw'r gynharaf o'r pedair Efengyl, er bod llawer yn dadlau i Luc gyflwyno drafft o'i Efengyl ef yn gynt na hynny. Dyddir Efengyl Marc tua 65 OC sef tua 35 mlynedd wedi croeshoelio Iesu. Nid oes sicrwydd o ddyddiad marwolaeth yr Apostol. Roedd Marc yn ysgrifennu cyn cwymp Jerwsalem yn 70 OC ac mae'n debyg y byddai copïau o lythyron Paul a'r epistolau eraill wedi eu dosbarthu ymysg yr eglwysi erbyn hynny. Roedd Marc yn agos at Pedr a chyfeirir ato fel 'Dehonglwr Pedr' gan rai. Nid yw'n poeni'n ormodol am ffurf lenyddol yr ysgrifennu, nac am fanylion yr hanesion mae'n eu hadrodd. Casglodd ddarnau o wahanol ffynonellau ac roedd yn awyddus i'w rhannu gydag aelodau'r eglwysi a gynyddai yn Asia ac Ewrop. Prin ei fod ef ei hun wedi clywed llawer o Iesu'n dysgu ond roedd wedi ei drwytho gan Pedr yn yr elfennau hanfodol.

Sylwn fod y pedwar Efengylydd yn cyfeirio at Ioan Fedyddiwr, gan fod y proffwyd hwnnw yn pontio rhwng yr hen oruchwyliaeth grefyddol a'r bywyd newydd roedd Iesu yn ei rannu. Wrth ddarllen yr efengylau i gyd, byddai'n dda cadw mewn cof dau gwestiwn – 'Sut Iesu mae'r pedair efengyl am i mi ei gyfarfod?' a 'Beth sydd gan Iesu i'w rannu â mi?'

Myfyrdod

Wrth sôn am ddechrau blwyddyn newydd, beth fyddwn yn ei weld yn newydd? Onid yw llif ddoe a heddiw yn un, ac nad oes dim mwy na chofnod cloc neu galendr yn dosrannu amser? Gallwn sôn am ddarddiant afon, ond mae'r dŵr yn dod o rywle, nid y ffynnon neu'r tarddiant sy'n creu'r dŵr.

Roedd yr Efengylwyr yn sylweddoli bod Iesu yn cyflawni proffwydoliaethau'r gorffennol ac yn gwireddu bwriad Duw. Ymddangosodd Iesu ar lwyfan hanes, ac er iddo fyw hyd at tua 27 oed gyda theulu a ffrindiau naturiol ei bentref, yn nigwyddiad y bedydd yn afon Iorddonen y dechreuodd ei weinidogaeth ar hyd y tair blynedd hyd at y croeshoeliad. Hyd yn oed adeg y bedydd, dim ond Ioan oedd yn sylweddoli pwy oedd Iesu. Pa syndod wedi'r cyfan? Roedd yn gefnder naturiol i Iesu, a mwy na thebyg y byddent wedi bod yn cadw cwmni i'w gilydd yn ystod eu llencyndod.

Beth felly yw'r elfen 'newydd' wrth i ni sôn am y 'Testament Newydd'? Wedi'r cyfan yr un yw Duw y ddau Destament; yr un y deyrnas nefol; yr un y dyhead dwyfol i geisio perthynas gyda dyn, a'r un yr angen dynol am fodd i brofi'r bywyd ysbrydol a theimlo ei fod yn un â'r Creawdwr. Bydd llawer o bobl am fod yn un â'r greadigaeth, ac yn ymgolli mewn golygfeydd hyfryd neu yn hyrwyddo heddwch rhwng pobloedd a'i gilydd. Cyhoeddiad yw'r Efengyl fod Duw yn ein caru, ac am i ni fod yn ei gwmni ef a byw ar y ddaear fel plant iddo. Gwahoddiad yw'r Efengyl i ni ddiosg ein hunanoldeb bydol a cheisio glendid ysbrydol. Mae Ioan Fedyddiwr yn cyhoeddi tri pheth pwysig, sef bod Duw yn gweithredu ei fwriad i agor drws rhyngddo a phobl byd; bod angen i bobl edifarhau am geisio byd heb Dduw er mwyn derbyn maddeuant Duw; ac yna mai Iesu yw cyfrwng Duw i'r cynllun mawr hwn ddigwydd. Dyma'r newyddion da, a dyma'n cyfle: bod pob heddiw yn gyfle newydd i ni ymateb iddo.

Gweddi

Arglwydd, diolch i ti am fy ngharu a'm gwahodd i rannu cwmnïaeth gyda thi. Diolch am Iesu'r dŵr bywiol sy'n golchi ac yn disychedu, y ffordd i'w cherdded, y gwirionedd i'w gredu a'r bywyd i'w fwynhau. Amen.

'Sh', mae E'n siarad

Gweddi

Arglwydd Iesu, rwy'n ceisio nesáu atat er mwyn clywed sŵn dy eiriau ac i ddysgu gennyt. Helpa fi yn y munudau hyn i ganolbwyntio arnat ti. Amen.

Darllen Marc 2:1–3:6

Cyflwyniad

Bu llawer yn ceisio gweld patrwm yn y modd y lluniwyd yr Efengylau yn gyffredinol, gan gynnwys Efengyl Marc. Ni ddaeth fawr o lwyddiant i'r ymdrechion hyn, gan i Marc gasglu'r deunydd o wahanol ffynonellau, a'u cyflwyno fel modd i arwain y gynulleidfa at yr hyn a ddywedodd Iesu (storïau datgan) a'r hyn a wnaeth (storïau gwyrth). Wrth ddarllen y testun, nid y manylion oddi mewn i'r stori sy'n bwysig, ond bod yr hanesyn yn arwain at rannu dyfyniad o eiriau Iesu neu enghraifft o'r gwahaniaeth a wnaeth ym mywyd person neu bobl. Credir bod dwy ran i'r traethawd, gyda chyffes Pedr yng Nghesarea Philipi yn drobwynt (Marc 8:27–30). Mae'r hanesion cyn hynny yn cyflwyno pwy yw Iesu, heb ddweud ar goedd ei fod yn Feseia, tra bod y datganiad mawr yn sbardun i'r cyflwyno canolog o ddiwinyddiaeth Marc.

Wrth ddarllen yr Efengyl hon bydd angen inni feddwl beth oedd nod Marc wrth ddweud y stori, pwy allai fod yn y gynulleidfa y meddyliai ef amdanynt a beth yw ergyd y dweud wrthym ni heddiw. Mae'n darllen heddiw yn cynnig enghreifftiau o'r hanesion datgan ac fe fenthyciodd Mathew a Luc yr hanesion hyn yn eu hymdrechion hwy i rannu'r newyddion am Iesu i gynulleidfa ehangach.

Myfyrdod

Bydd gan rai'r ddawn i adrodd stori mewn ffordd ddifyr, ac mae addurniadau'r adrodd cyn bwysiced â'r ergyd ar y diwedd. Bydd eraill yn awyddus i gyflwyno'r ergyd, gan mai honno sy'n cyfrif. Mae Marc yn yr ail gorlan o bobl. Tuedd rhai ohonom yw mwynhau'r ddawn dweud, ac nid yw'r diweddglo yn cyfri llawer. Bydd ambell i ddramodydd neu lenor yn mwynhau'r sgiliau llenyddol, fel nad oes fawr o wahaniaeth ble mae'r gwaith yn gorffen.

Cyflwyno person oedd nod Marc er mwyn i'w gynulleidfa wybod am y person y clywodd gymaint o sôn amdano a chael cipolwg ohono pan oedd yntau yn llanc ifanc. Clywodd Simon Pedr yn adrodd hanesion am Iesu, yr hyn a ddywedodd ac a wnaeth, ac roedd am eu cofnodi cyn bod y broses o ailadrodd yn gwanhau'r ddysgeidiaeth wreiddiol. Gall ergyd y stori wreiddiol newid wrth i'r degfed person ei rhannu i rywun o'r newydd. Diolch i gymorth recordydd sain neu gamera, gallwn ail-fyw digwyddiadau cyffrous ddegawdau yn ôl. Byddai cael ffilm o bersonoliaethau'r gorffennol – y pregethwyr Christmas Evans, Howell Harris a Daniel Rowland – yn werthfawr, er efallai y byddai hynny yn newid ein syniadau amdanynt. Beth am ffilm o anterliwt Twm o'r Nant, neu luniau o gariadon Dafydd ap Gwilym? A fyddai gwrando ar gyfweliad gyda Dewi Sant yn ein gwneud yn Gymry a Christnogion ffyddlonach neu beidio?

O fewn cyfyngiadau ei ddoniau rhannodd Marc lawer gyda ni am Iesu, a bu ei gynnig ef yn sylfaen i ymdrechion eraill i gofnodi dysgeidiaeth Iesu. Weithiau bydd rhywrai yn amharu ar wrandawiad cynulleidfa, a bydd rhywun yn galw pawb i fod yn dawel gan greu sŵn 'sh' amlwg. Mae angen pobl heddiw i ddweud hanes Iesu mewn ffordd ddifyr a pherthnasol. Er pwysiced y storïwr, mae angen pobl i ddweud 'sh' wrth synau aflafar y byd ac i dynnu sylw at y stori. Ceir llyfr difyr gan J. E. Williams yn dwyn y teitl *Glywsoch chi hon?* a bu sawl rhaglen radio ar yr un perwyl. Pe byddem yn gwrando ar Iesu'r athro'n amlach, pwy a ŵyr beth fyddai ein profiad a'n hargyhoeddiad?

Gweddi

Gwyddost, Arglwydd, fod synau'r byd yn fy myddaru yn aml. Ceisiaf aros yn dy gwmni a gwrando ar dy eiriau gan ganolbwyntio ar dy neges heddiw. Amen.

Yr Iesu Gwyrthiol

Gweddi

Arglwydd Iesu, mentraf o'r newydd i'th bresenoldeb, gan obeithio derbyn dy fendith sanctaidd. Helpa fi i sylweddoli mor fawr wyt ti, ac mor rymus yr wyt yn wyneb pob grym ac awdurdod yr wyf yn gyfarwydd ag ef. Amen.

Darllen Marc 4:35–5

Cyflwyniad

Ceir dwy ar bymtheg o 'storïau gwyrth' yn Efengyl Marc. Fel gan yr Efengylwyr eraill, nid bywgraffiad o Iesu a geir ond adroddiadau amdano, er mwyn dwyn tystiolaeth o'i alluoedd dwyfol. Yn amlach na pheidio, bydd Marc yn cynnig amser a lleoliad y digwyddiadau hyn. Awgryma hyn ei fod yn dyfynnu llygad-dyst, a bod y dystiolaeth yn wir a pherthnasol i'r sawl a fyddai yn darllen Efengyl Marc. Yn ein darlleniad heddiw, gwelwn Marc yn dwyn tystiolaeth bod Iesu yn meddu ar awdurdod dros rym y storm ar y môr, galluoedd ysbrydion aflan ac afiechyd corfforol hyd at farwolaeth. Tuedd gwrthwynebwyr y ffydd Gristnogol yw chwilio am eglurhad am y gwyrthiau, a cheisio deall sut y digwyddodd hyn. Bydd rhai carfanau o Gristnogion yn barod i ddilyn trywydd tebyg. Nid pwrpas yr adroddiadau hyn am wyrthiau yw gosod her wyddonol, na chynnig gwaith meddwl deallusol i bobl, ond yn hytrach i ddweud wrth eraill pa mor fawr a grymus yw Duw yn Iesu Grist.

Myfyrdod

Bydd y mwyafrif ohonom yn ein gweld ein hunain fel creaduriaid cyffredin heb fawr o allu neu bwysigrwydd arbennig yn perthyn i ni. Mewn portread personol, cyfeiria'r bardd R. S. Thomas ato'i hun fel 'Neb'. Cawn y syniad mai llwch y llawr ydym ac nad oes gwir bwys i ni yn nhreigl amser. Mae'n siŵr y byddai caethweision Rhufain, y sawl mae llawer yn tybio oedd ym meddwl Ioan Marc wrth iddo lunio'r Efengyl hon, yn eu gweld eu hunain yn fwyfwy felly. Nid oedd sicrwydd ganddynt o fyw tu hwnt i'r presennol. Nid oedd iddynt warant o unrhyw fath o ddyfodol. Iddynt hwy, roedd yr

Ymerodraeth Rufeinig yn rym anorchfygol, fel y stormydd a'r afiechydon, yr ysbrydion aflan a marwolaeth. Mae'n fwy na thebyg ein bod yn ymwybodol o rymoedd sy'n fwy na ni, ac na allwn eu herio. Dywed Marc fod Iesu yn fwy na'r grymoedd hyn i gyd, a'i fod ef yn gwahodd pawb, hyd yn oed y mwyaf distadl a di-nod, i rannu ei rym a'i allu. Gan fod yr awdurdod mwyaf un yn rhoi gwerth arnom gall pawb ohonom godi ei galon. Derbyniodd merch Jairus fywyd oddi wrth Iesu, ac felly roedd gobaith i bawb.

Greddf naturiol yw cydnabod galluoedd anghyffredin rhai pobl a'u clodfori mewn rhyw ffordd neu'i gilydd. Bydd gan bob maes ei drefn i anrhydeddu pobl, a'u galw yn 'sêr' neu 'celebs'. Bydd gan y mwyafrif o genhedloedd daear ryw fath o urddo er anrhydedd, boed drwy wahodd pobl i ymuno â Gorsedd Beirdd Ynys Prydain yr Eisteddfod Genedlaethol, neu ystyried anrhydedd drwy law'r frenhiniaeth Brydeinig, neu drwy gynnig rhyddfraint tref neu ddinas. Ymhen cyfnod o amser, wrth gwrs, mae'r cydnabod hwn yn cilio i'r gorffennol llwyd.

Yn hanes Iesu, ni chwenychodd gael ei gydnabod ar y pryd. 'A rhoddodd ef orchymyn pendant iddynt nad oedd neb i gael gwybod hyn, a dywedodd am roi iddi rywbeth i'w fwyta' (Marc 5:43). Eto, roedd Marc yn sylweddoli bod Iesu am i bobl gofio amdano er mwyn iddynt hwy fod mewn cymundeb ag ef (Marc 14:22–26). Tystio i'r grym a orchfygodd bob gelyn oedd amcan Marc, a dyna graidd ei neges wrth ddwyn sylw at y gwyrthiau. Pa mor rhyfeddol bynnag y wyrth, mae'r ffaith fod Duw yng Nghrist yn ein cofio a'n caru yn llawer mwy o ryfeddod, ac yn hawlio ein hymateb.

Gweddi

Deuaf atat, Arglwydd Iesu, yn wylaidd ac yn ddiolchgar dy fod yn fy nghofio a'm caru. Plygaf ger dy fron o'r newydd gan gydnabod dy allu anghymharol a'th fawredd sydd y tu hwnt i fesur. Derbyn fi a maddau fy ngwendidau amlwg ac anamlwg. Amen.

Rhyfeddol

Gweddi

Diolch i Ti, Arglwydd, am fod ar gael pryd bynnag rwyf yn dy geisio. Plygaf heddiw yn fy ngwendid ac yn fy awydd i'th addoli. Helpa fi i weld Iesu'r Atgyfodiad yn yr hanesion amdano cyn y digwyddiad rhyfeddol hwnnw, ac i sylweddoli ei fod yn fy myd i. Amen.

Darllen Marc 7–8

Cyflwyniad

Un o nodweddion Efengyl Marc yw ei bod yn gasgliad o hanesion am Iesu. Nid oes cymaint â hynny o ffurf iddynt, ond bod awydd yr awdur i ddweud am Iesu yn amlwg. Mwy na thebyg i Marc glywed y mwyafrif o'r hanesion gan Pedr, er mae'n siŵr iddo glywed tystiolaeth o ffynonellau eraill hefyd. Dywedir mai ef ei hun oedd y bachgen ifanc yn Marc 14:51–52. Aeth tri deg mlynedd a mwy heibio ers y croeshoelio, ac roedd yn awyddus i gofnodi a rhannu'r hanesion hyn gyda'r ail genhedlaeth o Gristnogion yr Eglwys Fore. Nodwyd yn flaenorol y byddai'n adnabod llawer o Gristnogion Rhufain, gyda chanran uchel ohonynt yn gaethweision. Adrodd yr hanes a dweud am Iesu fyddai ei brif fwriad. Wrth ddarllen Efengyl Marc, dylem ddychmygu sut y byddai'r gwrandawyr cyntaf yn ymateb wrth i rywrai ddarllen copi o draethawd Marc iddynt. Cyflwyno person Iesu oedd ei nod, ac mae'n briodol i ni gofio amcan a chynulleidfa'r awdur wrth ddarllen ei waith.

Myfyrdod

Yn ystod degawd cyntaf yr unfed ganrif ar hugain, gwelwyd cynnydd sylweddol yn nifer y cyfrolau o hunangofiannau a bywgraffiadau. Mae'r gweisg wedi llwyddo i berswadio amryw o bobl enwog yn eu meysydd i ddatgelu rhywfaint ar eu hanes, a hynny er mwyn bodloni awch y darllenwyr i wybod mwy am yr enwogion hyn. Yn yr un modd, cawn gyfle i fwynhau portreadau'r bywgraffydd wrth iddo adrodd stori ei wrthrych. Blas o'r hanes a gawn yn y llyfrau hyn, ac ni allant fod yn gwbl wrthrychol, gan fod yn rhaid dewis a dethol. Tuedd yr hunangofiant yw diolch am ddylanwad eraill, tra bod y cofiannydd yn amlach na pheidio yn awyddus i werthfawrogi nodweddion y person dan sylw. A bod gennym y cyfle i lunio bywgraffiad o berson a fu'n ddylanwadol yn ein hanes ni, pwy fyddai'r person hwnnw, a beth fyddem am ei gyflwyno?

Naratif ail-law sydd gan Marc wrth sôn am Iesu. Roedd wedi clywed Pedr yn sôn am ei argyhoeddiadau a'i brofiadau am Iesu, a bu i dystiolaeth Pedr, ac eraill mae'n siŵr, adael argraff annileadwy ar y cofnodydd ifanc. Byddai Marc yn swn hanner cant oed wrth lunio'r traethawd, ac am roi tystiolaeth fyw yn nwylo'r Eglwys Fore. Wrth ddarllen yr Efengylau i gyd, cawn wefr o weld yr anhygoel yn y lluniau, a rhyfeddu at Iesu, yr hyn a ddywedodd ac a wnaeth. Nid hanes person da sydd yn yr Efengylau, ond portreadau o'r person a ddaeth yn fyw er iddo gael ei ladd, ac i'w ysbryd gyffwrdd â phobl na chawsant erioed gyfle i'w weld na'i glywed. Onid felly y bu erioed? Bydd rhai yn siŵr o ddweud na allai unrhyw un drawsnewid bwyd bachgen ifanc yn ddigon i borthi'r miloedd, gerdded ar y dŵr neu iacháu pobl. Byddai Marc yn dweud bod y sawl a brofodd gwmnïaeth Iesu wedi'r atgyfodiad yn medru credu bod popeth yn bosibl, ac mai afresymol yw gwrthod credu.

Gweddi

Nefol Dad, diolch am y profiadau a gafodd y disgyblion gynt o Iesu, a gweddïaf y byddi yn fy helpu i i brofi'r un Iesu yn fy mywyd. Agor fy llygaid a'm clustiau i weld a chlywed Iesu yn gliriach nag erioed o'r blaen. Amen.

Profiadau mawr bywyd

Gweddi

Arglwydd Dduw, plygaf o'r newydd ger dy fron gan ddiolch am freintiau fy mywyd, ac yn arbennig yr anrhydedd o fedru sôn am fy mhrofiad ohonot ti. Cynnal fi â'th ras a bywha fi yn dy Ysbryd. Amen.

Darllen Marc 8:27–9:29

Cyflwyniad

Mewn sawl modd, mae'r adroddiad am Iesu yn holi'r disgyblion yng Nghesarea Philipi yn ganolog i'r naratif amdano. Cesarea Philipi oedd y man mwyaf gogleddol yr aeth Iesu iddo, ac yn yr hanes hwn clywn Iesu yn gofyn i'w ddisgyblion pwy oedd y bobl yn tybio oedd ef. Cawn yr ateb ei fod yn ymddangos yn debyg i un o'r proffwydi mwyaf yn yr Hen Destament. Roedd eraill yn ei weld fel Ioan Fedyddiwr, neu un o'r proffwydi. Pan ofynnodd Iesu i'r disgyblion beth oedd eu hateb hwy i'r un cwestiwn, etyb Pedr ar ran y gweddill drwy ddatgan mai Iesu oedd y Meseia.

Yn yr hanesion hyd at yr adroddiad hwn, roedd y pwyslais gan Iesu na ddylid dweud wrth y byd ei fod yn Fab Duw, neu yn Feseia. Ar ôl y digwyddiad hwn, ceir agwedd wahanol gan Iesu, ac mae ef yn sôn am ei ddioddefaint a'i farwolaeth; daw dwyfoldeb Iesu yn amlycach. O fewn yr wythnos (sylwch ar fanylder y cofio gan Pedr), aeth Iesu gyda Pedr, Ioan ac Iago i fyny mynydd uchel. Profodd y tri disgybl wefr ryfeddol, gan gadarnhau eu bod hwythau wedi deall bod Iesu nid yn unig yn Feseia, sef gwaredwr dynion, ond hefyd yn Fab Duw, a fodlonodd y Duw ei hun. Pa ryfedd fod Pedr yn cofio digwyddiadau'r wythnos hon? Onid rhyfeddod mwy ei fod yn gwadu Iesu ddeunaw mis yn ddiweddarach ar gyhuddiad merch ifanc? Mor frau yw dynion.

Myfyrdod

Bydd gan lawer ohonom brofiad sy'n ganolog i'n bywyd. Gall fod yn gyfarfod person a ddylanwadodd yn fawr arnom, neu yn sylweddoliad arwyddocaol a newidiodd gwrs ein gyrfa. Mae'r profiadau yma fel sylfaen adeilad, neu gyffordd ar daith.

Rhannodd Simon Pedr lawer gyda Marc, ac mae'n siŵr y bu eiliad y gwadu yn pwyso'n drwm arno. O bosibl, bu digwyddiad Cesarea Philipi yn gresendo fawr ar ei daith ysbrydol, ond doedd hyd yn oed cael yr ysbrydoliaeth o ddweud un o frawddegau mwyaf bywyd ddim wedi ei arbed rhag ceisio achub ei groen ei hun. Nid oedd cael bod yn un o'r triawd breintiedig yn cerdded gydag Iesu i ben y mynydd a chlywed llais Duw yn ddigon chwaith. Pa mor rhyfeddol bynnag ein taith ysbrydol gyda Duw, gallwn gymryd y troad anghywir, a cholli'n ffordd yn hawdd. Mwy na thebyg bod arswyd y camgymeriad mawr hwnnw ym mywyd Pedr wedi bod yn destun sawl pregeth ganddo, ac iddo fedru dweud wrth ei gynulleidfa bod Iesu'r Atgyfodiad wedi maddau iddo a'i gofleidio er ei fai.

Mae'n siŵr fod Pedr wedi egluro droeon i'w wrandawyr beth oedd gwir ystyr y gyffes fawr 'Ti yw'r Meseia', sef bod Iesu yn offeryn yn llaw Duw i waredu Israel o'i thynged. Gwadu Duw wnaeth y genedl, dro ar ôl tro, a byw yn y dybiaeth nad oedd Duw yn berthnasol nac yn bwysig i'r unigolyn nac i'r genedl, ac y gallai dyn fyw heb Dduw. Gwyddai Pedr fod dyn yn methu cofleidio Duw heb fod Duw yn gyntaf yn cofleidio dyn, a dyna oedd gwaith Iesu. Bob tro y byddai Iesu yn ei dderbyn ef, gwyddai fod Duw yn ei garu. Rhannu hynny oedd ei waith weddill ei oes, a rhannu'r gwirionedd y gallai ymerawdwr a chaethwas fel ei gilydd fod yn frodyr yn nheulu Duw. Gwir gresendo bywyd Pedr oedd profi maddeuant ei ffrind pennaf, sef Iesu'r Gwaredwr, a chanu ei glodydd oedd ei nod weddill ei fywyd. Mae Efengyl Marc yn ymdrech ar ran Pedr i ddweud hynny.

Gweddi

Drugarog Dduw, maddau i mi am bob gair ac ystum o'm heiddo sy'n dy wadu, neu droi oddi wrthyt. Helpa fi i rannu gydag eraill fy mod yn gwybod mai ti yw'r Meseia, Gwaredwr y byd. Amen.

Byddwch wyliadwrus

Gweddi

Mentraf i'th gysegr, Arglwydd, a gofyn am dy arweiniad di ar fy myfyrdod heddiw. Amen.

Darllen Marc 13

Cyflwyniad

Roedd awduron y Testament Newydd yn drwm dan ddylanwad y syniadaeth Iddewig, a daw llawer o'u rhagdybiaethau hwy i'r golwg. Un o'r rhain oedd y syniad escatolegol (y pethau diwethaf) am Dduw yn creu'r bydysawd gydag un diben i'r greadigaeth. Y gred oedd bod grymoedd drygionus ar waith, ac mai amcan Duw oedd dileu'r grymoedd hynny ac ail hawlio'r byd iddo'i hun. Roedd y syniad yn bod y byddai hynny'n gyfystyr â diwedd y byd, a bod hynny'n mynd i ddigwydd yn fuan yn y ganrif gyntaf. Roedd y syniad o 'deyrnas' yn gyfystyr â rheolaeth lwyr Duw dros y byd, ac y byddai Duw yn brwydro yn erbyn y 'grymoedd drwg' neu'r 'ysbrydoedd aflan' hyn. Roedd diwedd y byd yn apocalyptaidd, ac ym mhennod 13 o Efengyl Marc, daw llawer o'r syniadau hyn i'r golwg. Wrth ddarllen deunyddiau'r Testament Newydd, mae'n bwysig ein bod yn cadw mewn cof gefndir crefyddol a gwleidyddol y sawl a luniodd ac a ddarllenai'r dystiolaeth am ddyfod Iesu i'r byd, ei fywyd, ei farwolaeth a'i atgyfodiad.

Myfyrdod

Pa mor aml y clywsom berson yn dweud 'bod y byd ar ben' pan fo rhywbeth anffodus wedi digwydd? Beth allai fod wedi digwydd i ni ddweud hynny? Mae'r byd yn dal i droi yn wyneb pob marwolaeth a thrasiedi, pob rhyfel a dinistr. Dyw'r byd ddim ar ben, ond bod gobeithion a dyheadau unigolyn yn ymddangos fel pe byddent yn dod i ben. Ceir arddangosfa wych yn Amgueddfa Genedlaethol Cymru ym Mharc Cathays o hanes Cymru ym mhob oes, a thir Cymru o dan orchudd iâ am fesur o amser, yna yn dod i'r wyneb eto. Dealltwriaeth lythrennol oedd gan awduron y Testament Newydd wedi'r cyfan o'r amser terfynol.

Beth fyddai'n digwydd pe byddai'n byd personol ni yn dod i ben? Mae gan y corff ddawn ryfeddol i'w adfer ei hun a goroesi pob math o ddamweiniau ac eithrio diwedd terfynol ein cyrff. Nid oes gan ddyn y modd o adfer bywyd i gorff marw er holl dechnoleg meddygaeth a'r gallu i drin afiechydon o bob math. Pa faint mwy y gellir ei wneud i drawsblannu organau o un corff i'r llall, a pha bryd y bydd modd defnyddio celloedd sylfaenol (stem cells) y corff i ailffurfio organau, esgyrn neu gyhyrau dyn? Pwy a ŵyr? Erys realiti marwolaeth i bawb, ac er i Lasarus gael ei atgyfodi o'r bedd, bu farw'n derfynol rywbryd, fel Mair a Martha, merch Jairus a mab y wraig weddw o Nain.

Erys y gosodiad sylfaenol fod yna ysbrydoedd drwg oddi mewn i bawb ohonom. Gair y Beibl amdano yw 'pechod', sydd yn rym hunanol bydol gwrth-sanctaidd. Beth sy'n ein denu i 'bechu' ond lleisiau gwawdlyd hunandybus a bydol eu hanian? Ceir lleisiau sy'n temtio unigolyn a chymdeithas i gredu nad oes drwg mewn drygioni, a bod lles mewn nodweddion sy'n difa. Clywsom ryfyg rhai yn cyfiawnhau rhyfel fel modd i leihau'r boblogaeth, er mwyn sicrhau bod yr hil ddynol i barhau tu hwnt i gyfnod tlodi eang.

Credai William Williams Pantycelyn a llawer eraill bod diwedd y byd yn dod yn 1800, sef troad y ganrif. Cynigir dyddiadau ar sail pob math o ragdybiaethau gan ystod eang o bobl, a'r alwad i fod yn wyliadwrus. Yr hyn na ellir ei wadu yw bod angen i bawb fod yn barod pan ddaw diwedd ein cyfnod personol ni ar lwyfan byd. Os yw ein tybiaethau ni am oes y bydysawd a diwedd y byd yn wahanol i feddylfryd Iddewon y ganrif gyntaf, erys yr un braw a'r un angen. 'Byddwch wyliadwrus!'

Gweddi

Maddau i mi, O Dduw, wrth i mi feddwl fy mod yn drech na'm hamgylchiadau. Saf wrth fy ymyl, er mwyn trechu fy ngelynion pennaf, fy marwolaeth a'm hunanoldeb fy hun. Amen.

Mab y dyn

Gweddi

Arglwydd Iesu, gwn nad yw bywyd unrhyw un yn berffaith, ac nad ydym wedi sylweddoli'n iawn dy fod yn gofyn i ni agor drws ein henaid i ti. Yn y munudau hyn, agoraf fy mynwes i ti yn wylaidd ac yn llawen. Amen.

Darllen Marc 14

Cyflwyniad

Roedd Iesu yn awyddus i bobl beidio â chyfeirio ato fel Meseia, nac adrodd hanesion yn gyhoeddus am ei rym a'i awdurdod, hyd yr amser o'i ddewis ef i gyhoeddi yn union pwy ydoedd. Dewisodd ddefnyddio'r term 'Mab y Dyn' sawl tro, a hynny i ddangos ei fod yn berson o gig a gwaed ac yn byw fel un a ddaeth i wasanaethu. Er mwyn gwerthfawrogi arwyddocâd y term, bydd angen cyfeirio at 'y Gwas Dioddefus', sef corff o gredo'r Iddew sy'n gysylltiedig yn bennaf â llyfr y proffwyd Eseia. Yno roedd yr un a fyddai'n 'gwaredu' ei bobl drwy ddioddef ac yn cymryd arno'i hun boen ei bobl.

Mae'r bennod sydd yn sail i'n myfyrdod heddiw yn cysylltu gwaith Iesu fel 'Mab y Dyn' a'r 'Gwas Dioddefus' â Guyl y Pasg. Byddai'r Pasg yn cofio Duw yn 'gwaredu', hynny yw arwain, y bobl o gaethiwed yr Aifft i ryddid. Wrth egluro hyn i'r caethweision yn Rhufain, byddai Ioan Marc yn cynnig iddynt ryddid, tu hwnt i gadwyni caethwasiaeth, a rhannu urddas amgenach nag urddas pobl.

Myfyrdod

Bydd hysbysebion yr RSPCA yn dangos anifeiliaid sydd yn cael eu camdrin yn creu ymdeimlad o ddicter yn aml, boed mewn cartrefi preifat, canolfannau magu cŵn efallai, neu mewn sŵ. Sut brofiad felly yw hi bod person yn disgrifio ei fywyd ef neu hi fel bywyd ci? Cawn ein hysgwyd i'r byw pan ddaw stori yn y wasg yn sôn am bobl yn cael eu cludo o berfeddion yr Affrig neu o bellteroedd dwyrain Ewrop a thu hwnt i'w gwerthu i'r sawl sy'n rhan o'r fasnach rhyw. Beth fyddai ei eisiau i'w rhyddhau o'r fath ormes?

Carchar gwahanol, ond yr un mor ingol, yw gweld pobl yn achosi poen i'w corff eu hunain, yn y dybiaeth eu bod yn annigonol neu'n fudr. Ceir amrywiaeth o resymau dros wneud hyn, ond bydd rhai yn sôn eu bod yn euog neu'n annigonol a bod rhywbeth drwg oddi mewn iddynt eu hunain ac angen rhyddhau gwaed fel modd o lanhad. Oni bai ein bod wedi mynd drwy'r fath wewyr, ni allwn ddeall yn iawn.

Geiriau tebyg, ond ar wastad ysbrydol, yw cri'r sawl sy'n ymwybodol o'u hangen fel bodau ysbrydol. Nid ydym yn sanctaidd, ac mae ein cyffes o fydolrwydd a'n hunanoldeb yn uniaethu â'r gair Beiblaidd sy'n galw pobl yn bechaduriaid. Deall y ffydd Gristnogol yw bod Iesu yn ddwyfol ac wedi dod yn ddyn er mwyn bod lle yr ydym ni, ac yn rhyddhau'r sawl sy'n gaeth i bechod. Dyna ddeall Marc o eiriau Iesu pan ddywedodd,

'Oherwydd Mab y Dyn, yntau, ni ddaeth i gael ei wasanaethu ond i wasanaethu, ac i roi ei einioes yn bridwerth dros lawer'(Marc 10:45).

Daeth Iesu Grist o'r nefol dir â llond ei galon fwyn
O gariad at drigolion llawr, a marw er eu mwyn.

(Gomer, *Llawlyfr Moliant* 38)

Gweddi

Dduw Dad, diolch i ti am ddod i'm bywyd ac i eistedd lle yr eisteddaf i. Helpa fi i'th ddilyn yn ostyngedig a diolchgar. Gweddïaf dros bawb sydd yn y carchar heddiw oherwydd eu cydwybod, ac am y bobl hynny sy'n cael eu trin fel anifeiliaid. Boed i'th Ysbryd ddylanwadu ar bawb ohonom i weithio dros gyfiawnder a rhyddid ac i ryddhau'r bobl hyn o'u caethiwed. Amen.

Seinio buddugoliaeth

Gweddi

Grist y Groes, cywilyddiaf gyda'r miloedd ar filoedd sy'n euog o ddibrisio dy farwolaeth drwy droi cefn arnat. Diolch dy fod wedi edrych arnaf mewn trugaredd a'm derbyn innau i'th gwmni. Wrth fyfyrio ar dy Air heddiw, helpa fi i agor drws fy enaid yn lletach ac i weld yn llwyrach dy fod yn awyddus i mi weld dy ryfeddod cariadlon di. Amen.

Darllen Marc 14:51, 66–15:41

Cyflwyniad

Un o nodweddion amlycaf Efengyl Marc yw ei symlrwydd garw: mae'n dweud beth ddigwyddodd yn ddi-ffws a diaddurn. Cyfeirir at Simon o Gyrene fel tyst y gallai'r eglwys fore uniaethu ag ef, a nodir bod yr arweinwyr Iddewig yn elyniaethus at Iesu (15:29–32). Sylwer bod Marc yn awyddus i'r darllenydd sylweddoli bod y Croeshoeliad yn rhan o fwriad Duw, a bod y digwyddiad yn cyflawni elfennau o Salmau 22 a 69, ynghyd â rhoi arwyddocâd newydd i ganiadau'r Gwas Dioddefus (Eseia 53). Nid ar ddamwain a hap y bu i Iesu farw mewn ffordd mor arswydus, ac felly roedd pwrpas y cyfan yn berthnasol i'r ddynoliaeth gyfan.

Bydd rhai yn tybied mai mewn unigrwydd llwyr roedd Iesu ar y Groes yn llefaru geiriau cyntaf Salm 22, 'Fy Nuw, fy Nuw, paham yr wyt wedi fy ngadael?' Wrth ddyfynnu dechrau'r Salm, roedd yn cadarnhau neges ei diweddglo: 'Ond byddaf fi fyw iddo ef, a bydd fy mhlant yn ei wasanaethu; dywedir am yr Arglwydd wrth genedlaethau i ddod, a chyhoeddi ei gyfiawnder wrth bobl heb eu geni, mai ef a fu'n gweithredu' (adn. 29–31). Nid brawddeg o wewyr marwolaeth sydd yno, ond cri'r buddugoliaethus.

Myfyrdod

Arwr mawr Marc oedd Simon Pedr, a gwelir yn yr Efengyl y naill yn cyflwyno atgofion y llall. Mae'n bwysig ein bod yn cofio hynny wrth sylwi ar Marc yn dwyn sylw arbennig at wendid Pedr pan wadodd Iesu yng nghyntedd tŷ'r archoffeiriad. Pe byddai aelodau'r eglwys yn y ganrif gyntaf yn ei chael yn anodd cadarnhau'n gyhoeddus eu bod yn ganlynwyr Iesu, gallent droi at yr adran hon a sylweddoli bod un o'r prif apostolion wedi gwadu Iesu hefyd. Yn 14:51, tybir mai Ioan Marc ei hun oedd y gŵr ifanc a ddihangodd yn noeth o afael y milwyr, fel pe bai Marc ei hun yn dweud, roeddwn i yno hefyd, ond cilio i'r gwyll wnes i.

Ni fydd unrhyw un yn dathlu llwfrdra, ond mae'r eglwys fore, drwy bwyslais Marc yn y bennod hon, yn dangos ei bod yn deall ac yn cydymdeimlo â'r ofnus a'r ansicr. Onid dyna natur dyn? Faint o filwyr a gafodd eu herio ar faes y gad a cheisio dianc? Faint o bobl fel y gŵr ifanc yn adnod 51 lithrodd nôl i'r gwyll? Mae'n cymryd mesur rhyfeddol o ddewrder i herio'r gelynion a hawlio bod Iesu yn fyw. Croeshoeliwyd Pedr hefyd, fel eraill o arweinwyr yr eglwys fore, oherwydd ei ffydd. Faint o Gristnogion sydd yn yr unfed ganrif ar hugain yn cael eu gwawdio a'u carcharu oherwydd eu ffydd ddiymwad yn Iesu Grist? Pa mor amlwg a chlir y bydd Cristnogion heddiw yn rhannu eu profiad a'u cyffes am Iesu wrth eraill?

Dengys Marc fod yr arweinwyr Iddewig wedi mynd allan o'u ffordd i geisio gwaredu Iesu o'u byd. Defnyddiwyd twyll a chynllwyn er mwyn hynny, ac erys y rhybudd i'r eglwys ar draws y canrifoedd nad yw llwybr ffydd yn hawdd a di-boen. Ni all y sawl a brofodd gymundeb Iesu gyfaddawdu gyda'r byd.

Gweddi

Nefol Dad, derbyn fy niolch dy fod wedi agor ffordd i mi i'th weld di, ac y gallaf brofi dy gwmni. Cadarnha fy ffydd er mor wanllyd yw yn aml, fel y gallaf helpu eraill i weld Iesu ac i wybod ei fod yn fyw yn fy mywyd i. Amen.

Y tir o dan fy nhraed

Gweddi

Cymorth fi, Arglwydd, i nesáu ger dy fron heddiw, a minnau'n mentro i ddarllen rhan o Efengyl Mathew. Diolch am ei awydd ef i rannu'r gwirionedd am Iesu i'w genedl, a helpa fi i rannu fy mhrofiad ohonot gyda'm pobl innau. Amen.

Darllen Mathew 5:2–16; 7

Cyflwyniad

Byddwn yn ystyried yr Efengylau fel darnau cyfarwydd o'r Beibl, gan dybied ein bod yn eu deall. Yn amlach na pheidio, deall y darnau cyfarwydd a wnawn, heb sylweddoli beth oedd cymhellion yr ysgrifennu, na chyd-destun y gwaith. Ysgrifennodd Mathew ei draethawd yntau o leiaf ddegawd ar ôl Marc, ac ar wahân i fedru benthyg deunydd Marc, medrai dynnu ar ffynonellau eraill. Dyfynnodd yn sylweddol o'r Hen Destament er mwyn dangos bod Iesu yn cyflawni'r proffwydoliaethau yno ac mai Iesu oedd y Meseia yr oedd yr Iddewon yn ei ddisgwyl. Roedd tyndra rhwng Iddewon Cristnogol a phobl Gristnogol o genhedloedd eraill, ac mewn sawl gwedd, roedd ymdrech Mathew yn ceisio ateb y cenhedloedd eraill ar y naill law ac annog ei gyd-Iddewon i gredu yn Iesu ar y llaw arall. Credai Mathew fod diwedd y byd yn dod yn fuan (Mathew 25:31–46) a lliwiodd hynny lawer o'i neges hefyd. Rhennir ei waith yn drefnus i bum isadran, ac ar ddiwedd pob un ceir y motiff 'Pan orffennodd Iesu ...' (7:28; 11:1; 13:53; 19:1; 26:1). Nod Mathew oedd cyflwyno Iesu a'i ddysgeidiaeth i'w bobl, ac mae yn ysgrifennu ei waith yn grefftwaith cyffrous, gan gofio pwy oedd ei gynulleidfa.

Myfyrdod

Un o nodweddion llenyddiaeth Gymraeg ar draws y canrifoedd diweddar fu llunio cofiannau, ac yn ystod y degawdau diweddar daeth bri ar gyhoeddi a darllen hunangofiannau. Gwelai'r gweisg fod yna incwm i'w wneud drwy gymell pobl ar y llwyfan cyhoeddus i adrodd eu hanes ac i rannu storïau 'blasus' am eu gorffennol. Mae'n dda bod yna ddarllen yn y

Gymraeg, beth bynnag y deunydd. Serch hynny, pam fod y cyhoedd yn cael blas ar glywed hanesion preifat pobl felly? Ai chwilfrydedd diniwed neu reddf fusneslyd? Sawl ebychiad 'wel wel-aidd' a wnaed wrth bori drwy'r tudalennau hyn?

Ein greddf yw barnu pobl a gosod ein ffon fesur ni ar fywydau pobl eraill heb ystyried a yw'r sylw yn deg neu a oes mwy i'r hanes na'r hyn sy'n ymddangos ar yr wyneb. Pwy sy'n ddi-fai yn ein byd, a phe bai'r byd a'i gefnder yn ein gweld ninnau'n llwyr, beth fyddai eu hymateb tybed? Eto, felly mae Duw yn ein gweld. Yn yr Epistol at yr Hebreaid (4:12), deallwn fod gair Duw yn gweld oddi mewn i ni 'hyd at wahaniad yr enaid a'r ysbryd, y cymalau a'r mêr'. Os nad yw dyn i farnu ei gyd-ddyn, dywedir bod ffrwyth bywyd dyn, sef ei weithgaredd (Mathew 7: 15–20) yn dwyn tystiolaeth i'w feddwl a'i enaid. Pwy feiddia sefyll yn unionsyth a hunangyfiawn?

Mae'r Bregeth ar y Mynydd yn gorffen drwy ddweud bod Duw o hyd yn darparu ar gyfer angen dyn (7:7–12), ac yn ein hannog i adeiladu ein bywydau ar sylfaen gadarn. Mae ffydd ysbrydol person a moesoldeb ein bywydau yn sylfeini pwysig i'n bywydau beunyddiol. Pa mor gadarn felly yw ein ffydd, ac a yw ein gwerthoedd yn adlewyrchu gwerthoedd Iesu?

Gweddi

Trugarha wrthyf, Iesu, am bob elfen o'm bywyd sy'n cynnig ffrwyth gwael. Helpa fi i ddarganfod tir cadarn o dan fy nhraed ac i osgoi barnu eraill. Amen.

Y grym sy'n goresgyn gwendid

Gweddi

Plygaf yn wylaidd ger dy fron gan gydnabod fy methiant i rannu fy nhystiolaeth gerbron eraill yn wyneb her y byd a'i bobl. Dymunaf ymgryfhau yn y ffydd, a gweddïaf y bydd y myfyrdod heddiw yn helpu i wneud hynny. Amen.

Darllen Mathew 10

Cyflwyniad

Gwelir ail adran Efengyl Mathew ym mhenodau 8–10, ac yn dilyn adroddiadau am ddigwyddiadau eraill, ceir trafodaeth ym mhennod 10 ar apostolaeth, sef gwaith cenhadol yr eglwys, a'r rhybudd y bydd erledigaeth i'r dyfodol. Hanfod yr apostolaeth yw 10:32–33, sef cadarnhau bod y dystiolaeth gyhoeddus yn cael ei gwobrwyo, ond bod gwadu Iesu hefyd yn dwyn ei ganlyniadau. Mae Mathew yn rhybuddio ei ddarllenwyr bod yr eglwys yn mynd i weld dioddefaint, a bod yr Efengyl fel cleddyf yn mynd i beri ymrannu rhwng pobl a'i gilydd. Daw'r uned i ben gyda Mathew yn nodi, 'Pan orffennodd Iesu roi cynghorion i'w ddeuddeg disgybl, symudodd oddi yno er mwyn dysgu a phregethu yn eu trefi hwy' (11:1). Nid yw Iesu yn aros yn ei unfan ac mae'r sawl sy'n dweud eu bod am ei ddilyn yn gorfod symud hefyd!

Myfyrdod

Bydd y sawl sy'n gyfarwydd â gemau tîm yn ymwybodol o eiriau'r hyfforddwr neu'r capten ar ddechrau'r gêm. Cyflwynir y tactegau a chynigir ysbrydoliaeth gadarnhaol i'r aelodau fel grŵp ac fel unigolion. Dyfynnwyd Carwyn James droeon yn dweud wrth dîm y Llewod yn 1971 yn Seland Newydd am herio'r gwrthwynebwyr yn gryf cyn iddynt hwy herio'r Llewod. Dywedodd, 'Get your retaliation in first.' Prin y byddai Carwyn am annog gornest focsio ond roedd wedi gosod cyweirnod ei ddisgwyliadau a rhybuddio'r tîm y byddai'r ornest ar y cae yn frwydr galed a phoenus.

Wrth baratoi ei ddisgyblion i fod yn apostolion, roedd Iesu yn egluro i'w ffrindiau na fyddai eu llwybr yn un hawdd. Bydd ar y sawl sy'n ymroi i dystio i enw Iesu angen clywed yr un rhybudd, a bod yn effro i'r un peryglon. Yn nofel Marion Eames, *Y Stafell Ddirgel*, darlunnir y Crynwyr yn ardal Dolgellau yn ymwroli i sefyll yn gadarn a derbyn carchariad yn hytrach na gwadu eu ffydd yn Iesu. Pan ddaw'r ffydd Gristnogol yn grefydd y wladwriaeth, yna mae'n hawdd arddel y ffydd, ond pan fydd y ffydd Gristnogol yn ddieithr i'r llywodraeth, mae erlyniad yn bosibl o hyd. Faint o Gristnogion sydd yn y carchar oherwydd y ffydd ar hyn o bryd? Sawl un na chafodd ei haeddiant o ran swyddi neu gyfleoedd yn y gymuned oherwydd ei ffydd yn Iesu? Beth yw'r gost o fod yn ddisgybl? Dyna oedd teitl llyfr byd-enwog gan Dietrich Bonhoeffer, a thalwyd y pris eithaf ganddo am herio'r sefydliad yn yr Almaen yn 1945. Byddai'n fuddiol i ni ofyn beth yw cost bod yn ddisgybl ym mhob gwlad a phob oes. A yw gonestrwydd yn talu'r ffordd, ac onid ydym yn euog o guddio'r gwirionedd neu ddal yn ôl rhag sefyll wrth egwyddor bob tro?

Yn ystod y canrifoedd cynnar, gwelodd yr eglwys gynnydd eithriadol, ac er bod yr ymerodraeth Rufeinig wedi erlid Cristnogion, eu carcharu a'u lladd, yn y diwedd daeth yr ymerodraeth yn gyfrwng y genhadaeth. Tyfodd yr eglwys ar draws Ewrop ac erbyn hyn mae'r eglwys yn cynnig ei thystiolaeth ym mhedwar ban byd, '...a phyrth uffern nis gorchfygant hi'.

Gweddi

Maddau i mi, Nefol Dad, os wyf yn cymryd y dewisiadau hawdd a chyfforddus, ac yn anufudd i ti. Trugarha wrthyf yn fy ngwendidau. Cofiaf am y sawl sy'n cael eu poenydio oherwydd eu ffydd ynot ac yn byw'r ffydd o ddydd i ddydd. Amen.

Ble mae'r efrau?

Gweddi

Arglwydd Dduw, bu cyfnod pan oeddwn yn canu 'Hyfryd eiriau'r Iesu, bywyd ynddynt sydd, digon byth i'n harwain i dragwyddol ddydd,' heb sylweddoli mor wir a pherthnasol oedd yr emyn. Helpa fi i wrando'n well ac i gymryd mwy o sylw o eiriau Iesu heddiw. Amen.

Darllen Mathew 13

Cyflwyniad

Mae'r drydedd adran yn Efengyl Mathew yn nodi'r modd y derbyniwyd neges Iesu gan ystod eang o bobl. Yna ym mhennod 13, ceir cyfres o ddamhegion ganddo cyn cyrraedd y motif lle y dywed yn 13:53, 'Pan orffennodd Iesu'r damhegion hyn, aeth oddi yno.' Yn yr uned flaenorol, cofiwn fod Mathew yn atgoffa'i ddarllenwyr am gomisiwn Iesu i genhadu ac yn eu paratoi i wynebu erledigaeth. Yn yr uned hon, mae'n atgoffa'r darllenwyr yn y ganrif gyntaf, a phob canrif, bod pobl yn ymateb mewn ffyrdd gwahanol. Ym mhennod 13 ceir nifer o ddamhegion yn sôn am bwysigrwydd hau'r had, ond bydd had estron a pheryglus yn cyd-dyfu yn yr un cae. Mae angen casglu'r efrau a'u gwaredu.

Bydd llawer yn cofio'r diffiniad hwylus o ddameg, sef 'stori ddaearol ac iddi ystyr nefol'. Weithiau byddwn yn cofio eglureb mewn pregeth heb ddeall na chofio'r neges. Er mor ddifyr yw ceisio deall dameg yn ei chyd-destun, mae gofyn i ni feddwl beth oedd y llefarydd am ddweud wrth ei gynulleidfa a beth a ddywed wrthym ni fel unigolion. Beth ddywed y damhegion yn y bennod hon wrthym ni am yr hyn sy'n werthfawr mewn bywyd ac a ydym yn ei drysori?

Myfyrdod

Bydd y rhan fwyaf o bobl gall a gwaraidd yn gyrru o fewn y cyfyngiadau cyflymder a nodir gan yr arwyddion. Pwy wedi'r cyfan sydd am gael ei ddal gan y camerâu cyflymder heb sôn am achosi damwain? Mae'r un egwyddor yn wir wrth nofio yn y môr oddi allan i'r mannau diogel a nodir gan y baneri priodol.

Bydd y sawl sy'n anwybyddu rhybudd mewn perygl o dalu'r pris. Byrdwn yr Efengylau yw bod Iesu yn cyhoeddi bod Teyrnas Nefoedd yn agosáu ac yn gwahodd pobl i wledd y bywyd. Mae'r sawl sy'n gwrthod y neges ar eu colled. Rhannu'r deyrnas sy'n bwysig a phrofi'r wledd. Mae goblygiadau i'r sawl sy'n dewis peidio â chymryd sylw. Dywedir wrthym nad yw pawb yn profi bendithion y deyrnas nefol.

Gallwn yn hawdd deimlo dicter tuag at y sawl sy'n esgeulus wrth yrru'n beryglus ond beth am y sawl sy'n yfed alcohol yn afreolus? Mae'r darlun o weld person meddw yn llawn tristwch, ac mae'r sawl sy'n gwastraffu bywyd yn glwm wrth gyffuriau yn dorcalonnus. Nid rhybudd rhag torri'r gyfraith yw craidd yr Efengyl, ond dweud wrth bawb yn ddiwahân bod modd adfer y bywyd mwyaf colledig. Mae rhywfaint o'r efrau ym mywydau pawb, ac mae Iesu yn gwahodd pobl i dderbyn bod llaw trugaredd Duw yn tynnu'r chwyn difäol allan o fywyd dyn.

Yr hedyn lleiaf oedd yr hedyn mwstard, ond gall y gronyn lleiaf o ffydd dyfu yn blanhigyn mawr. Gall y syniad lleiaf amlwg ddatblygu yn brosiect o bwys, a gall y ddawn leiaf gwerthfawr yng ngolwg dyn ddatblygu i fod yn gyfrwng helaethu terfynau'r deyrnas a galw'r byd i'r wledd.

Gweddi

Diolch, Iesu, am i ti gyflwyno dy neges ar ffurf damhegion. Helpa fi i'w deall ac i dderbyn y gwirionedd ynddynt. Maddau i mi fy meiau a gwared fi rhag y chwyn sydd yn fy mywyd. Dyro i mi'r modd i ddatblygu'r doniau a blennaist ynof fel y gallaf innau rannu'r neges amdanat gydag eraill. Amen.

Ar y mynydd gyda Duw ...

Gweddi

Arglwydd Iesu, deuaf yn wylaidd ac yn ostyngedig i'th gwmni yn gofyn am arweiniad ac am oleuni yn fy myfyrdod heddiw. Helpa fi i weld yr anweledig ac i glywed yn sŵn dy lais rywfaint o wirioneddau mwyaf bywyd. Amen.

Darllen Mathew 16:13–17:22

Cyflwyniad

Mae'r bedwaredd uned yn nhraethawd Mathew (13:53–19:1) yn gasgliad o hanesion a dysgeidiaeth ac yn sôn am weinyddiaeth yr eglwys. Dyma fyddai rhan o dystiolaeth yr Apostolion o'r hyn a ddywedodd ac a wnaeth Iesu yng nghof a phrofiad Mathew ac eraill. Eithriad yw'r paragraffau yma nad oedd yn gyffredin i dystiolaeth Marc a Luc, ac ni ellir tybied fod y cyfan wedi cael ei gyflwyno mewn trefn gronolegol ar ei hyd. Serch hynny, mae'r hanes yn llifo fel pe bai yn ffilm o fywyd Iesu, ac mae'n amlwg fod Mathew a'r Efengylwyr eraill yn effro i arwyddocâd un digwyddiad mewn perthynas â'r nesaf. Mwy na thebyg mai Cesarea Philipi oedd y man mwyaf gogleddol i'r Iesu gerdded iddo, ac yno clywn ddatganiad mwyaf arwyddocaol y disgyblion. Pedr a lefarodd y geiriau sy'n crynhoi datganiad y disgyblion am Iesu: 'Ti yw Crist, Mab y Duw byw' (16:16). Bydd yr Eglwys Gatholig yn pwyso'n drwm ar yr adnodau sy'n dilyn am awdurdod y Pab yn Rhufain, gan fod y pabau yn olyniaeth Pedr, yr esgob cyntaf yn ôl pob sôn.

Unwaith roedd Mathew wedi hoelio sylw ei ddarllenwyr ar yr hyn a elwir yn Gyffes Cesarea Philipi, daw datganiad rhyfeddol arall, sef bod Iesu yn rhagfynegi ei ddioddefaint, ei farwolaeth a'i atgyfodi. Adwaith Pedr i hyn oedd troi at y reddf ddynol i hawlio na fyddai hyn yn digwydd. Roedd Pedr wedi gweld rhyfeddod y dwyfol yn Iesu, a methu ei weld o fewn cwmpawd byr o amser. Cofnodir gan Marc a Luc hefyd i'r Iesu ailadrodd y rhybudd hwn ychydig amser wedyn tra roeddent yng Ngalilea.

Yr ail brofiad mawr arall a geir yn yr uned hon oedd profiad y gweddnewidiad. Dim ond tri o'r disgyblion a gafodd y fraint hon, a phrofi presenoldeb Duw gyda hwy ar lethrau'r mynydd, a sylweddoli bod holl hanes Israel a'i chrefydd yn cadarnhau gwaith a gweinidogaeth Iesu ym mhresenoldeb Moses ac Eleias.

Yn dilyn y digwyddiadau a'r datganiadau mawr hyn, cawn hanes Iesu yn iacháu bachgen bach a oedd yn lloerig. Ni wyddom ddim amdano ef na'i dad, ac eithrio bod y dyn yn awyddus i'w blentyn wella, ac yn credu y gallai Iesu ei iacháu, er i'r disgyblion fethu. Tybed sawl digwyddiad tebyg a fu, nad yw'r efengylau yn eu cofnodi? Roedd Iesu'r gweddnewidiad yn Iesu a dosturiodd wrth blentyn bach, a'i wella. Onid felly y mae Mathew am i ni wybod am ei Arglwydd a'i arwr? Pa fodd y carem ninnau sôn am Iesu wrth ein cyfoedion a'n cymdeithas ni?

Myfyrdod

Pe byddem yn gorfod penderfynu beth yw profiadau mwyaf ein bywyd hyd yma, beth fyddai'r dewis, a sut byddem yn penderfynu? Bydd y mwyafrif ohonom yn cofio penderfyniadau sy'n gysylltiedig ag addysg neu ddewis gyrfa ac achlysuron arwyddocaol fel priodi neu weld plant yn cael eu geni. Efallai nad y cerrig milltir arwyddocaol fu'r profiadau mwyaf, ond yr eiliadau tyngedfennol o ddarganfod cariad oes neu weld rhyfeddod tirwedd. Pwy a ŵyr nad cyffro cerddoriaeth neu wefr debyg ddaw â ni i gynnig ateb i'r cwestiwn?

Byddai Pedr yn debygol o ddweud iddo ef a'i gyfeillion brofi gwefr annisgrifiadwy yn yr hyn sy'n cael ei adrodd yn y darlleniad hwn. Cafodd Pedr brofiadau enfawr yng nghwmni Iesu ond dim yn fwy na'r profiad o weld Iesu ar y groes, ac yn marw o flaen ei lygaid. Yn rhyfeddod yr atgyfodiad gallai Pedr gynnig ateb i brofiad mwyaf ei fywyd. Ar hyd ei fywyd wedyn, byddai'n cofio gwefr a'i cynhaliodd ar hyd y daith.

Beth bynnag ein profiadau corfforol, emosiynol, gyrfaol neu gymdeithasol, onid y profiadau ysbrydol sy'n wirioneddol yn gosod sylfaen ein gwerthoedd a'n gobeithion, ein credoau a'n cymhellion ar daith bywyd?

Gweddi

Nefol Dad, diolch am y profiadau mawr sydd wedi llywio fy mywyd a'm penderfyniadau hyd yn hyn. Diolch hefyd am bob gwefr feunyddiol sydd wedi fy sbarduno ar fy nhaith. Gwerthfawrogaf glywed cri'r plentyn yn ei grud a'r adar yn trydar yn y coed, arogleuon melys bywyd a chwmnïaeth werthfawr pobl. O bob profiad, diolch am dy gwmni di, yn Dduw gras ac amynedd, yn Arglwydd y goleuni ac yn arweinydd fy mhererindod yn y byd. Amen.

Bod yn barod

Gweddi

Arglwydd, mae dod ger dy fron weithiau fel person yn sefyll ei brawf ac yn gwybod nad yw wedi paratoi'n briodol. Trugarha wrthyf nawr, a minnau yn awyddus i arfer ffydd a bod yn ymdrechgar yn dy enw, a gwasanaethu cyd-ddyn pwy bynnag y bo. Amen.

Darllen Mathew 25

Cyflwyniad

Roedd Mathew yn ymwybodol fod Jerwsalem wedi dymchwel ac roedd yn synhwyro yn y seithfed degawd o'r ganrif gyntaf bod y dyfodol o safbwynt y ddaear yn dod i ben. Credai fod pethau mawr ar ddigwydd, ac y byddai Duw yn barnu'r cenhedloedd. Roedd dyfodiad Mab y Dyn yn dilyn y gorthrymder mawr, ac roedd ef yn disgwyl i hyn ddigwydd yn fuan (pennod 24). Roedd gwers y ffigysbren (24:32–35) yn hoelio ei sylw ac yn y cyfeiriad yn 24:37 at ddyddiau Noa, mae'n amlwg beth oedd ym meddwl Mathew. Byddai'n ddiddorol gwybod beth oedd Mathew yn ei dybied oedd amserlen Duw. Cyn deall naratif yr wythnos olaf ym mhenodau 26–28, mae deall meddwl Mathew yn yr adran olaf hon (penodau 19–25) yn ganolog i ddeall rheswm yr Efengylydd dros ysgrifennu yn y lle cyntaf. Nodwyd bod Mathew yn gorffen pob un uned gyda'r cymal sy'n dweud 'Pan orffennodd Iesu lefaru'r holl eiriau hyn...' (26:1) gan gyfleu yn unedau blaenorol y gyfres hon o fyfyrdodau bod Iesu yn symud ymlaen. Yn 26:1 y Pasg oedd y symud ymlaen, ac mae hynny'n arwyddocaol yn yr uned hon. Nid symud daearyddol, neu thematig, sydd yma, ond yr oll mae'r Pasg yn ei olygu, ac mae gweddill hanes yr Wythnos Sanctaidd yn rhoi ystyr a dyfnder i'r symud hwnnw yn neall Mathew o waith Iesu.

Myfyrdod

Mae'r syniad o ymbaratoi yn berthnasol ym mhob maes ac ym mhob cyfnod o fywyd. Gellir cyfeirio at addysg gynradd ac uwchradd yn ymbaratoi'r naill ar gyfer y llall, a bod cyfnod hyfforddiant, boed mewn prentisiaeth neu goleg, yn golygu rhywbeth tebyg. A yw bywyd yn broses o baratoi? Ynteu ai llif amser yw bywyd fel tarddiant yn y mynydd cyn cyrraedd y môr mawr, lle mae'r dŵr yn dychwelyd i'w gartref parhaol? Dyna fyddai datganiad y dyneiddiwr a'r anghredadun wrth gwrs, gan ddweud bod bywyd yn broses dros dro, ac nad oes unrhyw beth yn fwy na chylch fel yn stori'r dŵr.

Mae Mathew am i'r Eglwys Fore sylweddoli nad cylchdro diddiwedd yw bywyd, ond bod yna daith anorfod a bod y sawl sy'n cerdded gyda Iesu yn symud ymlaen. Yn hanes y deg morwyn, roedd pump yn ffôl a phump yn ddoeth. Mae'r pump doeth yn cael aros yng nghwmni'r priodfab, ac iddynt hwy, mae bywyd o lawenydd a goleuni yn eu haros. Ymddengys fod y pump ffôl wedi colli'r cyfle ac yn aros yn y tywyllwch, am iddynt fethu ymbaratoi mewn pryd. Cyfrifoldeb personol yw'r ymbaratoi ac ni all un person ddatgan ffydd dros y nesaf. Mae pob un yn gyfrifol am ei olew ei hun.

Os mai ffydd bersonol yw craidd bod yn barod yn y ddameg am y deg geneth, mae'r ddameg sy'n sôn am y codau arian yn hawlio bod pob un sy'n derbyn doniau gan Dduw yn atebol iddo am ei ddefnydd ohonynt. Defnyddio'r doniau sy'n bwysig, nid eu claddu heb eu defnyddio. Mae i bawb ei ddawn a chyfle gan bob aelod o deulu'r ffydd i'w harfer. Dywed y ddameg fod y sawl sy'n arfer ei ddoniau yn gweld cynnydd yn y doniau sydd ganddo. Beth tybed yw ein doniau ni, ac ym mha fodd y defnyddiwn hwy? Mae'r ddameg olaf yn holi am wasanaeth y credadun er mwyn eraill, a chlywn sut mae'r bugail yn didoli ei braidd, rhai yn ddefaid ac eraill yn eifr. Yr hyn a hola Mathew, nid yn unig i'w gyfoedion ond i bawb sy'n darllen ei dystiolaeth, yw: a yw pobl ffydd yn barod ar gyfer y daith i'r dyfodol? Mae'r rhybudd hwn yn wahoddiad i ddarllen y penodau am y diweddglo gorfoleddus am atgyfodiad Iesu gan ddweud nad ar chwarae bach y mae unrhyw un yn dilyn Iesu, neu yn ei wrthod. Mae'r dewis yn amlwg ac yn heriol.

Gweddi

Arglwydd, gwn nad wyf yn barod ar dy gyfer, ac eto, rwy'n awyddus i dderbyn dy hyfforddiant ar gyfer fy nhaith gyda thi. Rhof fy llaw yn dy law, gan gredu mai ti yw'r ffordd, y gwirionedd a'r bywyd. Amen.

Trugaredd ar waith

Gweddi

Plygaf ger dy fron, gan gydnabod fy meiau, a gofyn am dy faddeuant. Cyfaddefaf fy mod yn meddwl fy mod yn parchu pob person arall sy'n bod, beth bynnag eu hil a'u hoedran, eu gallu neu eu perthynas â mi. Serch hynny, gwn fy mod yn medru bod yn ddibris o rai ac anghofio am eraill. Cymorth fi i weld, gyda Luc ac eraill, fod pob mab i ti yn frawd i mi, O Dduw. Amen.

Darllen Luc 7–8:3

Cyflwyniad

Efengyl Luc yw'r traethawd mwyaf celfydd ei gyflwyniad, a hynny mewn iaith lenyddol safonol. Cenedl-ddyn oedd yr awdur, ac yn feddyg wrth ei alwedigaeth. Daeth i'r ffydd yng nghwmni Paul, a thybir iddo lunio'r ddau draethawd, yr Efengyl a Llyfr yr Actau, er mwyn cyflwyno amddiffyniad o'r ffydd Gristnogol i'r byd cyfan. Ysgrifennodd ar ôl tân Rhufain, gyda Nero yr Ymerawdwr yn rhoi'r bai ar Gristnogion – sect o safbwynt Rhufain na chafodd ei herlid hyd at yr adeg honno. Roedd y llythyron a'r gweithiau Cristnogol eraill cyn hynny, yr epistolau yn bennaf, wedi bod at ddefnydd mewnol yr eglwysi, ond ysgrifennodd Luc ei draethodau a'u cyflwyno i Theoffilus, gŵr o urddas a statws Rhufeinig. Credir mai rhan o bwrpas Luc oedd dangos i'r awdurdodau Rhufeinig, a phob awdurdod dinesig lleol, nad pobl anystywallt oedd y Cristnogion, ond pobl a geisiai ddilyn gŵr o urddas a graslonrwydd, a'u nod ar wasanaeth amgenach. Nodwedd bwysig yn niwinyddiaeth Luc oedd dangos bod marwolaeth Iesu yn rhan o gynllun Duw i ddwyn y byd i berthynas ag ef ei hun. Ceir ymdrech amlwg i ymestyn tuag at y sawl sydd ar ymylon cymdeithas, ac mae lle annwyl ac amlwg i wragedd, a hanesion nad ydynt yn yr Efengylau eraill. Rhennir yr Efengyl yn ddwy ran gan yr esbonwyr, sef y daith allan a'r daith yn ôl.

Myfyrdod

O fewn y bennod a ddarllenwyd cawn enghreifftiau o bobl yr oedd Iesu yn hapus i uniaethu â hwy. Byddai'r sawl a glywodd amdano yn ymateb i gais y canwriad Rhufeinig am gymorth dros ei was yn profi cysur a her. Pwy feddyliai am ganwriad yn poeni am was, ac yn gofyn i athro teithiol am gymorth? Cydnabu'r canwriad awdurdod a gallu Iesu, ac wrth adrodd yr hanes, byddai Luc am i'r byd wybod bod canwriad wedi anrhydeddu Iesu. Eto, os oedd canwriad Rhufeinig am wneud hynny, gallai pawb droi at yr Iesu hwn. Nid y canwriad a anrhydeddodd Iesu yn yr hanes, ond Iesu a fendithiodd dŷ'r estron. Nid sect fewnblyg oedd Cristnogion, ond pobl agored a'u harweinydd yn gynhwysol, un a feddai ar ddoniau rhyfeddol.

Yn yr un modd ceir hanes Iesu yn arwain tyrfa fawr. Mae'n rhaid ei bod yn llawn sŵn a chyffro, nid annhebyg efallai i bobl yn dod allan o gêm bêl-droed. Eto, gwelodd Iesu hen wraig yn hebrwng corff ei hunig fab i'r fynwent. Dyna fyddai golygfa drist, ac er y sŵn o'i gwmpas, gwelodd Iesu'r wraig weddw alarus, a'i chysuro. Mae'r weithred syml o gyffwrdd â'r corff marw yn ei ddwyn i fywyd eto, ac mae Iesu yn drech na marwolaeth. Oni fyddai clywed yr hanes hwn yn fodd i werthfawrogi natur tosturi Iesu tuag at y di-rym a'r anamlwg? Sut byddai gwragedd y cyfnod yn ymateb i'r dystiolaeth hon? Cyfeiria Luc hefyd at y ffaith fod gwragedd yn cael cyd-gerdded ag ef a'i ddisgyblion, ac yn derbyn eu lle yn y cylch o bobl a oedd agosaf at Iesu. Mor wahanol oedd hyn i Iddewiaeth y cyfnod ac i feddylfryd gwrywaidd Rhufain a phob gwladwriaeth arall yn ei ddydd. Yn anffodus mae merched yn dal i gael eu cam-drin yn gorfforol ac yn gymdeithasol mewn llu o ddiwylliannau ar draws y byd, a ninnau'n or-barod i droi cefn heb wneud dim.

Luc yn unig sy'n cofnodi hanes Iesu yn achub y wraig yr oedd yr Iddewon yn ei galw'n bechadures, ac yn cymell darllenwyr y traethawd i ailfeddwl pwy maent yn eu cyhuddo ac yn eu dedfrydu i farwolaeth. Pa sawl caethwas a charcharor a gafodd eu cam-drin gan eraill ac sydd angen cefnogaeth pobl Iesu heddiw!

Gweddi

Diolch, Iesu, dy fod wedi dangos i'th ddisgyblion ar draws y canrifoedd beth yw parchu pobl, a'th fod yn rhoi gobaith newydd i bawb. Cofiaf heddiw am bobl sy'n cael eu cam-drin ar draws y byd, yn arbennig merched a phlant. Diolch am waith Cymorth Cristnogol a Chronfa Achub y Plant, y Groes Goch ac asiantaethau tebyg sy'n mynnu bod pobl yn cael 'hawl i fyw'. Amen.

Gwneler dy ewyllys

Gweddi

Arglwydd Dduw, rwy'n sylweddoli i'r Iesu ddod i'r byd er mwyn agor ffordd y bywyd newydd i bawb sy'n barod i gredu ynddo a'i ddilyn. Pan fyddaf yn darllen y Beibl, rwy'n sylweddoli dy fod yn fy ngoleuo a'm cyfeirio drwy'r amser. Helpa fi heddiw i weld y golau ac i fod yn sicr o'r ffordd ymlaen i mi. Amen.

Darllen Luc 4

Cyflwyniad

Un o nodweddion amlwg Efengyl Luc yw ei bwyslais fod Iesu yn cyflawni bwriad Duw ers y dechreuad. Nid cyflawni ambell gymal o eiriau'r proffwydi a wnaeth Iesu, ond byw yn unol â bwriad Duw. Daeth yn gyfrwng rhannu newyddion da Duw i'r byd, ac i ddwyn y sawl a dderbyniai'r newyddion hynny i berthynas â Duw. Ystyr y gair Efengyl yw 'newyddion da'. Fel roedd y proffwyd Eseia yn cyhoeddi newyddion da i'r bobl mewn caethiwed ym Mabilon (40:9–10), mae Iesu yn cyhoeddi bod Duw yn rhyddhau pobl o gaethiwed eu cyflwr bydol a hunanol, er mwyn iddynt fod yn medru profi Duw a'i holl fendithion.

Un gair sy'n ymddangos droeon yn Efengyl Luc yw'r gair 'rhaid', a dyfynnir Iesu yn dweud bod yn rhaid i Fab y Dyn gael ei draddodi i farwolaeth … (Luc 9:22). Yn y bennod a ddarllenwyd gennym heddiw dyfynnir o'r Hen Destament, ac roedd Iesu yn amlwg yn gyfarwydd â'r darnau hyn fel Iddew da, ac yn rhannu hyn gydag eraill a fyddai'r un mor gyfarwydd â'r dyfyniadau. Yn hanes y temtiad, gwelwn fod Iesu wedi egluro i'w ddisgyblion nad drwy ddigoni anghenion corfforol pobl y mae dod â phobl i berthynas â Duw, na chwaith drwy gyflawni campau anhygoel sy'n amhosibl i ddynion. Mae'n pwysleisio hefyd bod modd i ewyllys drwg hawlio'r byd, ond nid drwy blygu i feddylfryd Satan mae dwyn pobl i deyrnas Dduw. Yr unig ffordd felly yw gwaredu'r drwg, iacháu'r cleifion (Luc 4:31–41) a mynd at y bobl i'w haddysgu (Luc 4:42–44). Yn y diwedd, nid oedd hynny'n ddigon, a bu'n rhaid i Iesu herio meidroldeb dyn ym mhrofiad marwolaeth, er mwyn agor ffordd y bywyd newydd i bawb a fyn gredu mai Iesu yw Mab Duw.

Myfyrdod

Ai 'damwain a hap' yw popeth, gan adael i'r 'gwynt chwythu lle y mynno'? Un o'r trafodaethau cyson ym myd crefydd yw'r gwrthdaro rhwng y syniad o 'ryddid ewyllys' ar y naill law, a rhagluniaeth Duw ar y llaw arall. Mae dyn, fel unigolyn, fel cenedl, ac fel dynoliaeth yn meddu'r rhyddid i wneud fel y myn, ac eto edrydd y Beibl lawer o enghreifftiau fod Duw yn hawlio ei le ac yn galw'r bobl yn ôl ato. 'Fel y casgl yr iâr ei chywion' yw'r ddelwedd a gofnodir yn Mathew 23:37 wrth i Iesu alarnadu dros ddinas Jerwsalem, a hithau wedi cefnu ar y rhai a anfonwyd ati i'w harwain at Dduw. Aeth y deml fel adeilad a sefydliad yn bwysicach i'r Iddewon nag ewyllys a chymdeithas Duw ei hun. Rhagfynegodd Iesu y byddai'r Deml yn cael ei dymchwel ac ymhen deugain mlynedd felly y bu.

Pa mor aml y byddwn yn cael rhyw ymdeimlad o gyfrifoldeb neu ddyletswydd yn galw arnom? Gall fod o fewn cyd-destun teulu neu gymdogaeth, gwaith neu weithgarwch hamdden. Ymdeimlad mewnol yw, sy'n ein harwain i gyfeiriad arbennig, ac er nad oes ystyr amlwg ar y pryd daw arwyddocâd y cyfan i'r golwg ymhen amser. O fewn cyd-destun crefydd a chymdeithas eglwys byddwn yn sylweddoli bod yna drefn wedi llywio'n bywyd; neu, wedi cynnig sylw mewn sgwrs, yn sylweddoli nad oedd yn dod ohonom ein hunain, ond bod llaw arall yn llywio ein bywyd. Mae'r profiad yn medru bod yn frawychus ac eto'n fendith ac yn fraint. Mae'n siŵr fod sawl un sydd wedi mentro i bulpud yn gwybod am y profiad o'i glywed ei hun yn traddodi pregeth, ac yn ymwybodol mai cyfrwng yw yn fwy na bod yn areithiwr cyhoeddus. Gall nodi hyn fod yn beryglus wrth gwrs, gan y gwyddom am enghreifftiau lle cymerodd unigolyn arno'i hun y dybiaeth mai Duw a'i harweiniodd i achosi distryw neu ddweud rhywbeth cwbl gyfeiliornus. Mae'n anodd i gynulleidfa sylweddoli'r bleth o wefr ac ofn sydd yng nghalon pregethwr wrth gerdded grisiau'r pulpud. Ai rhywbeth tebyg a deimla athro wrth sefyll yng nghwmni ei ddosbarth, gan sylweddoli'r fraint a'r cyfrifoldeb o addysgu, neu'r hyn a deimla meddyg neu nyrs wrth ddangos gofal meddygol dros y claf? Mae'r bleth o wefr a braint yn rhan o ogoniant bywyd, gan wybod fod y llyw yn llaw'r Tad Nefol.

Gweddi

Diolch, Arglwydd, am y fraint o wasanaethu eraill yn dy enw di. Plyg fi, trin fi, cod fi, golch fi er dy ogoniant. Amen.

Golau Crist ynghanol tywyllwch byd

Gweddi

Deuaf atat, Arglwydd, yn llawn gobaith am gael clywed sŵn dy eiriau, awdurdodol eiriau'r Nef. Ambell ddiwrnod, byddaf yn llawn ofn a phryder, ac ar yr adegau hynny yn arbennig rwyf angen clywed dy eiriau yn gliriach nag erioed. Amen.

Darllen Luc 21

Cyflwyniad

Cofiwn fod Efengyl Luc wedi ei dosbarthu ymysg yr eglwysi ar ôl arswyd cwymp Jerwsalem (70 OC) a byddai Luc am i'w ddarllenwyr weld bod yr hyn a ddywedodd Iesu wedi cael ei wireddu. Yn y paragraff sy'n sôn am arwyddion ac erledigaethau (adn 7–19), mae'r llenor o feddyg yn rhybuddio ac yn cysuro ei ddarllenwyr, ond cadarnha fod y sawl sy'n arddel enw Iesu ac yn ffyddlon iddo yn 'meddiannu bywyd'. Roedd Luc, fel gweddill yr Eglwys Fore, yn tybied y byddai diwedd y byd yn agosáu a bod dinistr Jerwsalem yn digwydd cyn dyfodiad Mab y Dyn (adn. 20–28). Roedd arwyddion yn bwysig i Luc, fel meddyg ac fel cennad Crist, ac roedd yn darllen arwyddion yr amserau a gweld bod poen a dinistr yn wynebu'r eglwys hefyd, ond bod y sawl a fyddai'n gwrando ar eiriau Iesu yn cael ei gynnal.

Beth tybed oedd disgwyliadau Luc am ddyfodol yr eglwys? Byddai wedi teithio gyda Paul ac eraill yn rhannu profiadau ac argyhoeddiadau ysbrydol ac yn awyddus i gymunedau pob tref gael y cyfle i glywed ac i dderbyn Iesu fel Arglwydd. Geiriau Iesu sy'n cynnal y bennod hon, ac er bod y cymylau uwchben, roedd hyder a sicrwydd am y dyfodol yng ngeiriau Iesu hefyd. Rhannu hynny oedd amcan Luc, ac maent yn berthnasol i bawb sy'n wynebu cyfnodau o ansicrwydd a chymylau gofid uwchben.

Myfyrdod

Mae bywyd yn bleth o brofiadau ac i'r mwyafrif ohonom nid oes heulwen dydd heb dywyllwch nos, a daw tywydd gerwin gaeaf i'r sawl a brofodd hyfrydwch haf. Nid oes gwarant o haf parhaol. Gwyddai Luc hynny fel meddyg a deallai fod pobl yn ofni'r cyfnodau o ofid a galar ar daith bywyd. Sylweddolai Luc fod sefydliad yr eglwys yn mynd i brofi erledigaeth ac y byddai gofid a galar yn herio ffydd llawer. Y mae deunydd ei draethawd yn fwy nag adrodd hanes Iesu a rhannu ei ddysgeidiaeth, mae'n ganllaw bywyd i'r sawl a dderbyniodd Iesu fel y ffordd ymlaen. Sylweddola fod Iesu yn rhoi nerth yn wyneb y storm, a bod ganddo sicrwydd o yfory newydd i'w rannu gyda theulu'r ffydd i'r dyfodol. Beth bynnag a ddigwydd i ddynion, bydd geiriau Iesu yn aros. 'Y nef a'r ddaear, ânt heibio, ond fy ngeiriau i, nid ânt heibio ddim' (adnod 33).

Un o freintiau mawr gweinidogion yw gwrando ar dystiolaeth y sawl sy'n wynebu corwyntoedd bywyd, a sylweddoli bod eu ffydd yn Iesu Grist yn bopeth ynghanol y stormydd. Yn amlach na pheidio, nid gobaith gwag ac arwynebol yw hwnnw, ond ffydd ddiffuant a fu'n angor bywyd, beth bynnag y tywydd. Wrth i Luc weld arwyddion erledigaeth yr Eglwys Fore, byddai am eu calonogi a'u cynnal drwy rannu'r un gwirionedd.

Adnod nad yw'n hawlio sylw'n aml yw'r olaf o'r bennod, sy'n dweud: 'Yn y bore bach deuai'r holl bobl ato yn y deml i wrando arno.' Nid rhywbeth yn yr amser hamdden gan ychydig o bobl sydd yn y cofnod hwn, ond fod pobl yn awyddus i wrando ar Iesu cyn gwneud unrhyw beth arall. Mae'n siŵr bod gweld hyn yn digwydd wedi cynddeiriogi swyddogion y Deml, ac wedi sbarduno'r awydd i ladd Iesu fel y noda Luc yn y bennod sy'n dilyn. Faint o frwdfrydedd sydd gennym ni i wrando ar eiriau Iesu ac i wneud hynny yn y 'bore bach'? Mae arwyddocâd cyffrous wrth weld tyrfa eang yn tyrru at Iesu yn y bore bach, a'r wawr yn torri. Onid gwawr yw Iesu i ffordd newydd o feddwl ac o fyw, ac onid yw'r golau yn disgleirio'n wastadol, hyd yn oed yn nhywyllwch ein gofidiau?

Gweddi

Helpa fi, Arglwydd, i ddarllen arwyddion yr amserau ac i weld Iesu yn cyhoeddi gobaith mewn adfyd. Gad i minnau hefyd weld y wawr yn torri a llewyrch Iesu yn cyffroi pob elfen o gymdeithas. Amen.

Deall yr Annealladwy

Gweddi

Dduw Dad, mae yna gynnwrf ynof wrth feddwl fy mod am agor Efengyl Ioan heddiw. Mae'r geiriau mor gyfarwydd, ac eto, nid wyf yn siŵr fy mod yn eu deall. Helpa fi wrth i mi ddarllen y geiriau i ddarganfod gwirionedd a sicrwydd o'r newydd. Amen.

Darllen Ioan 1:1–18

Cyflwyniad

Bydd amryw yn dadlau bod Efengyl Ioan yn anoddach i'w deall na naratif uniongyrchol y tair arall, tra bydd y casgliad o ddatganiadau a myfyrdodau Ioan yn dwyn gwaith a dysgeidiaeth Iesu yn agosach at y darllenydd. Ysgrifennwyd Efengyl Ioan yn hwyrach na'r tair arall, efallai cymaint â 15–20 mlynedd yn ddiweddarach. Nid oes amheuaeth mai Ioan y disgybl oedd yr awdur, ac iddo gyflwyno credo a dysgeidiaeth yr Eglwys Fore mewn modd gadarnhaol a chlir. Byddai wedi darllen gweithiau Paul a'r apostolion eraill, ynghyd â'r tair Efengyl arall. Ni fyddai am ailadrodd y defnyddiau hynny, a cheisiodd ddangos mor ganolog oedd y Groes a'r Atgyfodiad i gredo Cristnogaeth. Roedd llawer o grefyddau eraill fel yr Helenistiaid a hyrwyddai athroniaeth Roegaidd a phwysleisiodd Ioan mai Iesu oedd y wir a'r fywiol ffordd (pennod 14). Ceir brwydr gosmig rhwng Goleuni a Thywyllwch, Gwirionedd a Thwyll, ac roedd Ioan yn glir ei feddwl am Iesu'r Atgyfodiad. Gelwir y cyflwyniad i'r gwaith yn 'Brolog', ac ynddo datblygir dealltwriaeth Ioan o Iesu fel y Duw ymgnawdoledig. Cyhoedda fod Duw yn bod yn y dechreuad, a bod Duw wedi ei gyflwyno'i hun ar ffurf person yn Iesu Grist er mwyn datguddio ei natur a dwyn perthynas rhwng dyn a Duw. Y prolog yw craidd credo'r awdur, ac yng ngweddill y gwaith ceir ganddo eglurhad o'r hyn a gredai.

Myfyrdod

Byddwn yn cael ein cyfareddu weithiau gan ddarnau o farddoniaeth neu eiriau caneuon nad ydym o hyd yn eu deall. Mae'r un peth yn wir am weithiau o gerddoriaeth a chelf hefyd, a'r gamp yw aros gyda'r gwaith a myfyrio arno. Bu darllen geiriau Ioan yn ei gyflwyniad yn fendith arbennig i laweroedd, ac wrth ddarllen yr Efengyl ar ei hyd, byddwn yn sylweddoli sut mae'r darnau yn disgyn i'w lle. Tybed sut bydd cerddor yn teimlo wrth weithio ar ei gyfansoddiad? Un peth yw clywed y gerddoriaeth yn ei ben, cyn trosglwyddo'r gwaith i bapur. Cam arall eto yw gweld y perfformiwr yn rhoi bywyd i'r darn, ac yna gwefr arall yw gwrando ar ymateb y gynulleidfa. Mae'r un math o gamau yn bod i'r person sy'n cynllunio dilledyn, adeilad neu ddyfais, ac mae'r camau o'r dechrau i'r gwaith gorffenedig yn cymryd amser sylweddol. Bydd gwisgo'r dilledyn, cerdded i mewn i'r adeilad neu ddefnyddio'r ddyfais yn brofiad arbennig mae'n siŵr.

Pan fydd ymchwiliwr yn gweithio ar gyffuriau yn ei labordy i herio afiechyd, gwyddom y gall y gwaith gymryd blynyddoedd lawer. Bydd gofyn am fuddsoddiad ariannol sylweddol a dyfalbarhad ar ran y cwmnïau a'r ymchwilwyr. Dywedir bellach bod camau breision wedi digwydd yn y frwydr yn erbyn firws HIV ac AIDS, a gobeithiwn y bydd meddygon yn medru cynnig triniaethau effeithiol i bob math o gancr. Brysied y dydd! Gweld rhan o'r datblygiad yn unig a wnawn yn aml, ond bydd eraill yn gweld y broses o'r angen a'r bwriad gwreiddiol hyd at wireddu yn llwyddiannus ar y diwedd. Dealltwriaeth felly a gafodd Ioan a chyfleu hynny a wna yn y Prolog. Tybed pa emyn sy'n cyfleu hynny i ni? Beth am:

> Cariad Tri yn Un
>   at yr euog ddyn,
> cariad heb ddechreuad arno,
> cariad heb ddim diwedd iddo;
>   cariad gaiff y clod
>   tra bo'r nef yn bod. (Gwilym Hiraethog, *C.Ff.* 38)

Gweddi

Diolch i ti, O Arglwydd, am ysbrydoli Ioan i weld y darlun cyfan, ac i gynorthwyo pobl ffydd ar draws y canrifoedd i werthfawrogi dy gynllun mawr di, ac i gwrdd â gofyn fy mywyd i. Amen.

Cod dy fatras

Gweddi

Gwyddost, Arglwydd, fy mod yn teimlo'n ddiymadferth yn aml, ac yn meddwl weithiau nad oes unrhyw un ar gael sydd yn fy neall ac am fod yn gwmni i mi. Yn ystod y munudau hyn, gad i mi deimlo dy fod wrth fy ymyl ac yn cadarnhau fy ffydd ac yn fy arwain ar fy nhaith. Amen.

Darllen Ioan 5

Cyflwyniad

Nid oes trefn amlwg i Efengyl Ioan, gan nad adrodd taith gronolegol Iesu oedd ei fwriad. Cyfres o negeseuon sydd wedi eu gwau ynghyd, er mwyn rhannu gyda saint yr eglwysi am berson Iesu a'i waith. Tasg fuddiol yw darllen drwy Efengyl Ioan, a gofyn beth oedd ei amcan wrth adrodd yr hanesion unigol, a pha gwestiynau yr oedd yn ceisio eu hateb yn y trafodaethau sy'n dilyn. Rhannu dysgeidiaeth a wna, ac yn aml ni fydd yr hanesyn cychwynnol yn ddim ond llwyfan i rannu'r neges sy'n dilyn.

Yn y bennod hon, cawn ddrama'r iacháu wrth Bwll y Defaid, ac yn dilyn hynny cawn drafodaeth ar bynciau megis beth a olygir wrth gadw'r Saboth fel dydd sanctaidd, y modd i iacháu, a beth yw pechod. Mae'r ail adran yn datblygu'r drafodaeth am awdurdod Mab Duw. Mae llif y traethu yn pontio'r datganiad fod Iesu wedi ei anfon gan Dduw, a bod Iesu yn anfon ei ddisgyblion i ddweud eu stori a rhannu eu profiad. Brithir yr Efengyl gan y cymhelliad i 'gredu' ac roedd Ioan yn awyddus bod yr eglwys yn sylweddoli ei bod yn gymuned cred. Edrydd Mathew (pennod 9), Marc (pennod 2) a Luc (pennod 5) hanes Iesu yn iacháu'r gŵr a barlyswyd, a'i ddanfon adref gan gario ei fatras. Hanes tebyg a geir yma, ond bod nodweddion gwahanol yn gefndir i'r stori. Mae Iesu yn gwella'r sawl na all obeithio am wellhad ond am ryw ymyrraeth tu hwnt i rym dynol.

Myfyrdod

Mae'n anodd dychmygu agwedd meddwl person a barlyswyd am 38 mlynedd a heb obaith o wella. Sut gyflwr oedd i'w gymalau, a beth fyddai nerth ei gyhyrau? Ar wahân i'w wendid corfforol, beth fyddai ei agwedd meddwl? Oni fyddai anobaith wedi crebachu ei anian, ac yntau yn cael ei bortreadu fel un heb unrhyw un i'w helpu? Gallai fod i Ioan weld yr eglwysi unigol yn teimlo'n ddiymadferth, ac wedi colli egni ysbrydol, fel corff y gŵr a barlyswyd ac angen rhywun i'w helpu.

Faint o bobl yn ein bröydd sy'n tybied bod eu bywydau yn fethiant, a bod bywyd yn cerdded heibio a chyfleoedd yn mynd i golli? Profiad brawychus yw anobaith ac unigrwydd a neb wrth law i gynorthwyo. Clywir am bobl ifanc sydd wedi gadael ysgol heb gymwysterau ac yn rhan o bwll anobaith y di-waith, a bywyd fel trap na ellir dianc rhagddo. Bellach, clywir am raddedigion yn gadael prifysgol ac yn anfon un llythyr cais ar ôl y llall, a dim yn dod. Gall teulu a ffrindiau estyn cefnogaeth ac annog agwedd amyneddgar, ond mae'r rhwystredigaeth yn medru troi'n wewyr. Yn enw Iesu, mae'n bwysig bod yr eglwysi yn hyrwyddo'r achos yn erbyn diweithdra ac yn ceisio polisïau gwleidyddol sy'n cyrchu at y nod o gyflogaeth lawnach nag sydd ar hyn o bryd. Mae angen i bawb deimlo eu bod yn werthfawr a bod ganddynt gyfraniad ymarferol i gymdeithas. Ni ellir rhoi pris ar urddas gwaith i bawb, beth bynnag eu doniau neu eu harbenigedd.

Serch hynny, faint o bobl sydd ag angen y math o gymorth sy'n dod drwy fendith Iesu ar eu bywydau? Mae'r ateb yn cyfateb i nifer y sêr yn y ffurfafen, ac eto mae pob unigolyn yn bwysig a phawb angen teimlo bod golau Iesu yn disgleirio arnynt, ac yn rhannu eu golau gyda phobl eraill. Adlewyrchiad o olau'r haul yw golau'r lleuad, ac mae'r sawl sy'n adlewyrchu Iesu i'r byd yn rhannu'r clod mae Duw yn ei roi. Nid Ioan na'r Ysgrythurau hyd yn oed yw ffynhonnell y gwir oleuni ond Duw ei hun ac yn adnodau 31–40 cawn flas ar yr hyn a oedd yn sylfaenol i argyhoeddiad Ioan ei hun. Yn y Prolog (Ioan 1) dywed yr Efengylydd mai Iesu oedd y 'gwir oleuni sy'n goleuo pob dyn, eisoes yn dod i'r byd' (1:9).

Gweddi

Diolch i ti, Iesu, am fod wrth fy ymyl. Cryfha fi yn fy nghorff, fy meddwl a'm henaid, fel y bydd eraill yn gweld dy ysbryd di ynof. 'O aed, O aed yr hyfryd wawr ar led, goleued ddaear lydan! Halelwia! Amen.' (*C. Ff.* 49)

Lasarus, tyrd allan!

Gweddi

Arglwydd Iesu, helpa fi i ddarllen dy air heddiw, ac i wynebu pob tywyllwch yng ngolau dy gwmni di. Amen.

Darllen Ioan 11

Cyflwyniad

Dyma enghraifft arall gan Ioan lle mae'r hanes sy'n cael ei gyflwyno yn sylfaen trafodaeth ehangach. Roedd gŵyl y Pasg ar y gorwel ac roedd y prif offeiriaid a'r Phariseaid yn trafod sut i ymateb i'r hyn a ddywedodd ac a wnaeth Iesu. Roeddent mewn cyfyng-gyngor gan nad oedd modd amau beth a ddigwyddodd. Roedd gweld Lasarus yn cerdded allan o'r bedd yn real, ond roedd clywed Iesu yn parhau i ddatgan mai ef oedd yr atgyfodiad a'r bywyd yn gwbl gyfeiliornus i wŷr crefyddol y Deml.

Mae Efengyl Ioan yn nodi nifer o enghreifftiau lle mae Iesu'n dweud 'Myfi yw'. Nid cyfeirio pobl at un arall a wneir, ond Iesu yn dwyn sylw ato ef ei hun. Cofiwn am enghreifftiau megis 'Myfi yw'r ffordd a'r gwirionedd a'r bywyd' (pennod 14), 'Myfi yw goleuni'r byd' (pennod 8), 'Myfi yw bara'r bywyd' (6:35). Yn y bennod hon, dywed mai ef yw'r atgyfodiad a'r bywyd (adnod 25), a bod ganddo'r modd i drawsnewid amgylchiadau Lasarus a'i deulu. Ceir datblygiad yn y tair stori sy'n tanlinellu beth yw gallu ac awdurdod Iesu. Pa mor bosibl yw gweld y marw'n cael bywyd o'r newydd? Bydd rhai am ddweud bod merch Jairus yn bosibl os mai cysgu oedd hi, ond yn hanes mab y wraig weddw o Nain, roedd yr amser yn hirach, tra bod atgyfodiad corff sydd wedi marw ers pedwar diwrnod yn amhosibl i'w egluro mewn damcaniaeth feddygol. Er y dystiolaeth hon, mae'r disgyblion yn galaru ar ddydd croeshoeliad Iesu, heb ddeall arwyddocâd geiriau Iesu na grym ei allu wrth fedd Lasarus. Ystyr enw Lasarus yw 'Duw yw fy nghymorth', ac roedd y neges yn yr adran hon yn adlewyrchu gobaith yr Eglwys Fore yn adfyd dioddefaint eu haelodau yn niwedd y ganrif gyntaf.

Myfyrdod

Bydd y rhan fwyaf o oedolion y byd yn ymwybodol o realiti marwolaeth, ac mae'n siŵr fod plant a phobl ifanc hefyd wedi gorfod ymdopi â'r sefyllfa honno o fewn i'w teuluoedd a'u cymdogaethau. I'r rhan fwyaf o bobl, mae gwirionedd yn y dweud bod amser yn iacháu'r clwyfau, ac er nad oes ffordd syml o wynebu galar, bydd y rhelyw ohonom yn ymgodymu â marwolaeth eraill. Dywedir bod yn 'rhaid i fywyd fynd yn ei flaen'.

Bydd y cymunedau tlawd a difreintiedig yn gyfarwydd â'u hanabledd i ddylanwadu ar eu hamgylchiadau ac yn derbyn y drefn, beth bynnag yw honno. O bosibl fod y cyfoethog neu'r breintiedig yn tybied y gallant ddylanwadu ar ben draw rhai sefyllfaoedd, ac y gellir talu am gymorth, neu wneud rhywbeth a fydd yn llesol i'r sefyllfa. Pa amgylchiad anoddach a geir na galaru am frawd, a'i gorff mewn bedd ers dyddiau lawer? Gwrthbwynt 'marw' a 'chladdu' yw 'atgyfodi' a 'bywyd' a dyna a ddigwyddodd ym mynwent Bethania. Dyna hefyd sy'n digwydd pan ddaw Iesu i fyd ein meidroldeb, a thrawsnewid y tywyllwch i fod yn oleuni. Beth sy'n cyfateb i'r rhwymau yn ein bywydau, a pha fath o ffurf sydd i'r beddau yn ein byd? Beth am afiechyd ac anobaith, neu i ba raddau mae hunandosturi ac argyfyngau yn ymddangos fel beddau? Arwyddocâd y neges yw bod Iesu'r atgyfodiad a'r bywyd yn drech na sefyllfaoedd mwyaf amhosibl dyn, ac yn galw arnom i ddod allan o'r bedd ac i ddathlu bywyd o ryddid yn ei oleuni ef.

Gweddi

Arglwydd Dduw, helpa fi i ddeall ac i brofi rhyfeddod yr hanes yma ym mynwent Bethania. Tro di fy nos yn ddydd, a bywha fi yn dy bwrpas mawr dy hun. Gad i mi weld dyhead yr emynydd a ganodd am 'dorri'r maglau a'm traed yn gwbl rydd' ac y bydd 'y tragwyddol foli a fydd' gyda mi weddill fy mywyd. Amen.

Gorffennwyd

Gweddi

Drugarog Dduw, gwn fod y darlleniad heddiw yn ddirdynnol wrth feddwl am groeshoelio Iesu. Agor fy llygaid i weld, a'm holl fywyd i sylweddoli, dy fod am i mi gadarnhau fy ffydd yn Iesu, ac i addo bod yn ffyddlonach iddo. Amen.

Darllen Ioan 18–19

Cyflwyniad

Nodwyd mewn unedau blaenorol bod Ioan yn cyflwyno hanes ac yna yn cynnig trafodaeth ddiwinyddol ar y cynnwys. Bu rhai yn dadlau nad Ioan ei hun a ysgrifennodd yr efengyl, ond disgybl iddo. Mae'r drafodaeth am awduraeth yr efengyl yn ddiddorol, gan ystyried fod yr iaith a'r deunydd yn ceisio ymateb i ddatganiadau diweddarach nag oes Ioan ei hun. Beth bynnag yw'r gwirionedd am awdur y gwaith, ymddengys yn yr adran hon fod yr awdur, os nad Ioan ei hun yw, yn gyfarwydd â meddwl a safbwynt y 'disgybl annwyl'. Ceir llifeiriant o ddeialog fywiog a pherthnasol ac mae'n amlwg fod y cofio'n arwyddocaol ac nad yw'r awdur am ychwanegu dim ond atgofion Ioan o'r digwyddiad unigryw hwn. Mae'n anodd credu bod Ioan wedi cofio'r sylwadau a'r digwyddiadau hyn yn y fath fanylder, ac eto mae'r cyfan yn canu clychau cywirdeb a diffuantrwydd. Ceir yma gof greddfol yr Iddew, a hefyd sylweddoliad Cristion profiadol a werthfawrogai mor bwysig oedd hi i gyflwyno deunydd crai y ffynhonnell wreiddiol. Roedd y wisg ddiwnïad hefyd yn ffaith real, a bod Iesu yn berson cyflawn, ac yn ddiwnïad. Mae'r dyfyniad o eiriau Iesu yn cyhoeddi buddugoliaeth wrth ddweud 'Gorffennwyd' yn arwyddocaol i'r eglwys ar draws hanes, ac nad oedd angen ail frwydro yn erbyn pwerau meidrol a drwg y byd, gan fod Ioan yn gwbl glir fod yr Iesu a fu farw yn fythol fyw.

Byddai ailadrodd yr hanes yn bwysig i'r Eglwys Fore, ond yn bwysicach fyth byddent yn barod i sylweddoli bod Duw Israel yn ei uniaethu ei hunan gyda phobl a fyddai'n brofiadol iawn o ddioddefaint a marwolaeth. Onid felly heddiw? Mae hanes Iesu, ei eiriau a'i brofiad yn berthnasol i'r sawl sy'n druenus eu hamgylchiadau, ac efallai fod yr elfennau cyfoethog a materol yn ein bywydau yn ein cadw rhag cymryd Iesu yn ddigon o ddifrif. Bydd yr iach a'r cryf yn tybied eu bod yn medru byw heb Dduw. Ffaith eironig yw honno sy'n cydnabod bod eglwys yn gryf pan fydd pobl – yn unigolion ac yn gymunedau – yn profi gwendid ac yn galw allan am rywun i'w gwarchod a'u harbed.

Myfyrdod

Yn yr atgofion manwl a geir o hanes y croeshoelio, gadawodd Ioan y neges glir yn yr adroddiad ei fod yno drwy gyfeirio ato'i hun fel 'y disgybl yr oedd yn ei garu' (19:26). Awgrymir bod Ioan Marc wedi gwneud rhywbeth tebyg wrth sôn am y gŵr ifanc mewn lliain main (Marc 14:52).

Sut bynnag y bydd pobl yn ymateb i'r dystiolaeth Gristnogol, ai fel credinwyr neu fel anghredinwyr, digwyddodd naratif Calfaria fel ffaith, ac mae person Iesu yn hawlio ein sylw a'n parch. Nid yn unig mae'n mynnu ein bod yn ystyried o ddifrif pwy ydoedd ond ni allwn osgoi'r cwestiwn. Beth wnaeth Iesu ar y Groes? Cred ddiffuant y Cristion yw mai Iesu yw Duw yn y cnawd – Mab Duw. Gellir cydnabod ei ddaioni a'i ddoethineb, ei wyleidd-dra a'i ewyllys i wasanaethu eraill, ond wrth dderbyn mai Duw oedd Iesu ar y Groes, ac i'w gorff gael ei guro'n ddidrugaredd, ac yna iddo farw, mae'n ein gorfodi i ofyn pa fath o Dduw oedd hwn? Beth bynnag yw nodweddion dramâu Alfred Hitchcock a'u negeseuon tywyll, ffuglennol yw'r cymeriadau sydd i'w gadael ar ôl yn y theatr. Mae Iesu yn rhan o fyd a phrofiad miliynau o bobl ar draws y canrifoedd a'r cyfandiroedd, ac yn estyn rhodd i ni o'i fywyd ef ei hun. Yn y Swper Olaf, clywn y cynnig 'Cymerwch a bwytewch', ac mae'n rhaid derbyn neu wrthod. Derbyniodd Ioan fywyd Iesu yn llwyr, a dyna oedd yr Efengylydd am i bawb ei wneud, gan gynnwys trigolion pob gwlad a chyfnod. Mae Gwener y Groglith yn gweld Iesu fel cynrychiolydd y ddynoliaeth gyfan yn gofyn i Dduw dderbyn y sawl sy'n credu ynddo. Yn Iesu hefyd gwelwn ninnau Dduw yn ymestyn tuag atom yn ei gariad a'i ras, ac yn gwahodd pob enaid byw i brofi cymdeithas gyda'r dwyfol a'r sanctaidd, a hynny yn oes oesoedd.

Gweddi

Arglwydd Iesu, nid oes geiriau gennyf a all ddatgan fy niolch a'm dyled i ti. Derbyniaf dy wahoddiad a cheisiaf dy ddilyn. Maddau i mi fy meiau ac arwain fi yn agosach atat nag erioed o'r blaen. Amen.

Ymlaen yr af

Gweddi

Dirion Dad, gwn fod agor tudalennau Llyfr yr Actau yn mynd i beri imi fod yn barotach i weithredu fel un o ffrindiau Iesu. Gad i mi glywed 'sŵn dy eiriau' ac i brofi cyffro awel yr Ysbryd Glân yn llenwi fy hwyliau o'r newydd. Maddau i mi fy mhryderon wrth i mi gropian i'th wasanaeth. Amen.

Darllen Actau 1

Cyflwyniad

Bu cryn drafod ar ddyddiad cyfansoddi'r llyfr, er na fu llawer o anghydweld ynghylch pwy a'i hysgrifennodd. Barn gyffredinol yr esbonwyr ers y cyfnodau cynnar yw mai Luc y meddyg a luniodd yr hanes, ac fel gyda'r Efengyl sy'n dwyn ei enw, iddo gyflwyno'r gwaith i Theoffilus, gŵr a dybir oedd yn uchel yn hierarchaeth yr ymerodraeth. Dyddir y gwaith yng nghanol wythdegau'r ganrif gyntaf. Amcan Luc oedd adrodd 30 mlynedd o hanes yr eglwys, o ddydd y Pentecost hyd at garchariad Paul, a bu i Luc geisio dangos bod gweinidogaeth Pedr a Paul yr un mor bwysig â'i gilydd. Bydd rhai yn dadlau nad Actau'r Apostolion sydd yma ond gweithgaredd yr Ysbryd Glân yn cadarnhau ac arwain pobl i genhadaeth yr eglwys.

Ar wahân i adrodd hanes yr eglwys, a dangos bod gweinidogaeth Paul yn hafal i weinidogaeth Pedr, ceir gan Luc adroddiad o gredo'r eglwys fore, ei phregethu a'i dysgeidiaeth, ei hymrwymiad a'i haberth, fel bo'r darllenydd yn ymwybodol o gefndir a gweledigaeth yr apostolion cynnar. Wrth edrych ymlaen at ddarllen Llyfr yr Actau, bydd y sawl sy'n darllen y bennod gyntaf yn effro i'r ffaith fod yr Ysbryd Glân yn llywio'r penderfynu a'r digwyddiadau, a bod gweddi yn ganolog i fywyd yr eglwys.

Myfyrdod

Bydd pob set ffilmio ar gyfer y teledu neu'r sgrin fawr yn rhoi bri ar y person sy'n gofalu bod y golygfeydd yn llifo yn hwylus o'r naill i'r llall. Gwna Luc yn sicr bod llif naturiol o hanes a gwaith Iesu yn arwain at waith a chenhadaeth yr eglwys. Yn yr adran gyntaf o'r ail gyfrol, mae Luc yn ein tywys i werthfawrogi bod esgyniad Iesu yn digwydd cyn y Pentecost, a bod y sawl a fu'n ddisgyblion yn derbyn eu cyfrifoldeb i fod yn Apostolion. Dywedwyd mai amod bod yn Apostol oedd medru tystio i'r Crist atgyfodedig. Efallai mai dyna paham fod Luc yn cofnodi deirgwaith yr hyn a oedd yn sylfaen neges Paul, ei fod wedi cyfarfod Iesu ar ffordd Damascus, ac felly wedi cael profiad byw ohono. Prin y gall rhywun dystio i unrhyw beth heb fod yn bresennol yn y digwyddiad, neu fod wedi adnabod y sawl mae'n sôn amdano. Bydd tyst mewn llys barn ddim ond yn gallu sôn am yr hyn a welodd neu a glywodd. Nid yw sylw ail-law byth yn dderbyniol. Mae'r sawl sydd wedi adnabod person mawr a dylanwadol hefyd yn frwdfrydig i rannu ei adnabyddiaeth. Dyna nodwedd fawr Llyfr yr Actau, sef parodrwydd pobl i ddweud eu stori am Iesu ac i ddilyn ysgogiad yr Ysbryd Glân i arwain eraill at y Gwaredwr.

Ceir cyflwyniad i'r modd y daeth Mathias yn apostol yn lle Jwdas, er na wyddom fawr ddim amdano ar ôl hynny. Mae rhinwedd i'r sawl sy'n llenwi bwlch ac yn cadw rhag gwthio eu hunain i'r blaen. Beth yw'r ffenomen honno sy'n peri bod pobl yn dal nôl rhag derbyn cyfrifoldeb, nid nad oes ganddynt y sgiliau neu'r cymwysterau priodol, ond bod greddf y 'dal nôl' yn rhwystro pobl rhag ysgwyddo beichiau? Problem felly oedd gan Moses, pan alwodd Duw ef i ddychwelyd i'r Aifft, ac arwain y genedl o gaethiwed i ryddid. Diolch am bob Mathias yn y byd.

Gweddi

Sylweddolaf, Iesu, dy fod wedi agor drysau o'm blaen i'th wasanaethu, droeon, ond i mi ddal nôl mewn ansicrwydd. Helpa fi i dderbyn y cyfrifoldebau fel Mathias gynt, ac ymddiried y byddi di yn fy ngalluogi ym mhob sefyllfa fydd yn gofyn fy ngwasanaeth. Amen.

Gwyleidd-dra a gwasanaeth y ffyddloniaid

Gweddi

Arglwydd, mentraf agosáu ger dy fron o'r newydd, gan gydnabod nad wyf deilwng o'r anrhydedd. Wrth gofio hanes Steffan y Merthyr cyntaf, gwelaf mor wan wyf i. Helpa fi heddiw i ymgryfhau yn fy ffydd, ac i wynebu pob her yng nghwmni'r Ysbryd Glân. Amen.

Darllen Actau 6–7

Cyflwyniad

Rhan o nod Luc wrth lunio'r ail gyfrol yma oedd adrodd hanes yr eglwys fore ar waith, a gwelir yn y deuddeg pennod gyntaf agweddau amrywiol o fywyd a gwasanaeth yr Eglwys Fore. Mae'r awdur yn cyfarch pobl yr ail genhedlaeth yn yr eglwys a hynny yn yr wythfed degawd o'r ganrif gyntaf. Byddent yn ymwybodol o erledigaeth ar yr eglwys ac anghyfartaledd cyfoeth yr aelodau. Tybir bod Luc am i'r cynulleidfaoedd a fyddai yn derbyn copïau o'i draethawd sylweddoli bod erledigaeth wedi digwydd yn y cyfnod cynnar, a allai fod hyd at hanner can mlynedd cyn iddo ef ysgrifennu. Byddai hefyd yn synhwyro bod egwyddor rhannu yn aros yn bwysig yn yr eglwys, a bod Steffan yn cynrychioli'r bobl a welai aberth a gwasanaeth fel anrhydedd yn fwy na chywilydd. Gwelir bod trefn dyletswyddau yn datblygu wrth i nifer yr aelodau gynyddu yn y degawd cyntaf o hanes yr eglwys. Roedd cyfnod Steffan yn tybied bod Iesu yn mynd i ddychwelyd yn fuan, ond erbyn cyfnod ysgrifennu'r Actau, byddai'r pwyslais hwnnw wedi newid ychydig.

Myfyrdod

Gwyddom yn dda am afiechydon corfforol a meddyliol, a diolch bod yna ymchwil yn ceisio dealltwriaeth a thriniaeth iddynt. Beth am afiechydon moesol a chymdeithasol? Beth am ddolur snobyddiaeth a hunanbwysigrwydd, neu glefyd anfoesgarwch ac anniolchgarwch? Byddwn yn falch o weld rhywun yn dal drws ar agor i ni, ond pa mor aml y dangoswn ni yr un math o gwrteisi cymdeithasol tuag at eraill? Aeth dolur 'road rage' yn rhemp, a bu'n gyfrifol am farwolaeth llawer dros y blynyddoedd.

A oes yna berygl i rai dybied bod gwasanaethu eraill islaw eu statws cymdeithasol, a bod rhywrai am ddweud nad oes pwrpas 'cadw ci a chyfarth eich hunain'. Bydd llawer yn deall y term Lladin 'infra-dig', a gorchymyn eraill i godi sbwriel neu wneud gwaith honedig israddol. Tybed? Ni ellid disgwyl i'r apostolion cynnar wneud popeth, a gwahoddwyd eraill i weini wrth y byrddau a dwyn trefn ar agweddau cymdeithasol eu cynulleidfa. Byddai Luc yn awyddus i bawb wasanaethu, a chofir geiriau ac esiampl Iesu yn golchi traed ei ddisgyblion. Nid dod i'w wasanaethu a wnaeth Iesu, ond i wasanaethu. Mae rhinweddau amlwg i ymarfer gweinidogaeth sy'n gwasanaethu eraill a gweld hynny fel braint. Roedd Luc yn nodi mai'r Ysbryd Glân a arweiniodd y broses o ethol y saith a enwir yn y bennod, a bod y saith yn bobl 'llawn o'r Ysbryd' ac yn deall eu gwasanaeth yng nghyd-destun eu ffydd yn Nuw.

Bydd y bobl sy'n gweithio gyda Chymorth Cristnogol ac asiantaethau dyngarol tebyg yn deall yn iawn beth yw caru cymydog fel estyniad o garu Duw. Mae dal ar gyfle i wasanaethu yn bwysig nid yn unig er lles y sawl sy'n derbyn cymorth, ond er adeiladaeth ffydd y sawl sy'n ei estyn.

> Rho imi nerth i wneud fy rhan,
> i gario baich fy mrawd,
> i weini'n dirion ar y gwan
> a chynorthwyo'r tlawd.

(E. A. Dingley, cyf. Nantlais, C.Ff. 805)

Gweddi

Diolch, Arglwydd, fod Luc wedi cofnodi hanes Steffan, ei wyleidd-dra a'i aberth. Erlidiwyd llaweroedd yn y canrifoedd cynnar oherwydd eu ffydd, a gwyddom fod pobl yn cael eu herlid a'u lladd heddiw am iddynt geisio bod yn deyrngar i ti. Helpa fi i fod yn gadarnach fy argyhoeddiadau ac yn daerach fy nhystiolaeth gerbron eraill heddiw. Amen.

Gwyrthiau Pedr

Gweddi

Arglwydd Iesu, diolch am dystiolaeth dy bobl ac am ffydd yr eglwys. Wrth feddwl am waith yr Apostol Paul heddiw, helpa fi i weld fy nghyfle ac i geisio iachâd i bobl ac i gymdeithas. Amen.

Darllen Actau 9:32–10

Cyflwyniad

Eglurir bod Luc wrth gyflwyno'r deunydd a welir yn Llyfr yr Actau yn awyddus i atgoffa'r darllenwyr am ryfeddod hanes cynnar yr Eglwys Fore. Prin y byddai eglwysi'r ffydd yn 80 OC erioed wedi gweld Paul a Pedr. Byddai enwau'r ddau yn gyfarwydd i'r eglwysi, a byddai copïau o'u llythyron ar gael. Mae'n ddigon posibl y byddai rhai yn closio at fyfyrdodau'r naill yn fwy na'r llall; onid dyna reddf pobl sy'n ymateb i bob math o bynciau, boed yn athronyddol, gwleidyddol neu ddiwinyddol ar y naill law, neu yn feddygol, diwydiannol neu wyddonol ar y llall? Nod Luc fyddai dangos bod cyfraniadau holl arweinwyr yr Eglwys gynnar yn cyfrannu at dwf yr Eglwys a hynny o dan arweiniad yr Ysbryd Glân. Nid dawn pobl a fyddai'n cyfrif iddo, ond tystio bod y grym dwyfol ar waith mewn amrywiol wledydd gan ddefnyddio doniau mor wahanol â'r meddyliwr fel Paul, neu'r lladmerydd llafar fel Pedr. Byddai Luc am ddangos bod yr Ysbryd Glân yn peri i wyrthiau ddigwydd, ac ym mhennod 9 cawn esiamplau o adfer bywyd Aeneas a Dorcas, dau ddigwyddiad ar wahân i'w gilydd, ond yn enghreifftiau o adfer bywyd, a Phedr yn rhoi'r clod i Grist. Tanlinellir bod y digwyddiadau hyn wedi digwydd yng ngŵydd eraill, a bod tystion annibynnol i'r cyfan. Cysylltir y gwyrthiau hyn â gwyrth arall, sef bod Iddewon a Chenedl-ddynion wedi dod i sylweddoli bod Iesu yn croesi ffiniau, a'i fod yn croesawu pawb ato.

Myfyrdod

Yn y gyfres gomedi boblogaidd *One Foot in the Grave*, clywir y cymeriad Victor Meldrew yn dechrau yn gyson ar ei berorasiwn drwy ddweud 'I don't believe it'. Mae'n siŵr y byddai llawer yn hawlio fel Thomas gynt na fyddent am gredu unrhyw beth ar dystiolaeth ail-law. Yn yr hanesion hyn am Pedr yn Jopa, clywn Luc yn tanlinellu bod yna dystion i'r hyn y gallai'r amheuwyr fod yn ei wrthod. Beth bynnag oedd natur afiechyd Aeneas a Dorcas, digwyddodd y wyrth, a rhoddwyd y clod i'r Arglwydd. Daw dyfyniad enwog Alfred Tennyson i'r meddwl bod mwy yn medru digwydd yn dilyn gweddi nag y gall y byd freuddwydio amdano. Ai diffyg ffydd neu ddiffyg ymarfer yw hanes yr eglwys heddiw yn dal nôl rhag gweddïo dros bobl a deisyf gwellhad?

Beth bynnag yw ein deall am adferiad rhyfeddol y ddau unigolyn, mae hanes Pedr yn dod i gymdeithas Cornelius yn gofyn gwyrth arall. Cenedl-ddyn oedd Luc ei hun, a byddai yn awyddus i ddweud wrth bawb bod teulu'r ffydd yn holl-gynhwysol. A fyddai America Martin Luther King wedi breuddwydio am weld gŵr croenddu yn Arlywydd? A fyddai trigolion Prydain yn yr un cyfnod wedi dychmygu y gallai merch i siopwr ddod yn brif weinidog am dros ddegawd, a chael angladd ffurfiol yn Eglwys Sant Paul fel y cafodd Margaret Thatcher? Pwy allai ddychmygu y byddai Nelson Mandela yn Arlywydd yn ei wlad, o fewn byr amser wedi iddo gael ei ryddhau o'r carchar ar Robben Island? Mae'r amhosibl yn digwydd, ac wrth i Cornelius a Pedr ddarganfod eu bod yn aelodau o'r un teulu, mae pob breuddwyd yn bosibl. Beth yw ein breuddwydion fel unigolion ac eglwysi? A ydynt yn ymddangos yn amhosibl, ac a yw'r dyfyniad gan Tennyson yn rhoi hyder i ni i weddïo'r weddi er mwyn gwireddu'r freuddwyd?

Gweddi

Maddau i mi, Arglwydd, am gadw fy ngolygon tua'r llawr mewn swildod ac ansicrwydd heb edrych tua'r nef gan gredu bod gwawr wedi hirnos a chân wedi loes. Rho i mi weld pob mab i ti yn frawd i mi, O Dduw. Amen.

Yr anghyfartal cyfartal

Gweddi

Nefol Dad, deuaf ger dy fron yn ceisio arfer gwyleidd-dra a gostyngeiddrwydd. Sylweddolaf fod ar eraill angen dy gwmni a'th gymdeithas, ac mai braint yw perthyn i deulu'r ffydd. Helpa fi i sylweddoli fod y breintiedig a'r difreintiedig, y cyfoethog a'r tlawd, y galluog a'r llai galluog yn gyfartal yn dy olwg di. Amen.

Darllen Actau 15:36–16:40

Cyflwyniad

Rhan o bwrpas Llyfr yr Actau oedd dangos bod yr eglwys yn symud allan o Jerwsalem a Jwdea ac yn mentro ar draws tiroedd Asia Leiaf ac yn croesi i Ewrop. Wrth i Luc gofnodi'r teithiau a wnaeth Paul, roedd yn dangos fel y bu i'r eglwys ledu ei hadenydd a darganfod cynulleidfaoedd mewn gwledydd eraill gydag ieithoedd eraill. Nid yw yn ceisio dangos bod yr eglwys yn unedig ar bob pwynt, a sylweddolwn fod anghydweld rhwng Paul a Barnabas – nid bod anghydweld i'w gymeradwyo, ond nid yw'n ddigwyddiad dieithr i'r Eglwys Fore chwaith.

Wrth groesi ffiniau, mae'r uned a ddarllenwn yn dangos fel y bu i Paul a'i gyd-deithwyr, sy'n cynnwys Luc ei hun bellach, fynd i Philipi, a hynny'n golygu Ewrop. Roedd yn dal oddi mewn i Ymerodraeth Rhufain, ond byddai gwahaniaethau amlwg rhwng pobl Galatia a phobl Philipi hyd at Corinth. Erbyn diwedd y ganrif gyntaf, roedd y ffydd Gristnogol yn perthyn i sawl diwylliant cenedlaethol ond yn cynnig diwylliant cwbl newydd hefyd. Ar wahân i bontio dros ffiniau ieithyddol a chenedlaethol, roedd y ffydd Gristnogol yn pontio rhwng y dosbarthiadau cymdeithasol. Byddai Lydia yn cynrychioli'r haenau cyfoethog – pwy wedi'r cyfan allai fforddio prynu porffor oni bai eu bod yn gyfoethog? Roedd ceidwad y carchar yn cynrychioli'r cyflogedig, a byddai'r ferch a feddiannwyd gan ysbryd aflan yn eiddo i eraill, ac yn ffynhonnell incwm. Eto, yn Philipi, roedd y tri yn aelodau cyfartal o'r un eglwys. Rhannent yr un oedfa a derbyn cymundeb o'r un bwrdd. Roedd neges Luc wrth adrodd yr hanes yma yn sôn am chwyldro cymdeithasol, ac roedd yr eglwys Gristnogol yn ei chymdeithas yn chwalu muriau cymdeithasol y confensiynau traddodiadol.

Myfyrdod

Rhan ganolog o gonfensiwn cymdeithas yw cydnabod statws a threfn hierarchaeth. Ar draws y canrifoedd a'r cyfandiroedd, syrthiodd pobl i'r un fagl drwy honni bod rhai yn fwy cyfartal na'i gilydd a bod trefn o awdurdod a statws yn bod yn yr eglwys. Tybir weithiau bod esgob yn uwch na ficer, a ficer yn uwch na'r plwyfolion. Syniad cwbl anghristnogol yw hyn ac yn yr hanes am Iesu yn golchi traed y disgyblion, pwysleisir nad yw'r Arglwydd yn fwy na'i bobl.

Mawrygir statws mewn sawl cymdeithas, ond syniad cwbl afiach yw tybied bod unrhyw un yn yr eglwys yn bwysicach na'r llall. Onid pechaduriaid yw pawb, yn gwbl ddibynnol ar ras Duw beth bynnag eu swydd neu eu gallu, eu cyfoeth neu eu magwraeth? Dywed Paul mewn sawl man nad yw hiliaeth a haenau cymdeithasol yn ddim yng nghyddestun bywyd eglwysig. Eto, flynyddoedd yn ôl, roedd graddau academia yn bwysig i gynulleidfa a phregethwr, ac roedd mwy o barch i feistres nag i forwyn. Byddai'r sgweier yn cael ei anrhydeddu mewn ffordd na chafodd ei was, a hawliai'r cyfoethog le mwy blaenllaw na'r tlodion yn y gynulleidfa. I ba raddau mae'r afiechydon hyn yn ail-ymddangos yn ein cymunedau ffydd a'n meddylfryd cyfredol? Meddai Waldo, 'Daw dydd y bydd mawr y rhai bychain, daw dydd ni bydd mwy y rhai mawr...'

Gweddi

Drugarog Dduw, maddau i mi fy haerllugrwydd hunanbwysig, a dysg fi i fod yn wylaidd a gostyngedig. Helpa fi i gydnabod pawb fel brodyr a chwiorydd ac i arfer yr ewyllys i wasanaethu eraill, pwy bynnag y bônt. Amen.

Cerddwn ymlaen i'r yfory

Gweddi

Arglwydd Iesu, gwahoddaist fi i'th ddilyn di, ac weithiau rwyf yn ofnus ac yn ansicr. Mae dy ddilyn di yn golygu nad wyf yn gwybod ble mae'r daith yn mynd. Gafael yn fy llaw yn dynn, a dim ond i mi fod yn dy gwmni, credaf y byddaf yn ddiogel. Amen.

Darllen Actau 28

Cyflwyniad

Ceir pymtheg pennod o hanesion difyr ac arwyddocaol gan Luc yn cyflwyno hanes Saul o Darsus yn cael profiad rhyfeddol ar Ffordd Damascus, ac yn cael ei adnabod fel yr Apostol Paul. Bu ei hanes cynnar, ei dröedigaeth a'i wasanaeth i'r eglwys yn ysbrydoliaeth, nid yn unig i bobl ei gyfnod, ond i'r eglwys ar hyd y canrifoedd. Roedd yn feddyliwr ac yn bregethwr arbennig, gan dderbyn yr her o arwain y genhadaeth Gristnogol allan o Jerwsalem ac i bellafoedd Ewrop. Nid oes eglurhad yn Llyfr yr Actau pam y daeth Pedr i gael ei ystyried yn esgob Rhufain, ac nid Paul. Cawn lawer o fanylion gan yr awdur am yr hyn a ysgogodd Paul, a'i amcanion wrth deithio ar fôr a thir i dystio i'r hwn a'i galwodd i'w waith. Tybiwn fod Llyfr yr Actau wedi ei lunio ar ôl yr Efengyl sy'n golygu cofnodi hanes Paul o leiaf ugain mlynedd ar ôl ei farw. Bu Luc yn teithio gyda Paul am gyfnod ac yn ei adnabod yn dda. Cawn gip ar Paul y dyn, a byddai Luc yn awyddus i gynorthwyo aelodau'r Eglwys Fore ar hyd a lled Asia ac Ewrop i sylweddoli bod cenhadaeth yr Eglwys yn cadarnhau bod gwahoddiad Iesu yn berthnasol i bawb.

Ni wyddom beth fu diwedd Paul. Mae Luc yn gadael yr hanes gyda Paul wedi cyrraedd Rhufain, ac yn tystio i'w Waredwr ym mhrif ddinas yr Ymerodraeth. Ceir diweddglo buddugoliaethus a chadarnhaol, er mae'n siŵr fod Paul dan warchae yn ei gartref ei hun am sawl blwyddyn, a dyfelir ei fod wedi cael ei ladd mewn rhyw fodd gan yr Ymerodraeth. Ni fyddai rhannu'r wybodaeth honno wedi bod o fudd i'r sawl a ddarllenai'r hanes, os oedd Luc yn gwybod hynny ai peidio. Darllenwn yn Actau 27–28 fod Paul wedi ei arbed rhag y sawl a geisiai ei ladd, rhag y storm ar y môr a'r llongddrylliad, a gadael Ynys Melita cyn cyrraedd Rhufain. Clywn neges hyderus Paul ac iddo bregethu 'heb neb yn ei wahardd'(28:31).

Myfyrdod

Mae pawb sy'n ymddiddori mewn ffuglen yn falch o gael diweddglo hapus, ac os nad yw'n gorffen felly, mae'r awdur yn gadael y darllenydd neu'r gwyliwr heb ddiweddglo terfynol. Serch hynny, nid ffilm oedd bywyd Paul, ond gŵr real oedd yn ufudd i'r hwn a fu'n achos chwyldroi ei fywyd, ac yn herio'r amgylchiadau yn eofn. Ar wahân i adrodd hanes, mae Luc yn calonogi ei ddarllenwyr i fod yr un mor hyderus yn eu tystiolaeth yn wyneb erledigaeth ac artaith.

Pe byddem yn cael y cyfle i ddychmygu beth fuasai'r bennod nesaf ym mywyd Paul, beth fyddem am ei gynnig? Ai dweud bod Paul wedi byw nes ei fod yn rhy hen neu yn rhy wan i wneud mwy, ac iddo farw yn ei wely, neu ei weld yn cael ei lusgo i'r crocbren neu ffau'r llewod yn pregethu gyda'i anadl olaf? Efallai y byddem am ei weld fel math o Dr Who yn ailymddangos yn hanes yr eglwys ac yn cynnig doethineb newydd i aelodau'r eglwys. Tybed ai bwriad Luc fyddai dweud nad Paul sy'n bwysig o gwbl? Faint gwell a fyddem o wybod beth ddigwyddodd i'r Apostol, gan mai enw Iesu sy'n bwysig a'i air ef sy'n cyfrif? Beth bynnag a ddigwydd i bob Cristion, dyhead Luc fyddai iddynt fyw fel tystion ffyddlon hyd ddiwedd eu taith ddaearol, yn 'cyhoeddi teyrnas Dduw a dysgu am yr Arglwydd Iesu Grist' i'r sawl a fyn wrando (Actau 28:31).

Gweddi

Maddau i mi, Arglwydd, am feddwl fy mod i yn bwysig. Helpa fi i sylwi o'r newydd ar y portread a welaf o Paul yn hanes Luc, a gweld mai fy mraint fwyaf i yw helpu eraill i weld Iesu yn fy mywyd, yr hwn yw Crist yr Arglwydd. Amen.

Dyma fy stori, dyma fy nghân

Gweddi

Plygaf yn wylaidd, Arglwydd, gan geisio dy arweiniad a'th oleuni wrth i mi droi atat heddiw. Agor yr ysgrythur i mi, ac wrth i mi ddod i adnabod cynnwys a chefndir y darlleniad, boed i mi ddod yn agosach atat ti. Amen.

Darllen Galatiaid 1–2:10

Cyflwyniad

Roedd o leiaf 14 blynedd wedi mynd heibio rhwng tröedigaeth Paul a'r amser yr ysgrifennodd y cyntaf o'r llythyron sydd wedi eu cynnwys yn y Testament Newydd. Dyddir yr Epistol at y Galatiaid tua 50 OC, sef ar ôl Cyngor Jerwsalem. Dyma oedd y cyfarfod mawr a nodir yn Actau 15, lle roedd arweinwyr yr Eglwys Fore wedi trafod sut oedd derbyn cenedl-ddynion, sef pobl o genhedloedd nad oeddynt yn Iddewon, yn aelodau o'r Eglwys. Trafodir hyn yn adran ganol y llythyr hwn.

Dyma oedd y deunydd ysgrifenedig cyntaf a oedd ar gael i'r eglwysi i'w ddarllen. Nid amcan cyflwyniad fel hwn yw crynhoi'r drafodaeth am awduraeth a dyddiad y llythyron hyn, ond nodi eu bod yn ceisio trafod y pynciau a gododd yn yr eglwysi ac yn dadlau dros y gredo sylfaenol ac yn erbyn yr heresïau a amlygwyd yn y cynulleidfaoedd. Roedd hyn yn broses araf, gan fod Paul ymhell o'r eglwysi yn aml, ac yn dibynnu ar yr wybodaeth a gawsai gan eraill. Mae'n bosibl ei fod yn cael trafferth gyda'i olwg ac mai dyna'r rheswm pam nad oedd yn ysgrifennu â'i law ei hun, ond bod eraill yn nodi'r hyn a ddywedai (Gal.6:11). Byddai'r llythyron hyn yn cael eu copïo a'u dosbarthu ymhlith yr eglwysi yn yr ardal, ac yn destun trafod ymysg yr aelodau. Nid oedd copïau o'r Efengylau yn bod hyd at ddiwedd 65 OC ac ymlaen. Wrth ddarllen yr epistolau dylem gofio nad oedd canran uchel o'r gynulleidfa leol yn llythrennog, a bod y llythyrau'n pontio cenhedloedd gwahanol, oedrannau a statws cymdeithasol amrywiol, ac yn arddel ffydd nad oedd yn perthyn i un genedl. Roedd derbyn y ffydd hon yn chwyldroadol ar sawl lefel, ac yn peri trafodaethau eang a phellgyrhaeddol. Os bydd unrhyw un am ddeunydd darllen pellach i'r trafodaethau, yna mae *Arweiniad Byr i'r Testament Newydd* gan y Parch Ddr Isaac Thomas (Gwasg Prifysgol Cymru) yn ganllaw diogel.

Myfyrdod

Faint ohonom sy'n adnabod person a gafodd ei (h)argyhoeddi gan rywbeth neu rywun fel ei (b)fod yn byw'r argyhoeddiad? Bydd rhai wedi troi o fod yn grwn eu siâp i ddechrau rhedeg a methu stopio. Aeth cadw'n heini neu fwyta'n iach yn ffordd o fyw. Bydd eraill wedi cael achos i'w feddiannu, ac nid oes un peth yn bwysicach na'r achos hwnnw. Gall ymwneud â gwleidyddiaeth bleidiol, polisïau cadwraeth neu gywirdeb iaith fod yn feysydd yr un mor ddeniadol i berson a gafodd dröedigaeth. Nid oes lle i gyfaddawd pan fo profiad personol wedi troi'r person tu chwith allan a'r byd o'i gwmpas wyneb i waered.

Un felly oedd Paul. Gwyddai fod Iesu yn fyw. Wedi'r cyfan cyfarfu ag ef ar y ffordd i Ddamascus, ac roedd y berthynas ag ef yn rhoi ystyr a chyfeiriad i'w fywyd. Dilyn Iesu oedd ei nod a gwasanaethu Iesu oedd ei ymffrost a'i fraint. Yn y bennod gyntaf cawn ei dystiolaeth bersonol gan ddweud bod aelodau Cyngor Jerwsalem wedi dathlu'r ffaith fod cenedl-ddynion yn cofleidio'r ffydd a fu gynt yn wrthun iddynt.

Pan soniwn am Gristion y genhedlaeth gyntaf, person fel Paul a ddaw i'r meddwl. Bydd plant ac wyrion y genhedlaeth gyntaf yn debygol o ddilyn y Ffydd, ond mae perygl i'w crefydd fod yn llai llachar ac yn barotach i gyfaddawdu gyda'r byd. Ble ydym ni ar y daith hon, un a gafodd brofiad personol a'n bywyd wedi ei chwyldroi'n llwyr, neu rywun sy'n etifeddu'r ffydd heb fod mor siŵr â mam-gu pa mor glir yw dŵr y ffynnon?

Gweddi

Diolch, Iesu, am fy nerbyn i'th fynwes a gadael i mi deimlo gwres dy gariad a sicrwydd dy fendith. Amen.

Rwyt ti'n frawd a chwaer i mi

Gweddi

Arswydaf, Arglwydd, at y modd sarhaus mae rhai o bobloedd daear yn trin eu cyd-ddyn. Maddau i mi am feddwl yn hiliol ac yn anoddefgar weithiau, a chynnal fy ffydd yng ngweledigaeth Paul o ddynoliaeth lawn dwf. Amen.

Darllen Galatiaid 3–4:20

Cyflwyniad

Nodwyd yn yr uned flaenorol bod y Llythyr at y Galatiaid sef y cynulleidfaoedd a sefydlodd Paul ar ei daith genhadol gyntaf wedi ei anfon ar ôl cynnal Cyngor Jerwsalem (49 OC). Ynddo, nododd Paul fod aelodau'r Cyngor, sef yr arweinwyr yn Jerwsalem, wedi cytuno'n llawen â datganiad Paul ei hun, nad oedd angen i'r cenhedloedd eraill dderbyn y grefydd Iddewig cyn dod yn Gristnogion.

Roedd y Gyfraith i'r Iddewon fel craig o dan eu traed. Dyna oedd sylfaen eu cred yn Nuw ac angor eu hunaniaeth fel cenedl. Byddai amharchu'r Gyfraith yn sarhad yn erbyn Duw, ac nid oedd modd rhannu cwmnïaeth Duw heb y Gyfraith. Roedd Paul wedi ei hyfforddi yn y ddysgeidiaeth honno, ac fel Iddew o blith yr Iddewon, roedd dadlau dros achos a fyddai'n negyddu'r Ddeddf yn gam anferth, ond dyna a wnaeth. Rhywbeth dros dro oedd y Ddeddf, yn nodi beth na ddylai pobl Dduw ei wneud. Dywed fod Iesu wedi cyflawni'r Ddeddf, a mwy, sef dod â phobl Dduw i berthynas lawn gyda Duw, nid trwy ofynion cyfraith, ond trwy ras. Mae'n eu galw yn 'blant bach' iddo (4:19) ac am eu gweld yn dilyn Iesu'n llwyrach.

Mae'n siŵr fod canran sylweddol o aelodau'r cynulleidfaoedd yng Ngalatia yn gaethweision, neu o leiaf yn gyfarwydd â chymdeithas a ddibynnai'n drwm ar effeithiolrwydd caethwasiaeth. Mae'n chwarae ar y syniad fod y Galatiaid yn blant bach, ac felly fawr gwell na chaethwas. Ar ôl dyfod Iesu i'r byd ac i'w bywydau hwy, maent yn bobl newydd, ac yn blant i Dduw, felly yn etifeddion teyrnas nefol. Dyna beth yw newid byd.

Myfyrdod

Un o enwau mawr y byd athletau yw Jesse Owens a aned yn 1913 ac a enillodd bedair medal aur yng Ngemau Olympaidd Berlin yn 1936. Roedd Natsïaeth yr Almaen yn hawlio bod y croenwyn yn well na neb arall, ac o'u plith, tras yr Ariaid. Roedd cydnabod tri o Alabama yn bencampwyr yn bilsen anodd ei llyncu, nid yn unig i'r Almaenwyr ond hefyd i nifer o'r Americaniaid eu hunain. Cyfrannodd Jesse Owens yn sylweddol drwy hyrwyddo achos y croenddu difreintiedig yn yr Unol Daleithiau ac annog ei bobl i gyrchu at y nod o ddynoliaeth gyflawn. Gwrthododd Owens ymuno â'r adain fwy eithafol o blith y croenddu. Prin bum mlynedd yn ddiweddarach, roedd Iddewon yn cael eu cludo fel anifeiliaid i wynebu marwolaeth arswydus yn y siambrau nwy.

Brwydo dros eu hunaniaeth a'u diogelwch fu hanes yr Iddewon erioed, gan ymwrthod â hawliau'r Moslemiaid Arabaidd yn y Llain Orllewinol. Wrth gwrs, nid oes modd cymharu barbareiddiwch Hitleriaid i ddim sy'n digwydd yn Israel, ond bod amharodrwydd yn yr Israel fodern i dderbyn pobl o genedl arall fel pobl gyfartal a chanddynt hawl i fyw. Prin fod agwedd yr ANC yn Ne'r Affrig yn gyson â'r nod adeg sefydlu Nelson Mandela yn Arlywydd er mwyn hyrwyddo cydraddoldeb a brawdgarwch. Dioddefodd y croenddu yn ofnadwy o dan law apartheid, ond maent hwy eu hunain yn ddigon parod i ddefnyddio tactegau annheg.

Ni ellir cymharu breuddwydion y caethweision yn yr Ymerodraeth Rufeinig ag amgylchiadau byw pobloedd yr unfed ganrig ar hugain. Pwy na all ryfeddu at weledigaeth eithriadol fawr Paul yn sylweddoli gwirionedd yr hyn a ddywedodd Waldo am ddyfod dydd y bydd mawr y rhai bychain, ac y daw dydd ni bydd mwy y rhai mawr?

Gweddi

'Rho imi weld pob mab i ti yn frawd i mi, O Dduw.' (E. A. Dingley, *cyf. Nantlais, C.Ff.* 805) Amen.

Ffrwyth yr Ysbryd

Gweddi

Nefol Dad, gwn fy mod yn ei chael yn anodd cysylltu fy argyhoeddiadau ysbrydol â'm bywyd beunyddiol. Helpa fi yn y myfyrdod heddiw i weld sut mae gweddi yn arwain at wenu. Amen.

Darllen Galatiaid 5 a 6

Cyflwyniad

Bu'r Deg Gorchymyn yn ganllaw diogel i'r Hebreaid wrth fyw eu crefydd yn y byd. Ceir pedair deddf sy'n ymwneud â Duw, a chwech sy'n cynnig arweiniad ar fywyd moesol. Rhan o arswyd Iddewiaeth oedd bod yr is-gymalau cyfreithiol wedi mynd yn fwrn ar y bobl, gyda'r Phariseaid yn hyrwyddo agenda o ufudd-dod i holl amodau'r ddeddf. Pan ofynnwyd i Iesu beth oedd ei arweiniad ef am ddeddfwriaeth y ffydd, nododd ddwy, sef yn gyntaf, yr alwad i garu Duw, a'r ail yr anogaeth i garu cyd-ddyn. Beth mwy sydd i'w ddweud? Ni all neb garu dyn a'i ladd, neu ladrata oddi wrtho. Prin fod person am odinebu gyda rhywun mae'n awyddus i'w pharchu ac nid oes modd amharchu rhieni na chymydog tra yn dal i arddel perthynas o gariad gyda hwy.

Roedd y grefydd Iddewig yn negyddol ac yn boen i bawb, tra bod y ffydd Gristnogol yn gadarnhaol ac yn hyrwyddo daioni a pherthynas gadarnhaol rhwng pobl a'i gilydd. Byddai bywyd yng Ngalatia yn llawn amodau a chanllawiau ymddygiad rhwng y cenhedloedd a'i gilydd. Hefyd roedd amodau ar berthynas gwŷr a gwragedd mewn cymdeithas, ac yn yr un modd, nid oedd hi'n bosibl i ddyn rhydd a chaethwas rannu unrhyw beth. Pa ryfedd felly bod y ffydd Gristnogol wedi cynnig chwyldro crefyddol, cymdeithasol a diwylliannol? Daeth pobl a fu gynt yn ddieithr i'w gilydd yn aelodau o'r un teulu. Pwysleisia Paul fod y sawl sy'n profi'r Ysbryd Glân yn naturiol yn arfer moesoldeb gwahanol ac anogir pobl i gario beichiau ei gilydd. Wrth ddarllen y ddwy bennod hyn, ystyriwch beth fyddai effaith hyn ar gymdeithas mor strwythuredig ac amodol a'r hyn a gafwyd yng Ngalatia.

Myfyrdod

Ai pobl gonfensiynol neu anghonfensiynol yw Cristnogion y Testament Newydd? Mwy na thebyg bod greddf gonfensiynol yn perthyn iddynt, ond bod yna ysfa oddi mewn yn galw ar y cyfoethog i helpu'r tlawd, a'r uchelwyr i gofleidio'r iselradd, a'r cryf i gario beichiau'r gwan. Onid felly y dysgodd Iesu ei ddisgyblion gynt? Nid cyfraith Moses sy'n berthnasol bellach, ond cyfraith cariad Crist. Mae Paul yn cydnabod bod arweiniad yr Ysbryd Glân yn golygu cadw draw rhag bod yn gnawdol a hunanol. Iddo ef, mae 'Ffrwyth yr Ysbryd' yn chwyldroi'r anian fydol er mwyn byw yn yr anian nefol. Mae'r nefoedd felly yn fwy na chyrchfan tu hwnt i farwolaeth.

Ai meddylfryd bydol sy'n cael ei weld yn ein bywydau ni, ynteu bywyd dwyfol? Faint o bobl sy'n sylweddoli ein bod yn darllen y Beibl, ac yn cwmnïa gyda Duw? I ba raddau rydym yn siarad am ein 'ffrind gorau' wrth ein ffrindiau eraill? Mae'n hawdd adnabod meddwyn wrth ei leferydd a'i gerddediad, a yw hi'r un mor hawdd adnabod Cristion wrth sylwi ar ei leferydd a'i gerddediad yntau?

Mae'n siŵr ein bod yn gyfarwydd â Mr Trachwantus, yn bwyta'n afiach ac yn ddiog ym mhopeth. Byddai'n gor-yfed, gorfwyta ac yn methu ei ddisgyblu ei hunan. Aeth Mr Trachwantus yn Mr Boliog. Yna cafodd brofiad brawychus pan brotestiodd ei galon, a chwyno fel bod y meddyg yn deall y profion fel 'trawiad ar y galon'. Dangoswyd i Mr Boliog bod angen iddo baratoi i farw neu newid cyfeiriad ei fywyd a dathlu byw. Dechreuodd fwynhau cerdded, a sylweddolodd fod modd mwynhau ffrwythau, ac nad oedd angen gwin gyda phob pryd bwyd. Wrth golli pwysau, roedd yn cysgu'n well, ac roedd ganddo fwy o egni i chwarae gyda'i blant. Roedd newid ei ffordd o fyw wedi ei newid ef, ac nid colli pwysau oedd y nod bellach ond ennill nerth. Roedd Mr Boliog wedi troi yn Mr Bywyd.

'Os yw ein bywyd yn yr Ysbryd, ynddo hefyd bydded ein buchedd' (Galatiaid 5:25).

Gweddi

Maddau i mi, Arglwydd, am fy nhrachwant bydol ac annog fi i ymarfer buchedd yr Ysbryd, fel fy mod i'n medru maddau a thrugarhau wrth eraill, 'fel bo i eraill drwof fi adnabod cariad Duw' (Eifion Wyn, *C. Ff.* 681). Amen.

Yr eglwys fach fawr

Gweddi

Dirion Dad, helpa fi i sylweddoli ofn a phryder yr eglwys yn Thesalonica, ac i werthfawrogi eu ffydd gadarn yn Iesu, a'u hawydd i'th blesio di. Maddau i mi fy ansicrwydd cyson, a gad i mi brofi grym yr Ysbryd Glân o'r newydd wrth i mi fyfyrio ar dy air heddiw. Amen.

Darllen 1 Thesaloniaid 1–2:16

Cyflwyniad

Er mwyn cael cefndir hanesyddol ymweliad Paul â dinas Thesalonica, bydd troi at Actau 17 yn help. Roedd wedi bod yn Philipi a chael profiadau cadarnhaol o ran derbyn ymateb ffafriol i'w tystiolaeth am Iesu ond roedd ef a Silas hefyd wedi cael eu carcharu yno. Bu'r digwyddiad rhyfeddol o agor drws y carchar oherwydd effaith y daeargryn yn fodd i argyhoeddi ceidwad y carchar o wirionedd tystiolaeth Paul a Silas, ac yn arwyddlun o'r dystiolaeth Gristnogol yn siglo seiliau y diwylliannau Ewropeaidd hefyd. Gadawodd Paul gwmni tref Philipi ac yna deithio drwy Berea a chyrraedd Thesalonica.

Dyddir ei ddau lythyr yn gynnar yn y chweched degawd, a phwrpas y ddau lythyr yw cadarnhau a chalonogi'r eglwys yno, a'i chymell i fyw bywyd pur a glân. Mae'n awyddus i gadarnhau ei safbwynt ef am ailddyfodiad Iesu. Mae'r ail lythyr yn ymestyniad o thema'r cyntaf, fel pe bai Paul wedi derbyn adroddiad pellach o'r eglwys ar ôl anfon y llythyr cyntaf, ac yn anfon neges i danlinellu ei feddwl.

Myfyrdod

Mae adran agoriadol y llythyr cyntaf yn dangos bod Paul yn diolch am fywyd a thystiolaeth aelodau'r eglwys yn Thesalonica. Cyfeiriodd atynt fel esiampl o eglwys gynnes ac effeithiol, a bod eraill tu hwnt i'r rhanbarth wedi clywed amdanynt. 'Canys oddi wrthych chwi yr atseiniodd gair yr Arglwydd ... y mae eich ffydd chwi yn Nuw wedi mynd ar led ym mhob man.' (1:8).

Sut oedd newyddion yn teithio yn y ganrif gyntaf? Rhaid bod llythyron a negeseuwyr yn pontio'r cymunedau, a hyd yn oed mor gynnar â 50 oc roedd momentwm cenhadaeth yr eglwys yn ennill tir. Beth fyddai wedi achosi hynny tybed? Dywedwn yn gyson fod rhywbeth da yn ei werthu ei hunan, ac roedd effaith y profiad Cristnogol o droi pobl o fyw i eilunod i fyw er mwyn Duw wedi newid gwedd y bobl hyn. Canmolir buchedd y bobl, ac mae Paul yn falch iawn o'r eglwys.

Sylwn hefyd fod Paul yn cydnabod yn gyson ddylanwad yr Ysbryd Glân ar yr eglwys. Bu'r Ysbryd Glân yn gyfrwng nerthu'r eglwys er iddi fod yn gynulleidfa ifanc a dibrofiad (1:5) ac roedd yr eglwys yn llawen yn yr Ysbryd Glân (1:6) er ei bod yn wynebu gorthrymder.

Gyda'r holl gyfarpar digidol sydd gennym yn y presennol, beth sydd yn wirioneddol newydd? Mae'r neges Gristnogol a'r profiad a gaiff y credadun o'r Ysbryd Glân yn cyffroi a chadarnhau ffydd yr unigolyn ynghyd â chymdeithas yr eglwys. Pan fydd gorthrwm yn herio ein ffydd yn Nuw, ac amgylchiadau yn bygwth ein trechu, mae'r Pentecost yn cryfhau'r gwannaf ac yn cynhesu'r gymdeithas fwyaf anobeithiol.

Gweddi

> Arglwydd Iesu, llanw d'Eglwys
> a'th lân Ysbryd di dy hun
> fel y gwasanaetho'r nefoedd
> drwy roi'i llaw i achub dyn:
> dysg i'w llygaid allu canfod,
> dan drueni dyn, ei fri;
> dysg i'w dwylo estyn iddo
> win ac olew Calfarî. Amen.
>
> (W. Pari Huws, *C.Ff.* 839)

Gyda'n gilydd fe orchfygwn ni

Gweddi

Nefol Dad, rwy'n teimlo weithiau nad oes neb yn fy neall a bod bywyd yn boenus o anodd. Wrth feddwl am hanes y Thesaloniaid yn cyd-dynnu mor dda, rwy'n gwrido fy mod i'n esgeulus o'm teulu ysbrydol. Maddau i mi am fethu rhoi mwy o ymdrech ac amser i gefnogi eraill. Amen.

Darllen 1 Thesaloniaid 4–5:11

Cyflwyniad

Roedd Paul yn gyson ei ddaliadau am foesoldeb ac anfoesoldeb ei oes. Nid bod trigolion Ewrop ac Asia Leiaf yn amser Paul yn waeth na thrigolion pob gwlad ar draws y canrifoedd. Cafodd yntau hyfforddiant cadarn wrth draed Gamaliel (Actau 22:3), a gwyddai beth oedd holl ddisgwyliadau'r Gyfraith Iddewig. Bydd pobl y gyfraith ym mhob gwlad a diwylliant yn hawlio clust cenedl, ac yn troi at ddogfennau'r ddeddf i fynnu sylw. Nid oedd Paul yn wahanol. Serch hynny, mae'n galw ar addolwyr Thesalonica (a phob eglwys arall, wrth gwrs) i fyw er mwyn boddhau Duw. Dyma oedd yr alwad i sancteiddrwydd (4:3). Beth bynnag yw disgwyliadau'r Gyfraith, roedd disgwyliadau Paul yn enw Duw yn uwch.

Roedd ail wedd i ddatganiadau Paul, sef ei fod yn credu bod Iesu yn dychwelyd yn fuan, ac y byddai Iesu yn galw pobl i wynfyd (4:13–18). Byddai ymatal rhag anfoesoldeb yn gyfystyr ag ymwrthod â phechod. Geilw Paul gynulleidfa Thesalonica yn bobl y goleuni ac yn bobl sobr, o'u cymharu â phobl y tywyllwch sydd wedi meddwi ar bethau'r byd. Mae Paul yn gweld y cyswllt rhwng credu ac ymddygiad, ac yn annog Cristnogion y ddinas i fyw fel pobl Iesu. Ceir anogaeth arall ganddo hefyd, sef galw ar gyfeillion Thesalonica i galonogi ei gilydd er mwyn profi iachawdwriaeth Duw. Roedd yn gweld bod y bererindod ysbrydol yn golygu cyd-deithio gyda phobl o anian ac argyhoeddiadau tebyg. Nid taith ynysig oedd taith y Cristion, ond taith yn rhannu cymdeithas gydag eraill.

Myfyrdod

Byddwn yn aml yn meddwl am rai cystadlaethau yn y byd eisteddfodol fel cystadlaethau i unigolion tra bydd cystadlaethau eraill ar gyfer partïon neu gorau. Yn yr un modd, mae byd yr athletwyr yn nodi bod cystadlaethau i'r unigolyn a chystadlaethau gwahanol i dimoedd. Mewn gwirionedd, mae hyd yn oed y cystadlaethau unigol yn gofyn am waith grŵp gan fod y dysgu a'r hyfforddi yn gofyn am gyd-ddealltwriaeth rhwng pobl a'i gilydd.

Mae'r rhan fwyaf o bobl yn awyddus i gael cwmni ar daith bywyd, ac y mae dyn yn ei natur yn greadur cymdeithasol. Byddwn yn ddiolchgar am rannu cwmni pobl a fydd yn gefnogol i ni, ac yn mwynhau'r un awyrgylch a'r un argyhoeddiad. A fyddai Wagner neu Mozart yn gyfforddus yng nghyngerdd y Stereophonics wedi'r cyfan, neu a fyddai llysieuwr yn barod i weithio mewn lladd-dy?

Os yw adar o'r unlliw yn hedeg i'r unlle, roedd Paul am i'r Cristnogion yng nghanol y ganrif gyntaf fod yn ufudd i Dduw, ac yn disgwyl Iesu i'w casglu ynghyd yn yr hyn a ddeallodd oedd amseriad yr Ail Ddyfodiad. Dyw datganiadau Paul ddim i gyd yn berffaith gywir er bod tuedd gan rai i'w osod ar lwyfan goruchel a chredu bod pob gair o'i enau yn wirionedd absoliwt.

Wrth wynebu erledigaeth yr Eglwys Fore, byddai neges Paul i'r Thesaloniaid yn gynhaliaeth, a phan fyddai Cristnogion yn cael eu lladd oherwydd eu ffydd yn Iesu ar draws y canrifoedd cynnar, byddent yn cofio'r brawddegau hyn. Wrth i Gristnogion ein cyfnod ni wynebu erledigaeth a dioddefaint, yr un yw'r arweiniad gwerthfawr. Gyda'n gilydd y 'safwn ni'! Mae'r wir fuddugoliaeth wedi ei hennill, onid yw?

Gweddi

Diolch, Arglwydd, am gwmni a chynhaliaeth yr Eglwys. Helpa ni i gynnal ein gilydd ac i fyw fel teulu Iesu yn y byd. Amen.

Rhwydweithio mewn ffydd

Gweddi

Arglwydd Iesu, plygaf o'r newydd ger dy fron yn gofyn am dy fendith a'th arweiniad heddiw. Weithiau mae pob diwrnod yn ymddangos fel y llall, ond pan fyddaf yn rhoi amser penodol i feddwl amdanat ti, mae'n rhoi gwedd newydd ar y dydd. Diolch am gefnogaeth a chariad teulu a ffrindiau. Diolch yn arbennig am y modd i gynnal perthynas â thi. Amen.

Darllen 2 Thesaloniaid 2:13–3:17

Cyflwyniad

Nodwyd mewn adrannau blaenorol bod Paul yn credu y byddai Iesu yn dychwelyd yn fuan ac yn galw'r credinwyr ynghyd, ac y byddai'r gweddill yn dioddef barn a chosb. Nid oes sicrwydd pryd yr ysgrifennodd am yr eildro, ond mae llawer o'r farn iddo anfon yr ail lythyr mewn ymateb i'r adroddiad a dderbyniodd gan y sawl a gludodd y llythyr cyntaf i Thesalonica. Efallai iddo gredu bod angen nodyn pellach i gadarnhau ei bwyntiau am Ailddyfodiad Iesu a'r modd y mae pobl sy'n arfer meddwl drygionus yn mynd i ddioddef. Dylem gofio bod teithio yn y cyfnod hwn yn anodd a pheryglus, ac nad oedd modd bod yn siŵr bod y negesydd yn cyfleu'r sefyllfa gywir. Mae'r cymunedau yn agos i'w gilydd yng nghyd-destun modd teithio a chyfathrebu yn yr unfed ganrif ar hugain, ond yn y ganrif gyntaf, byddai taith can milltir yn medru cymryd amser hir. Ar wahân i'r pwyntiau diwinyddol sydd yn y ddwy bennod gyntaf, sylwn ar gynhesrwydd y cyfarchion a'r gofal sydd gan Paul o aelodau'r eglwys yn Thesalonica.

Myfyrdod

Aeth hi'n arfer naturiol wrth glywed am berson yn dweud am ei fwriad i ymweld ag eraill i ni ddweud, 'Cofia ni atynt.' Ar derfyn sgwrs ffôn neu neges destun ar gyfarpar digidol, byddwn am ddweud, 'Gwela'i di'n fuan.' Onid greddf pobl yw dymuno cadw mewn cyswllt, hyd yn oed os nad yw hynny'n hawdd. Prin ein bod yn awyddus i golli cyswllt gydag unrhyw un agos a chyfeillgar, a byddwn yn rhannu cyfeiriadau a rhifau ffôn gan obeithio cynnal y cysylltiad. Ai amcan adnodd 'Facebook' yw rhwydweithio er mwyn cadw pobl mewn cyswllt, ac os felly, a yw yn gyswllt real, ynteu a yw'n rhywbeth ffals?

Gwedd arall ar gyfarchion cyfeillgar Paul tuag at gynulleidfa Thesalonica yw ei fod yn diolch am eu cefnogaeth a chynnig anogaeth iddynt ddal ati. Mae digalondid yn medru bygwth pawb yn hawdd, ac wrth ddarllen cyfarchiad personol oddi wrth un o brif apostolion yr Eglwys Fore, byddai pob cynulleidfa yn siŵr o deimlo'n fwy hyderus yn ei chymdeithas a'i chenhadaeth.

Wrth i Paul ofyn am gefnogaeth weddigar eglwys Thesalonica, mae'n dangos mor ddibynnol yw pawb ar fendith Duw ac ar ei gilydd. Ni all pawb deithio a phregethu fel Paul. Efallai y byddai cynulleidfa fechan yn tybied nad oes modd iddi fentro tu allan i'w hardal ei hun. Wrth i Paul ofyn am gymorth fel hyn, roedd yn rhoi gwerth ar weinidogaeth weddigar yr eglwys leol a phwysigrwydd gweddi mewn cenhadaeth.

Pa mor aml y byddwn yn gweddïo dros ein gilydd, a thros lwyddiant cenhadaeth yr eglwys leol? Wrth wneud hyn, byddwn yn uniaethu ein hunain â rhyw ran o fywyd eglwys, gan fod gweddïo yn greiddiol bwysig i fywyd eglwys. Pan fydd ffiws drydanol wedi methu, mae'r cyfan yn methu. Pan fydd yr elfen ysbrydol yn cael ei hanghofio, mae bywyd yn colli ei gyfeiriad a'i werth. Pen draw hynny yw bod person yn meddwl mwy am yr hunan a'r modd rydym yn cynnal ein delwedd yng ngolwg byd.

Gweddi

Maddau i mi, Nefol Dad, am grwydro ymhellach oddi wrthyt. Diolch am dy amynedd yn dy ymwneud â mi. Gwerthfawrogaf agosrwydd fy nheulu, fy ffrindiau a'm cymdeithas leol. Gweddïaf dros waith yr eglwys leol ac am dystiolaeth a gwasanaeth yr eglwys fyd-eang. Amen.

Croeshoelio mewn byd hunanol

Gweddi

Dirion Dad, pan glywaf am hanes croeshoelio Iesu, byddaf yn teimlo'n euog o'i groeshoelio yn fy mywyd i bob dydd. Wrth ddarllen yr adran hon heddiw, gad i mi glywed geiriau Iesu yn estyn maddeuant a moesoldeb i fyd didrugaredd ac anfoesol. Amen.

Darllen 1 Corinthiaid 2–3

Cyflwyniad

Bu llawer o drafod ar y nifer o lythyron a anfonodd Paul at yr eglwys yng Nghorinth, gan iddo gyfeirio at un yn benodol yn nhestun un o'r ddau epistol sydd yn y Testament Newydd, ('y llythyr coll' cf. 1 Cor. 5:9 ff.). Mae'r beirniaid llên yn gyson eu barn bod darnau o lythyron wedi eu gwau ynghyd i'r hyn sydd ar ffurf dau lythyr a ddiogelwyd, ond bod prif werth yr ohebiaeth hon yn gorwedd ym meddwl Paul wrth ymateb i gymlethdodau eglwys ifanc mewn dinas gosmopolitan. Er iddo aros yng Nghorinth am 18 mis, roedd rhai yno yn feirniadol ohono, ac mae sawl adran yn y llythyron hyn lle mae'n ei amddiffyn ei hun. Mae'r fersiynau o'r Beibl sydd gennym ni yn gosod penodau a phynciau sy'n ei gwneud yn haws i ddeall y cynnwys. Mae angen cofio nad oedd copïwr y gwreiddiol yn medru gwneud hynny, a digon tebyg fod y tudalennau wedi cymysgu rhywfaint. Tuedd arddull y cyfnod oedd gosod thema neu bwnc trafod ar ffurf cwestiwn, ac yna ymateb iddo, cyn bwrw ymlaen at y pwnc nesaf. Roedd cynulleidfa eglwys Corinth dan ddylanwad llawer o grefyddau eraill, a pha ryfedd iddynt gael eu denu gan awelon diwinyddol croes a chrefyddau gwahanol? Craidd neges Paul oedd bod Iesu wedi ei groeshoelio a'i atgyfodi. Roedd yr apostol yn awyddus i arwain pobl i fyw y ffydd gan arfer moesoldeb Crist. Byddai hynny yn golygu ymwrthod ag anfoesoldeb cnawdol crefyddau eraill a pharchu trefn a barchai briodas ffyddlon ac a gadwai yn glir rhag addoli eilunod.

Myfyrdod

Onid yw hi'n ddiddorol fod y papurau dyddiol poblogaidd megis y *Sun* a'r *Mirror* yn denu darllenwyr drwy gynnig lluniau a hanesion sy'n gnawdol eu gwedd, ac yn dibynnu ar gyhoeddi ffeithiau am 'celebs' y dydd sy'n dwyn cywilydd i'r bobl hynny? Mae'r adran yma o'r wasg yn ymhyfrydu eu bod yn dwyn y cuddiedig i'r golau ac yn gweld hynny fel rhan o'u cyfrifoldeb i'r cyhoedd. Mae ganddynt olygyddion clyfar sy'n llunio penawdau bachog ac yn hoelio sylw'r darllenydd yn rhwydd. Cawn yr argraff ganddynt fod bywyd naill ai yn ddu neu yn wyn, ac nad oes ardaloedd llwyd yn bod. Felly y bu pobl erioed. Ceir eironi amlwg o foddhau'r awydd i glywed am lendid drwy arddangos aflendid.

Os felly, bod yr apêl at gnawdolrwydd yn hyrwyddo'r hunanol a'r chwant am bleser, sut mae sôn am ffydd yn Nuw yn wrthbwynt i hynny? Ateb Paul fyddai bod yr hyn a ddaw oddi wrth Dduw yn Iesu yn gariad anhunanol, sy'n rhoi hyd at aberth. Y ffordd i oresgyn hunanoldeb yw aberthu'r hunan, 'Mi a groeshoeliwyd gyda Christ, nid myfi sy'n byw, ond Crist sy'n byw ynof fi' (Galatiaid 2:20). Y mae'r Cristion yn byw er mwyn eraill, ac wrth feithrin meddylfryd anhunanol, mae'n darganfod moesoldeb Crist.

Bu farw Iesu ar Golgotha, 'lle'r benglog' – y tip sbwriel drewllyd, a man y gwared a'r gwrthod. Onid oes Golgotha ym mhob un ohonom, lle'r budreddi a'r drewdod, lle'r gwrthod a'r afiach? Daw Iesu i'n Golgotha ni, a herio ein meddylfryd drewllyd a bydol gyda'r hyn sy'n lân a sanctaidd. Mae'n ein gwahodd i wared y bydol a'r anfoesol er mwyn mwynhau bywyd gwell. Mae maddeuant yn ceisio'r glân a'r sanctaidd ym mywyd pawb, ac yn ein hannog i arfer cymod mewn byd sy'n or-barod i gasáu.

Gweddi

Iesu, mae'n flin gennyf am fod mor barod i ymddiddori yng ngwendidau pobl eraill a methu cydnabod fy ngwendidau fy hun. Mae cymaint ohonof yn ddifeddwl a chyfaddefaf fy mod yn esgeulus o deimladau pobl. Helpa fi i weld sut mae modd adlewyrchu dy oleuni i fywydau pobl eraill. Amen.

Carwch eich gilydd fel y cerais i chwi

Gweddi

Deuaf o'r newydd, Arglwydd, gan gyfaddef fy ngwendidau ger dy fron. Trugarha wrthyf ac arwain fy meddyliau i ymateb i'r darlleniad heddiw, fel y byddaf yn debycach i Iesu. Amen.

Darllen 1 Corinthiaid 13

Cyflwyniad

Efallai mai'r bennod fwyaf cyfarwydd yn holl lenyddiaeth Paul yw hon. Bu Paul yn trafod yn y penodau blaenorol bynciau moesol anodd, sy'n adlewyrchu ei ofid am ddylanwad y byd paganaidd ar feddwl yr eglwys. Roedd wedi cyrraedd y penllanw ym mhennod 10 lle gwahoddodd y Corinthiaid i'w efelychu ef, ac ymroi i'w cyflwyno eu hunain i ogoneddu Duw. Symudodd ymlaen o'r fan honno i egluro bod ar y sawl sy'n derbyn o'r Swper Olaf angen bod yn deilwng o hynny (pennod 11). Roedd wedi pwysleisio bod yr eglwys yn un corff a bod angen i aelodau'r corff hwnnw fyw mewn ysbryd cariadlon gyda'i gilydd. Mae'r bennod fawr a chyfarwydd yn 1 Corinthiaid 13 yn cael ei galw yn emyn cariad ac yn gosod sail perthynas aelodau'r eglwys gyda'i gilydd a'r modd roeddent i gyflwyno'r meddylfryd Cristnogol yn y byd o'u cwmpas.

Soniwn am gariad mab a merch, cariad at deulu ac at gyfeillion a chenedl, tra bod cariad Duw at ddyn yn gariad gwahanol eto. Yn ein myfyrdod gofynnwn beth yw pris 'cariad', ac a ydym yn gwir werthfawrogi cost cariad Duw tuag atom yn Iesu. (Ioan 3:16)

Myfyrdod

Pa mor aml y byddwn yn clywed y gair 'cariad' mewn wythnos, neu gael ein cyfarch gan eraill gyda ffurf Saesneg o'r gair, a hynny wrth dalu am nwyddau mewn siop neu orsaf betrol? Bydd y dramâu sebon yn gwneud defnydd helaeth o'r term 'love' heb fawr o feddwl beth yw ystyr y gair. Aeth yn arfer gan rai cyflwynwyr rhaglenni nodwedd hyd yn oed i ddweud eu bod yn cael eu denu gan olygfa neu fwyd gan gyhoeddi eu bod yn ei garu. Tybed?

Beth dybiwn sydd yn wrthrych ein serch? Person arall, eiddo gwerthfawr, traddodiad neu hunaniaeth? Pan ddywedwn ein bod yn caru Cymru, beth a olygwn wrth ddweud hyn? Mae 'na amod neu glawdd terfyn i gariad pobl, fel pe bai'r ymrwymiad ar ben tennyn lastig, ac na all oddef neu faddau tu hwnt i ryw bwynt.

Wrth sôn am rannu'r Efengyl, byddwn yn dweud wrth eraill am gariad Duw tuag at ddyn. Cariad sydd mor fawr fel ei fod wedi ei gyflwyno ei hun ar ffurf person ac uniaethu gyda ni, yn y fath fodd ac i'r fath raddau fel iddo wynebu marwolaeth ddynol ac agor drws rhyngom ac ef ei hun. Mae'r sawl sy'n byw i Grist yn profi cyffro'r bywyd newydd ac yn uniaethu ag ef. Dyma ryfeddod y cariad, a geilw Iesu ar ei ddisgyblion i garu ei gilydd fel y carodd ef hwy.

Dyma gariad fel y moroedd,
    tosturiaethau fel y lli:
T'wysog bywyd pur yn marw,
    marw i brynu'n bywyd ni.
Pwy all beidio â chofio amdano?
    Pwy all beidio â thraethu'i glod?
Dyma gariad nad â'n angof
    tra bo nefoedd wen yn bod.
        (Gwilym Hiraethog, *C.Ff.* 205)

Gweddi

Arglwydd, dysg fi i'th garu fel yr wyt ti yn fy ngharu i, ac i garu eraill fel yr wyt tithau'n gwneud. Amen.

Canlyniadau'r atgyfodiad

Gweddi

Arglwydd Iesu, gwn fod y darlleniad heddiw yn gofyn llawer o feddwl a myfyrio. Dyro i mi'r gras amyneddgar i ddyfalbarhau ac i ddeall rhywfaint ar feddwl a phrofiad Paul. Amen.

Darllen 1 Corinthiaid 15

Cyflwyniad

Os cysylltir pennod 13 â phriodasau, yna byddwn yn aml yn clywed darllen y bennod hon ar achlysur angladdau. Mae Paul wedi symud o drafod gwendidau'r bywyd corfforol i fywyd o ffydd ac unoliaeth yr eglwys. Bellach mae'n dathlu bod yr hyn a berthyn i'r corff wedi ei adael ar ôl a bod yna atgyfodiad llwyr a llawn. Craidd yr Efengyl i Paul oedd bod Iesu wedi ei atgyfodi o farwolaeth i fywyd. Dyna yw sylfaen a sylwedd ei bregethu. Tystia i Iesu a gyfarfu ar ffordd Damascus ei hawlio i fod yn gennad i'r cenhedloedd. Unwaith roedd wedi cyhoeddi bod Iesu wedi ei atgyfodi, yna roedd y sawl sy'n credu ynddo i brofi'r un fraint. Mae natur a delweddau'r drafodaeth yn gwbl ddealladwy i Iddewon ac i bobl o genhedloedd eraill. Nid oedd amheuaeth o realiti'r bywyd ysbrydol i Paul ac roedd yn awyddus i bawb sylweddoli bod modd i bawb sy'n credu rannu mewn cymdeithas ysbrydol gyda Duw, tra oeddent ar y ddaear. Mae'r bennod olaf o'r llythyr hwn yn sôn am bethau o ddydd i ddydd. Sylwch i Paul gyfarch yr aelodau fel 'saint'.

Gallwn ddychmygu bod Paul yn dadlau ei achos yn erbyn safbwyntiau negyddol i'w ddaliadau. Mae'n defnyddio techneg ei oes i osod dadl ac yna'n cynnig gwrthddadl. Roedd wedi deall ei gredo bersonol ac yn ei ddatgan yn glir gydag argyhoeddiad llwyr. Nid gŵr yr ardaloedd llwyd mo Paul, ond un a'i hyfforddiant wrth draed Gamaliel yn dod i'r blaen. Tybed pa bwnc neu safbwynt y byddwn ninnau yn medru ei arddel gyda'r fath argyhoeddiad? Beth bynnag oedd daliadau meddylwyr mwyaf praff yr eglwys yng Nghorinth, nid yw Paul am ildio modfedd. Angor ei ddaliadau oedd y profiad a gafodd ar ffordd Damascus, pan gyflwynodd yr Arglwydd atgyfodedig ei hun i'r erlidiwr drwy ddweud, 'Myfi yw Iesu, yr hwn yr wyt ti yn ei erlid' (Actau 9). Cofiwn fod Paul yn ysgrifennu at y Corinthiaid rai blynyddoedd cyn ei farwolaeth. Roedd yn credu y byddai Iesu yn dychwelyd yn fuan, a galw'r sawl a fu farw o'u bedd cyn y byddai'r Cristnogion a oedd yn dal yn fyw yn cael eu cludo mewn cyrff gwahanol i ogoniant presenoldeb Duw. Nid felly y bu, wrth gwrs. Erys sicrwydd yr eglwys ar hyd y canrifoedd fod Iesu'n fyw, ac yn galw pobl i fywyd gwahanol mewn modd na allwn ond ei ddychmygu cyn y daw'r profiad yn brofiad i ni.

Myfyrdod

Bydd llawer yn gyfarwydd â cherdd Saunders Lewis, 'Difiau Dyrchafael,' sy'n disgrifio dydd Iau Dyrchafael. Mae'n rhaid ei fod wedi cael profiad cyffrous yn gweld tarth y bore yn codi o'r ddaear ac yn sylwi ar ryfeddod byd natur. Cam pwysig oedd iddo drosglwyddo'r profiad yn bortread byw o gyffyrddiad Duw â'r ddynoliaeth a Christ yn codi o'r ddaear i'r nef. Profiad cyffrous arall oedd yr un a gafodd Waldo Williams ger ei gartref yn Llandysilio, Sir Benfro, ac yn ei gerdd 'Mewn Dau Gae' cyflwynodd wefr yr argyhoeddiad ysbrydol oddi mewn i'r profiad a gafodd ar fferm ei gymydog.

Mwy na thebyg y bydd llawer ohonom yn cael profiadau cyffrous ond heb ddawn y bardd, y cerddor neu'r arlunydd i ddefnyddio'r profiad i gyfleu argyhoeddiad dyfnach. Mae pob iaith yn defnyddio trosiadau clyfar, ac er mor werthfawr y ddawn i gyflwyno'r profiad, yr hyn sy'n bwysig yw sylweddoli bod yr argyhoeddiad yn sylfaenol a chwyldroadol. Pe bai gan Paul ddawn bardd neu gerddor, byddai'r byd yn sylwi ar y llun neu wedi cael eu meddiannu'n llwyr gan y gerddoriaeth. Nid bardd ond pregethwr a diwinydd oedd Paul, ac fe ddefnyddiodd ei gyfrwng i rannu argyhoeddiad mwyaf sylfaenol ei fywyd. Roedd yn sicr fod Iesu'n fyw, ac mai bwriad Iesu oedd cael gan bobl daear fyw yn debyg iddo a threulio tragwyddoldeb yn ei gwmni. Pa brofiad sy'n ganolog i'n crefydd ni, a pha fodd y trosglwyddwn hynny i eraill?

Gweddi

Diolch, Iesu, am ddewis Paul i fod yn llais i'th genhadaeth. Rwyt o hyd yn dewis dy bobl yn ddoeth ac yn effeithiol. Gelwaist y lleiaf tebygol yn aml, a'u defnyddio i gyflawni'r gwaith a osodaist iddynt. Gwn dy fod wedi fy newis i i wneud rhyw ran o'th genhadaeth. Helpa fi i ymateb ac i wneud fy rhan. Amen.

Trysor mewn llestri pridd

Gweddi

Dduw trugaredd, gwn fy mod yn berson anwadal a brau. Eto, rwyt yn dal i wrando arnaf a'm bendithio. Clyw fy ngweddi o edifeirwch heddiw, wrth i mi gerdded yn wylaidd i'th bresenoldeb, a helpa fi i drysori'r dystiolaeth am Iesu yn fwy nag erioed. Amen.

Darllen 2 Corinthiaid 4

Cyflwyniad

Bu llawer o drafod ar drefn cynnwys yr hyn sy'n ymddangos fel Ail Lythyr Paul at yr Eglwys yng Nghorinth. Cyflwyna'r ysgolheigion y farn fod o leiaf bedwar llythyr wedi eu hanfon at bobl Corinth gan Paul. Cyfeirir yn y testun bod yr ohebiaeth gyntaf wedi mynd ar goll (1 Cor 5:9). Yr ail ohebiaeth fyddai yr hyn a adwaenwn fel y Llythyr Cyntaf at y Corinthiaid. Ynddo mae'n datblygu'r syniad bod pobl yn bechaduriaid anfoesol sydd wedi derbyn gras Duw ac yn cael eu derbyn fel saint, pobl sy'n dod i mewn i gymundeb â Duw mewn cyrff newydd – pobl yr atgyfodiad. Mae'n debyg na wnaeth hyn wella llawer ar natur eglwys Corinth na'u parch tuag at Paul, a bod trydydd llythyr. Dyma ym marn rhai yw 2 Corinthiaid 10–13. Ar ôl derbyn ymateb i hwnnw, mae Paul yn terfynu gyda'r pedwerydd llythyr sef yr hyn a dderbyniwn fel 2 Corinthiaid 1–9.

Y brif thema yn y llythyr olaf yma yw bod Paul yn cydnabod ei amgylchiadau gwael ei hun ac yn sylweddoli bod Duw wedi estyn trysor y newyddion da am Iesu i bobl digon bregus eu gwedd. Geilw bobl felly, gan ei gynnwys ei hun yn eu plith, yn llestri pridd. Yr her i'r eglwys yw ymarfer cymod gyda'i gilydd a chyda phobl oddi allan i deulu'r ffydd. Mae'n cymeradwyo a chanmol haelioni eglwys Corinth ym mhennod 9 a'u hannog i barhau i estyn cymorth i eraill.

Myfyrdod

Aeth yn arfer gennym i brynu nwyddau dros y we, a derbyn yr eitemau hyn drwy'r post. Pwy bynnag sy'n gwerthu, bydd gofyn pacio'r nwyddau'n ddiogel a gofalus, gan y gallai anfon nwyddau bregus mewn bocs simsan fod yn achos gofidiau costus. Yn yr un modd, wrth brynu nwyddau i'w hadeiladu gartref, gwelwn fod cynllunio'r pacio mor gelfydd â chynllunio'r eitem ei hun.

Rhyfeddod Duw yw ei fod wedi defnyddio pobl frau a bregus i rannu neges yr Efengyl a hynny ar hyd y canrifoedd. Pwy o'n plith sy'n ein hystyried ein hunain yn ddigon da i bregethu neu addysgu eraill? Rydym o ran ein hanian yn anwadal ac anghyson. Ceir digon o enghreifftiau o sôn am bregethwr huawdl yn gadael ei gynulleidfa yn oer, ac mae'r gwrthbwynt yn wir, bod pregethwr heb ddoniau huodledd arbennig yn cael oedfa pen y mynydd. Gall athro Ysgol Sul, mwy cyffredin na'i gilydd, fod yn gyfrwng i argyhoeddi person mewn ffordd ddramatig. Nid y pregethwr sy'n bwysig, ond y bregeth, ac nid saernïaeth y bregeth sy'n cyfrif, ond y ffaith iddi fod yn fodd i ddwyn gwrandawr i ddrws y ffydd.

Mae'n wirionedd amlwg ein bod yn y broses o farw ers dydd ein geni. Dyna yw ein hantur ddynol. Eto, mae neges y bywyd yn ein meddiant, a chred y Cristion yw ei fod yn mynd ar hyd ffordd y bywyd. Paul ddywedodd, 'Byw i mi yw Crist, a marw sydd elw' (Philipiaid 1:21). I'r corff, mae'r ffordd i'r bedd yn anorfod, ond i'r enaid sy'n adnabod Iesu mae'r ffordd i'r gogoniant yr un mor sicr.

Gweddi

Diolch, Arglwydd, am fy nerbyn i'th gwmni ac am ymddiried trysor y ffydd a chyfoeth yr Efengyl i berson mor wamal. Mae'r byd heddiw fel dinas Corinth, mor gecrus ag erioed, ac eto, gwelaist yn dda i sicrhau bod yr Iesu byw yn herio marweidd-dra'r byd. Dduw pob gras, addolaf di, a rhyfeddu. Amen.

Pob peth yn dda

Gweddi

Arglwydd Iesu, gwyddost fy mod yn casáu clywed synau croch difrawder yn fy mywyd ac yn y byd, ac rwy'n gweddïo y bydd modd i mi ymdawelu a darganfod yr 'hedd na ŵyr y byd amdano' (Elfed, *C.Ff.* 787). Helpa fi i ymlonyddu ynghanol stormydd bywyd ac i fod yn gyfrwng tangnefedd ym mywyd pobl eraill. Amen.

Darllen 2 Corinthiaid 7:2–16

Cyflwyniad

Er mwyn deall yr uned hon, mae angen cofio i Paul ohebu sawl gwaith â'r eglwys yng Nghorinth ac mewn un llythyr yn arbennig iddo ddweud y drefn yn gryf wrthynt. Bu yn byw yn eu plith am flwyddyn a hanner ond aeth y berthynas yn sur. Ceisiodd adeiladu pontydd a meithrin perthynas well gyda'r eglwys. Anfonodd Titus, un o'i gyfeillion, â neges atynt ac roedd yn poeni beth fyddai'r ymateb i'w lythyr. Pan ddychwelodd Titus gyda newyddion cadarnhaol, profodd Paul lawenydd arbennig.

Myfyrdod

Prin fod unrhyw un yn mwynhau anghydfod gyda rhywun arall. Pan fydd dau berson yn anghydweld, neu yn anghytuno'n sylfaenol ar unrhyw fath o bwnc, mae pawb yn teimlo'n anghysurus. Pan ddaw heddwch rhwng y carfanau hynny, yna mae modd adfer y berthynas eto. Defnyddia Paul y profiad personol rhyngddo ac eglwys Corinth i gyfeirio at y rhwyg sy'n bod rhwng dyn a Duw. Pan fydd dyn yn dangos edifeirwch yna mae'n bosibl adeiladu perthynas heddychlon eto. Bydd llawer ohonom yn gwybod am yr ymdeimlad anghysurus o fethu cysgu'r nos oherwydd gofid sy'n codi o anghydfod; mae'r tensiwn yna'n gadael ei ôl ar lawer mwy na diffyg cwsg, ac mae'n effeithio ar gylch ehangach o bobl. Byddai adfer y berthynas gyda'r Corinthiaid wedi bod yn fendith fawr i Paul, ac yn achos llawenydd dwfn (adnod 10).

      Ail destun diolch Paul oedd bod Titus, ei 'fab yn y ffydd', wedi cyflawni tasg anodd. Nid rhywbeth hawdd oedd teithio i Gorinth i geisio ymresymu â'r eglwys yno. Llwyddodd yn y dasg a ymddiriedwyd iddo a dychwelodd at yr Apostol. Bydd pob rhiant yn falch o weld llwyddiant ei blant, fel y bydd pob athro yn llawenhau wrth weld cynnydd ei ddisgyblion a'u gweld yn dangos aeddfedrwydd a chyfrifoldeb. Onid yw Duw yn falch o weld aeddfedrwydd ei bobl, yn arfer graslonrwydd a chariad brawdol? I ba raddau yr ydym yn ymwybodol bod angen i ni fyw bob dydd gan geisio plesio ein Tad Nefol?

Trydydd testun llawenydd Paul oedd bod Corinth wedi croesawu Titus. Byddai wedi bod yn dristwch iddo glywed bod yr eglwys yno wedi bod yn ddigroeso ac yn ddiserch. Roedd Titus wedi cynhesu tuag at bobl Corinth (adnod 15) ac o'r herwydd roedd gwead y cyfeillgarwch yn agosach ac yn dynnach. Roedd popeth yn dda. Onid felly y bydd hi pan fydd pentrefi yn gefeillio â phentrefi mewn gwledydd tramor, a bod rhwydwaith y gwead rhwng pobl a'i gilydd yn cryfhau'r ddynoliaeth? Mae gan Gymru le i ddathlu'r modd mae Urdd Gobaith Cymru wedi hyrwyddo gweledigaeth y Parch. Gwilym Davies wrth anfon negeseuon o ewyllys da ar draws y byd ym mis Mai. Bydd llawer ohonom wedi ymddiddori yn Dolen Cymru a'r rhwydweithio sy'n datblygu ar sawl lefel rhwng Cymru a Lesotho.

Mae angen gweithio o blaid heddwch a chymod drwy'r amser, boed ar lefel rhwng dau berson, rhwng cymunedau a'i gilydd, a hefyd lle bu anghydfod a rhyfel. Mae angen cydnabod bai wrth edifarhau ac estyn breichiau agored maddeuant er mwyn cau'r bwlch a fu'n achos yr ymwahanu. Pan ddigwydd hynny bydd maes y gad yn troi'n ardd, a llawenydd yn llywodraethu.

Gweddi

Dduw'r heddwch, plygaf o'th flaen yn diolch am bob perthynas dda a dymunol sy'n fy mywyd, ac yn arbennig fy mherthynas gyda thi. Helpa fi i oresgyn pob sefyllfa anodd, ac i weithio o blaid cymod yn fy mywyd ac ar draws y byd. Amen.

Ffordd Ffydd

Gweddi

Nefol Dad, ni allaf ddeall sut yr wyt mor barod i faddau i bobl, a minnau'n cyfaddef bod dal dig yn reddfol i mi, a'i bod yn hawdd barnu pobl. Wrth i mi ddarllen y bennod hon heddiw, dyro i mi'r gras i blygu ac i garu a cheisio bod yn blentyn ffydd i ti. Amen.

Darllen Rhufeiniaid 2:17–3

Cyflwyniad

Credir i Paul lunio'r ysgrif hon tua 57 OC ac yntau yng Nghorinth. Roedd yn amlwg am fynd i Rufain ac ymweld â'r ddinas fawr bwysig honno lle gwyddai bod nifer o Gristnogion yn byw. Yn y llythyr hwn ceir ganddo rannu syniadau sy'n crynhoi ei ddiwinyddiaeth, fel pe bai am rannu gyda Christnogion Rhufain hanfod ei ffydd, rhag ofn na fyddai yn cyrraedd yno. Gwyddai fod dychwelyd i Jerwsalem yn beryglus, ac y gallai gael ei ladd. Thema fawr y gwaith yw pwysleisio bod y credadun yn dod i berthynas â Duw drwy ffydd, ac nid drwy ddefod. Nid yw'n honni bod y grefydd Iddewig a Deddf Moses yn cael eu dileu, ond yn cael eu cyflawni ym mherson Iesu. Nid oes angen defodau Iddewiaeth bellach, ond ffydd i dderbyn Duw ar ei air a bod dilynwyr Iesu yn profi'r bywyd newydd. Mae'n crynhoi ei gredo yn y bennod gyntaf, adnodau 16–17, lle dywed:

Nid oes arnaf gywilydd o'r Efengyl, oherwydd gallu Duw yw hi ar waith er iachawdwriaeth i bob un sy'n credu, yr Iddew yn gyntaf a hefyd y Groegwr. Ynddi hi y datguddir cyfiawnder Duw, a hynny trwy ffydd o'r dechrau i'r diwedd, fel y mae'n ysgrifenedig: "Y sawl sydd trwy ffydd yn gyfiawn a gaiff fyw."

Ni lwyddodd Paul i gyrraedd Rhufain am dair blynedd arall, a hynny ar ôl profi sawl storm ar ei daith. Prin y byddai yn dychmygu y byddai'n cyrraedd Rhufain fel carcharor chwaith, ond felly y bu. Eto, byddai Paul am hawlio nad oedd erioed yn garcharor go iawn. Roedd yn ddyn rhydd, o ran statws a chrefydd, er bod y maglau am ei arddyrnau a'i draed.

Myfyrdod

Ym mhob math o feysydd, mae'n duedd gennym i gymharu a gwrthgyferbynnu. O'r Eisteddfod i'r Sioe Amaethyddol, o Crufts i Rali Geir; byddwn yn cymharu gwyliau a gwestai, ysgolion a cholegau, gan gydnabod nad oes yna unrhyw beth sy'n berffaith. Yn wir, heb ei fai, heb ei eni yw hi gan amlaf. Felly gyda chrefydd a chenedligrwydd pobl, medd Paul. Nid cefndir na defodaeth pobl sy'n eu dwyn i berthynas dda â Duw, ond eu ffydd a'u parodrwydd i ddibynnu ar Dduw ym mhob gwedd o fywyd. 'Nid oes i ni ragoriaeth sy'n haeddu unrhyw beth' oedd thema fawr Paul, ond bod Iddewon a Groegwyr fel ei gilydd yn cael bod mewn perthynas dda â Duw, am i Dduw yn gyntaf ddymuno hynny.

Roedd yr Iddew yn gyfarwydd â chanllaw'r Gyfraith. Credai fod gwreiddiau'r Gyfraith yn tarddu yn hanes Moses, ac er bod yna fireinio'r cymalau ar draws y canrifoedd, roedd y Gyfraith yn gofyn ffyddlondeb byddai'r sawl a'i torrai yn derbyn cosb benodol. Bydd pob gwladwriaeth yn dilyn patrwm tebyg ar hyd y canrifoedd. Deallodd Paul fod pawb yn syrthio'n fyr o'r nod, ac nad oedd gan unrhyw un y gobaith o fodloni Duw ar sail ei ymdrech i gadw'r gyfraith. Nid crefydd cyfraith a chosb oedd Cristnogaeth felly, ond crefydd cariad a thrugaredd ar waith. Duw'r Tad sydd yn cael ei gyflwyno, nid deddfwr dialgar.

Gweddi

Diolch i ti, Arglwydd, am fy nerbyn i i'th fynwes, er fy meiau amlwg ac anamlwg. Helpa fi i beidio â dal dig pan fydd rhywrai eraill yn fy siomi i, ond i ymarfer agwedd gariadlon tuag atynt. Amen.

Yn anwahanadwy mwy

Gweddi

Sanctaidd Dduw, mae perygl i mi weithiau ddweud na allaf gredu'n llwyr am nad wyf yn deall popeth. Gwn dy fod yn fy ngharu, a gofynnaf i ti faddau pob elfen o wendid sydd ynof yn fy nghadw draw rhagot. Tyn fi atat a gwna fi'n un yn dy gariad pur dy hun. Amen.

Darllen Rhufeiniaid 8

Cyflwyniad

Dywedir i Martin Luther, un o ddiwinyddion amlycaf y Diwygiad Protestannaidd, ddweud mai'r bennod hon oedd y bwysicaf yn holl epistolau Paul. Nid bod ei darllen yn hawdd ond mae'n werth mynd drwyddi'n ofalus. Gwêl Paul fod natur bechadurus dyn yn ei gadw rhag mwynhau cymdeithas gyda Duw, a bod y sawl sydd yn byw yn yr Ysbryd yn profi cymdeithas gyda Duw a hynny'n rhydd o gyfyngiadau'r cnawd. Unwaith y profir 'ysbryd Crist ynoch' (adn 10), nid yw'r corff yn garchar, ond mae enaid dyn yn fyw i Dduw ac yn rhydd i rannu cymdeithas gyda Duw. Gwêl felly nad yw poen a dioddefaint y corff yn ddim o'i gymharu â'r profiad gogoneddus a gaiff enaid dyn yng nghwmni Duw.

Ceir ganddo arddull ddramatig a rhethregol wrth gymharu bywyd corfforol â'r bywyd ysbrydol, y naill yn garchar a'r llall yn rhyddid llwyr. Dywed yr apostol fod y corfforol yn fywyd blinderus, tra bod y profiadau ysbrydol yn ogoneddus. Ceir ganddo flas ar ei argyhoeddiadau a'i brofiadau personol, na all unrhyw wedd ar fywyd wahanu dyn oddi wrth gariad Duw, a dyna'r gorfoledd sydd gan Paul i'w rannu gyda'i gynulleidfa.

Myfyrdod

Profiad chwithig bob amser yw'r ymwahanu oddi wrth bobl eraill. Pan fydd teulu yn gadael ardal, a'r plant yn arbennig yn ffarwelio â'u ffrindiau, gall ymddangos fel pe bai'r byd yn dod i ben. Bydd symud ysgol yn achosi emosiynau anodd i blant hefyd. Mae'n anodd credu y byddai unrhyw un yn dathlu chwalu priodas, a pha ryfedd fod marwolaeth yn dwyn profiadau galarus i bawb? Onid yw hyn yn nodweddiadol o'n cyfnod ni? Beth sy'n dal pobl ynghyd mewn oes sy'n galluogi pobl i deithio'n bell, ac i weithio ar draws y byd? Mae'r delweddau ar ffilm a theledu yn gweld teuluoedd yn rhannu yn hawdd, a hedfanodd y syniad o deyrngarwch allan drwy'r ffenestr ers tro.

Mwy na thebyg fod Paul yn ymwybodol iawn mor fregus oedd bywyd unigolyn a chymdeithas, yn arbennig y caethweision a'r tlodion. Byddai teulu o gaethweision yn cael eu gwahanu heb fawr o ystyriaeth i'w teimladau. Gwyddai hefyd pa mor anfoesol oedd y trefedigaethau gyda llawer o'r crefyddau eraill yn defnyddio delweddau rhywiol a masweddol i hyrwyddo eu credoau.

I Paul roedd cyhoeddi nad oedd modd gwahanu Duw oddi wrth ddyn yn ddatganiad cyfoethog, ac nad ar deyrngarwch dyn yr oedd y berthynas yn dibynnu ond ar gariad Duw. Er bod yr emyn enwog yn 1 Corinthiaid 13 yn gyfarwydd i lawer, mae'r darn clo yn y bennod hon yn gyfarwydd hefyd fel neges gadarnhaol ar achlysur angladd yn arbennig. Pan feddyliwn am rym marwolaeth a phŵer gwleidyddol, beth yw effaith treigl amser a holl rym a mawredd y cread? Mae'n anfesuradwy, ac eto roedd Paul yn sicr na allai'r cyfan hyn wahanu dyn oddi wrth ei Waredwr. Dyna beth yw sicrwydd a diogelwch. Oni fyddai clywed y fath sicrwydd yn ein pulpudau yn gadarnhaol heddiw? Nid busnes y pregethwr yw cyhoeddi syniadau estron nac amheuon byd, ond datgan pa mor gryf a diguro yw cariad Duw y Tad ym mywyd a gwasanaeth Iesu Grist y Mab.

Gweddi

Diolch i ti, Nefol Dad, am fy ngharu a dal gafael ynof, pa mor llipa bynnag yw fy ffydd i ar brydiau. Dal fi'n dynn a boed i'm bywyd ddangos pa mor agos wyt ti i mi. Amen.

Defnyddio'r doniau

Gweddi

Arglwydd Iesu, gwyddost fy mod i'n berson ansicr a heb fod mor hyderus ag y mae eraill yn tybied fy mod i. Wrth i mi dreulio'r munudau hyn yn dy gwmni, gofynnaf am y gras i feithrin y doniau a ymddiriedaist i mi, a'r awydd i'w defnyddio. Maddau i mi os byddaf yn eu cuddio rhag pobl eraill yn yr eglwys, ac yn f'esgusodi fy hun rhag gwirfoddoli pan ddaw'r cyfleoedd i wneud rhywbeth drosot. Amen.

Darllen Rhufeiniaid 12

Cyflwyniad

Yn dilyn yr uchafbwynt diwinyddol ym mhennod 8, datblyga Paul ei lythyr drwy sôn am y bywyd newydd yng Nghrist, a'r goblygiadau moesol sy'n dilyn hynny. Cyplysir y profiad ysbrydol â'r modd mae'r credadun yn dylanwadu ar ei gyd-aelod o'r eglwys a'r modd mae'n ymddwyn mewn perthynas â'r sawl sy'n byw yn agos iddo. Mae'r cylch yn lledu o'r eglwys a'r gymdogaeth i berthynas cenedl â chylch ehangach y cenhedloedd sy'n cael eu cynrychioli oddi mewn i'r eglwys. Yna mae Paul yn datgan ei fod yn edrych ymlaen at ymweld â Rhufain. Ymweliad a fyddai'n dwyn llawenydd arbennig iddo.

Os oedd pennod 8 yn cyrraedd uchafbwynt diwinyddol Paul, mae pennod 12 yn haws i'w deall, ac yn gosod bywyd yr unigolyn yng nghyd-destun teulu eglwysig. Mae ail hanner y bennod yn gosod canllawiau clir ar y modd y dylai aelodau eglwysig fyw gyda'i gilydd, fel bod y naill yn bugeilio'r llall, a neb yn gweld bai ar wendidau a methiannau eu cyd-aelodau.

Tybed beth oedd Paul yn ei wybod am yr eglwys yn Rhufain cyn iddo lunio'r adran hon? A oedd yn ymwybodol o anghydfod yn eu plith, a pharodrwydd rhywrai i nodi gwendidau'r cyd-aelodau mewn modd anoddefgar? Dyma adran y byddai'n fuddiol i bob Cristion ei ddarllen yn rheolaidd, a phe digwyddai hynny, byddai llai o rwygiadau a difrawder oddi mewn i'r eglwysi.

Myfyrdod

Mae llawer o bobl yn brwydro yn erbyn yr ymdeimlad o anallu. Bydd rhai yn tybied nad oes ganddynt unrhyw ddawn, a bydd eraill yn tybied nad yw eu doniau yn ddigon da. Efallai mai gwyleidd-dra sy'n achosi rhai i ymatal rhag derbyn cyfrifoldeb neu fentro ar waith penodol. Heb os, mae gan bawb ddawn, ac adnabod a defnyddio'r ddawn honno yw'r gamp. Diolch ein bod yn amrywio yn ein doniau, a bod pob un yn medru cyfrannu rhywbeth i weithgarwch y grŵp cyfan.

Gallwn yn hawdd roi wyneb i 'Mr Galla'i-ddim'. Mae'n briod gyda 'Mrs Ofnus'. Roedd eu bywydau yn hynod wag am na wnaethant fentro a cheisio gwneud rhywbeth y tybiai eraill oedd o fewn eu gallu. Nid diogi na difaterwch sy'n cynnal negyddiaeth y ddau ond yr ofn o fethu, a'u siomi eu hunain a rhywrai eraill. Mae'n well mentro a methu, na dal nôl heb brofi gwefr yr ymdrech.

Mewn cwch gwenyn, mae yna arweinydd a gweithwyr, heb anghofio'r sawl sy'n gwarchod y drysau. Rhannodd Iesu'r ddameg sy'n sôn am y bobl a gafodd dalentau, ac i ddau ohonynt ddefnyddio'r talentau a ymddiriedwyd iddynt a phrofi llawenydd mawr, tra bod y sawl a guddiodd ei dalent wedi profi siom. Beth yw eich dawn chwi, ac ym mha fodd y byddwch yn ei defnyddio yng ngwaith teyrnas Dduw?

Gweddi

Diolch i ti, Dduw'r Ysbryd Glân, am fy annog yn aml i weld y cyfleoedd i fyw y ffydd. Yn ystod y dyddiau nesaf, helpa fi i fentro a bod yn ddefnyddiol i ti. Amen.

Mor fawr wyt ti

Gweddi

Dduw trugaredd, gad i mi weld dy wirionedd yng ngeiriau'r bennod heddiw, fel y gallaf sylweddoli'n gliriach pwy yw Iesu a beth mae wedi ei wneud. Amen.

Darllen Colosiaid 1:9–2:5

Cyflwyniad

Nodir i Paul lunio pedwar epistol tra oedd mewn carchar, sef Colosiaid, Philemon, Effesiaid a Philipiaid. Bydd yr esboniadau yn amrywio yn eu dadleuon o ran lleoliad y carchar lle lluniodd Paul y llythyron hyn a dyddiad eu cyfansoddi. Nodir iddo dreulio cyfnodau mewn carchardai yn Philipi, Cesarea, Effesus a Rhufain. Er mor ddifyr y drafodaeth am ba lythyr a anfonwyd o ba garchar, y tebygolrwydd yw iddo eu hanfon tra oedd yn y carchar yn Rhufain.

Gwelir yn y Llythyr at y Colosiaid ei fod yn ymateb i heresi a gafodd ddylanwad yn y ddinas. Epaffras oedd arweinydd yr eglwys yno, ond roedd eraill yn awyddus i gymhlethu'r Efengyl drwy osod daliadau a disgwyliadau a godwyd o grefyddau'r dwyrain. Doedd derbyn Iesu fel Gwaredwr ddim yn ddigon, ac ychwanegwyd at y gofyn drwy alw ar yr eglwys i addoli angylion, a throi at ddylanwadau cosmig. Hawlia Paul fod pob grym cosmig yn israddol iIesu, a bod Iesu yn cynnig bywyd cyflawn yr atgyfodiad, ac nad oedd angen ystyried yr elfennau eraill hyn. Cawn yng nghorff y llythyr gred Paul am pwy oedd Iesu a beth a wnaeth. Yn yr adran sydd yn y bennod gyntaf, adnodau 13–17, dadleua Paul fod y cosmos cyfan yn ddarostyngedig i Grist. Yn yr ail ran sef adnodau 18–22 gwelwn fod y Crist cosmig yn pontio rhwng Duw a dyn. Mae'n amlwg fod Paul wedi clywed am dueddiad rhai o blith yr eglwys i gredu'n wahanol ac i greu eu crefydd eu hunain, lle roedd rhyw elfen arall yn mynnu lle sylweddol yn yr hyn a gredid ganddynt. Dywed am ei fwriad i ymweld â'r eglwys yng Ngholosae ac mae'n gosod sêl ei awdurdod ef ar yr hyn a gyhoeddir gan Epaffras.

Myfyrdod

Bydd y bobl hynny sy'n cael eu caethiwo i un ystafell yn gweld eu byd yn mynd yn llai, a dyhead llawer yw codi allan o gyfyngiadau'r tŷ er mwyn gweld byd ehangach. Beth tybed fyddai gwerin Cymru wedi ei feddwl, nid yn unig o'r wybodaeth a welir ar ffilm o wledydd tramor, ond bod llawer, bellach, yn medru hedfan i'r gwledydd hyn a sylweddoli ehangder bywyd?

Er bod Paul mewn carchar yn gorfforol, roedd yn ymwybodol o dueddiadau meddwl yr eglwys yng Ngholosae ac ymatebodd iddynt. Roedd ei feddwl yn medru amgyffred ehangder Duw, ac yn sylweddoli bod Duw'r cyfanfyd wedi dod i'r byd ym mherson Iesu. Mae yna berygl drwy'r amser i gyfyngu Duw i fesuriadau ein deall ni. Pa mor aml y clywsom anffyddwyr yn gwrthod Duw am nad yw'n ffitio i mewn i gyfyngiadau eu deall, neu i fesuriadau eu rheswm? Mewn llyfr enwog, *Your God is Too Small* gan J. B. Phillips trafodir cwestiynau'r sgeptig mewn ffordd ddeheuig. Mae'n dal yn berthnasol i'n byd. O ganol cyfyngiadau carchar, roedd Paul yn rhydd i feddwl ac i weld bod cyffyrddiad Duw yng Nghrist yn rhyddhau pobl o gyfyngiadau pob math o sefyllfaoedd. Roedd yn cyfarch pobl a oedd yn gaeth i afiechyd a thlodi, ac eraill yn gaeth i'r meddwl bod cyfoeth a statws yn rhoi gwir werth ar fywyd. Pwy fyddai o ddifrif am fyw'r bywyd 'selebaidd' sy'n cynnig cymaint o foethusrwydd, fel bod pobl yn eu haddoli eu hunain a'r ddelwedd maent yn ei chreu? Dywed Paul wrth ei gynulleidfa fod brenin y brenhinoedd yn ymweld â'u sefyllfaoedd hwy ac yn gwmni iddo yng ngharchar Rhufain. Braint, yn wir! A gwirionedd sy'n anrhydeddu'r sawl sy'n ei derbyn.

Gweddi

Diolch, Arglwydd, Iesu am ledu fy ngorwelion ac am fy nghynnwys i yng nghosmos dy fywyd. Maddau i mi pan fyddaf yn cyfyngu ar dy fawredd ac yn honni bod yn rhaid i mi ddeall yr annealladwy a gweld y cyfan o'r anweladwy yng Nghrist. Derbyn fy moliant heddiw. Amen.

Chwyldro Cymdeithasol

Gweddi

Nefol Dad, ceisiaf dy arweiniad wrth i mi droi at y Beibl heddiw. Cyfaddefaf fy mod i'n or-barod i aros gyda'r ceidwadol a'r traddodiadol, heb ofyn beth fyddai dy arweiniad di. Amen.

Darllen Colosiaid 3:18–4:6

Cyflwyniad

Er na fu Paul yng Ngholosae erioed, gwyddai beth oedd amgylchiadau a natur yr eglwys yno. Byddai wedi derbyn ymwelwyr o'r trefi cyfagos fel Hierapolis a Laodicea, ac er bod can milltir rhwng y trefi hyn ac Effesus mae'n siŵr y byddai modd i'r eglwysi gyfnewid gwybodaeth rhyngddynt a'i gilydd.

Yn y gymdeithas Iddewig a Groegaidd, nid oedd gan lawer o wragedd hawliau. Eithriad oedd Nymffa, a groesawodd yr eglwys i'w chartref (Colosiaid 4:15). Nid oeddent mwy nag eiddo, ac yn y ddwy gymdeithas, nid oeddent i'w gweld allan. Nid oedd gan y wraig hawliau o dan y Gyfraith Iddewig. Roedd gan y gŵr hawl i ysgaru gwragedd am bob math o resymau, tra bod disgwyl i wragedd ddioddef yn dawel a dirwgnach. Felly hefyd gyda phlant. Nid oedd eu statws hwy yn caniatáu llawer iddynt. Disgwylid iddynt fyw yn llwyr o dan awdurdod y rhieni. Gan y rhieni yr oedd yr hawl, ac nid oedd sôn am hawliau plant. Yng nghyd-destun gweision a chaethweision, roedd y sefyllfa hyd yn oed yn waeth. Gallai'r perchennog gam-drin hyd at ladd ei was neu ei gaethwas, ac ni fyddai'r gymdeithas yn gwneud unrhyw sylw. Er bod gwareiddiad wedi gweld yn well i roi hawliau i bawb, ac addasu'r foeseg Gristnogol, roedd canllawiau Paul yn herfeiddiol yn wyneb cyfreithiau sylfaenol y diwylliannau yn ei ddydd. Nid llythrenolwr oedd Paul, ond un a ddeallai ei Ysgrythur yn ôl ysbryd y gair, ac nid yn ôl ei llythyren. Roedd ei agwedd at Philemon ac Onesimus yn hynod ddadlennol ac yn gwahodd ei gyd-Gristnogion i sylweddoli bod y 'bywyd newydd yng Nghrist' yn galw arnynt i adolygu pob gwedd o fywyd, a'i fyw, nid yn ôl yr hen drefn, ond 'yng Nghrist'.

Myfyrdod

Un o adnoddau pwysicaf yr adeiladwr yw'r ffon wirio (spirit level). Hon sy'n sicrhau bod wal yn syth ac yn wastad, a hebddi byddai'n amhosibl cael trefn ar yr adeiladu. Dengys Paul fod cyfiawnder personol a chymdeithasol yn nodweddion sylfaenol i gymdeithas iach, ac nad oedd modd cyfiawnhau'r anghyfartaledd a welai ym mhob gwedd ar fywyd. Bellach mae caethwasiaeth yn gwbl annerbyniol yng ngolwg yr eglwys, ond, yn oes Paul, ni allai hyrwyddo'r fath chwyldro cymdeithasol heb sicrhau y byddai'r Ymerodraeth Rufeinig yn fwy dialgar nag y bu. Roedd gofyn i feistri dderbyn cyfrifoldeb o degwch a chyfiawnder tuag at y caethweision yn gam enfawr i'r cyfeiriad iawn. Roedd cyflwyno moeseg gyfartal ym mherthynas gŵr a gwraig, rhiant a phlentyn, meistr a gwas yn creu chwyldro enfawr yn yr hen fyd.

Yn y foeseg Gristnogol roedd y dyn a geisiai hawliau iddo'i hun yn gorfod derbyn dyletswydd hefyd. Ni allai fyw, fel cynt, heb Grist gan ei fod i fyw bellach fel un a fyddai'n byw i Grist. Yn yr hen fyd, roedd bywyd i'w weld er mantais hunanol gwŷr, ond daeth tro ar fyd. Nid iselhau gwragedd wnaeth Paul ond eu dwyn i statws mwy cyfartal o lawer. Bu dynion yn dioddef creulondeb ar draws y canrifoedd, a gwelodd amryw o gyfundrefnau Cristnogol fodd i gyfiawnhau'r safbwyntiau anghyson drwy ddod o hyd i adnod fan hyn, fan draw. Beth tybed a achosodd y fath dröedigaeth ym meddwl Paul, onid gweld bod y ddynoliaeth lawn dwf yn gweld pobl yn frodyr a chwiorydd cyfartal yn nheyrnas nefoedd?

Gweddi

Arglwydd, maddau i mi am gau fy llygaid i anghyfiawnderau cymdeithasol a gadael i'r gwan a'r di-lais ddioddef cyhyd. Agor fy llygaid i weld y byd a'i bobl o'th safbwynt di. Amen.

Torri'n rhydd

Gweddi

Arglwydd Dduw, mentraf ddod o'r newydd, gan geisio cydnabod fy mod i hefyd yn gaeth i bethau'r byd hwn. Helpa fi i dorri'n rhydd o faglau'r byd, a cherdded gyda thi. Amen.

Darllen Llythyr Paul at Philemon

Cyflwyniad

Yr unig lythyr personol sy'n bodoli yn y Testament Newydd yw'r llythyr at Philemon. Cafodd ei ysgrifennu ar yr un adeg â'r llythyr at y Colosiaid, a cheir digon o dystiolaeth fod Philemon yn un o arweinwyr yr eglwysi yn y dyffryn i'r gogledd o Effesus. Mae'r cynnwys yn ddigon amlwg, gyda Paul yn cyflwyno'r achos i Philemon iddo ddangos parch a thrugaredd at ei gaethwas Onesimus, un a ddihangodd i Rufain. Mae llawer o fylchau yn ein gwybodaeth am Onesimus, a'i hanes cynt a'r hyn a ddigwyddodd iddo ar ôl ei ddychweliad at Philemon. Dyfaliad deniadol yw'r un sy'n ei gysylltu â gŵr o'r enw Onesimus, Esgob Effesus ar ddiwedd y ganrif gyntaf. Awgrymir mai'r un person yw'r ddau. Gwyddom mai yn Effesus y casglwyd y copïau o lythyron Paul, ac efallai i'r esgob sicrhau bod copi o'r llythyr personol a anfonwyd at Philemon yn cael ei gynnwys yn eu plith. Byddai hyn yn dystiolaeth fod gras Duw ar waith yn arwain Philemon a gweddill aelodau'r tair eglwys, Colosae, Laodicea a Hierapolis, i ymateb yn gadarnhaol i gais Paul yn y llythyr. Os felly, yna byddai Onesimus yn ei gynnig ei hun, yn gyn-gaethwas a lleidr, fel enghraifft o berson newydd yng Nghrist, ac yn cydnabod cariad brawdol Philemon yn maddau i gaethwas a ddihangodd, ond a ddaeth yn ôl ar ei newydd wedd.

Yr hyn sy'n ddiddorol yw tawelwch Paul ynglŷn â phwnc sensitif caethwasiaeth. Roedd y byd yn amser Paul yn dibynnu'n sylweddol ar gaethwasiaeth, ac roedd naill ai yn derbyn hynny fel trefn bywyd neu yn dawedog gan y gwyddai nad oedd modd achosi'r fath newid sylfaenol yn y strwythurau cymdeithasol ond drwy ymateb pobl i'r Efengyl. Heb os, newidiodd agwedd yr eglwys, gan i fonedd a gwrêng gydnabod eu perthynas deuluol yng Nghrist.

Myfyrdod

Yn yr achosion a ddaw i'n sylw o gosb y troseddwyr a ddyfarnwyd yn euog yn llysoedd Prydain, cawn yr ymdeimlad weithiau o'r awydd i ychwanegu at y gosb, fel petai'r barnwr neu'r fainc wedi bod yn rhy dyner. Dro arall tybiwn fod y ddedfryd wedi bod yn rhy lem o lawer. Mae'n anodd credu nawr fod pobl ar un adeg yn cael eu halltudio i Awstralia am ddwyn dafad, a hynny er mwyn bwydo teulu. Mae ein syniad o degwch a chyfiawnder yn gyfnewidiol, ac nid oes cysondeb yn ein daliadau. Mae amgylchiadau yn medru gwyro ein hagweddau.

Os oedd yn wir bod Onesimus wedi dianc am iddo ddwyn ac yn ofni marwolaeth fel cosb, bydd angen deall hynny yng nghyd-destun y cyfnod. Rhaid ei fod yn ei gasáu ei hun ac yn rhedeg o sefyllfa lwydaidd i dywyllwch y byd dieithr tu hwnt. Pa fath o arweiniad a gafodd, ac ai siawns neu law Duw a'i harweiniodd i Rufain ac at draed Paul? Ni wyddom beth a barodd iddo ddatgelu i Paul beth oedd ei gefndir, ai i rywun ei adnabod – Epaffras, un o arweinwyr eglwys Colosae o bosibl? Efallai fod derbyn Iesu i'w galon wedi pwyso arno i gydnabod ei fai, ac i Paul wneud penderfyniad anodd drwy ei anfon yn ôl at Philemon a phwyso ar y gŵr hwnnw i arfer maddeuant, a dychwelyd y caethwas i wasanaethu'r apostol fel brawd yn y ffydd.

Faint o bobl sy'n gaeth i alcohol a chyffuriau yng Nghymru ac ar draws y byd, ac yn ceisio dianc o sefyllfaoedd sy'n ormesol? Sawl person sy'n gaeth i falchder a hunandybiaeth, neu sydd wedi eu dal yng nghrafangau trap cyfoeth? Gall cariad Duw a chariad pobl ein rhyddhau o hualau'r byd ac agor y drysau priodol i wasanaeth amgenach.

Gweddi

'Y maglau wedi eu torri, a'm traed yn gwbwl rydd: os gwelir fi fel hynny, tragwyddol foli a fydd.' (Hannah Joshua, *C.Ff.* 718) Amen.

Cynhwysion cymod

Gweddi
Plygaf ger dy fron, Dywysog Tangnefedd, yn awyddus i ddarganfod arwyddion heddwch yn yr enaid ac mewn byd cwerylgar. Helpa fi i oresgyn pob awydd aflan, a cheisio calon lân. Amen.

Darllen Effesiaid 2

Cyflwyniad
Un o'r pynciau trafod diddorol am yr epistol hwn yw gofyn pwy a'i hysgrifennodd, ac ar gyfer pwy y cafodd ei lunio? Y dybiaeth syml yw mai Paul sy'n gyfrifol amdano ac iddo gael ei anfon at yr eglwys yn Effesus. Ceir llawer o eiriau ynddo, nad ydynt mewn llythyron eraill, a barn amryw o'r beirniaid llên yw mai disgybl iddo a'i lluniodd, a hynny fel cylchlythyr ar gyfer eglwysi'r ardal. Nid oes modd profi na gwrthbrofi hynny, ond bod y llythyr yn datgan thema fawr Paul fod y Cristnogion Iddewig a'r Cristnogion o genhedloedd eraill yn perthyn i'r un teulu. Roedd pawb yn 'un yng Nghrist'.

Thema fawr yr epistol yw cyhoeddi bod y 'dirgelwch' yn hysbys, a bod modd dwyn nefoedd a daear yn un. Pa gorff arall ar wyneb daear all wneud hyn? Bydd Iddewiaeth yn dadlau achos Iddewon ac yn amharod i chwilio am gymod, a gwelsom dros y blynyddoedd, ac yn benodol dros y degawdau diwethaf, fel y bu i Foslemiaeth gael ei ddefnyddio gan elfennau gelyniaethus a dichellgar. Teg cyfaddef bod sawl rhyfel wedi ei gynnal yn enw Cristnogaeth hefyd, ond craidd y ffydd Gristnogol yw bod Iesu yn cymodi'r byd gyda Duw, a phobloedd gyda'i gilydd.

Myfyrdod
Pa ddelwedd o undod yr elfennau gwahanol sy'n dod yn fyw i'r meddwl? Efallai y bydd y sawl sy'n ymddiddori yn y gegin yn gweld cacen yn gymysgedd o elfennau gwahanol sydd yn creu rhywbeth gwahanol. O bosibl fod cymysgu cawl ac yna ddefnyddio'r blendiwr yn rhoi delwedd gryfach. Bydd delweddau eraill o fyd adeiladwaith yn gweld concrit yn gymathiad o sawl elfen, a bod y concrit wedi caledu yn gryf a chadarn.

Gall eraill weld y metelau craidd yn ffurfio sylwedd newydd, ond pa un sy'n creu darlun o eglwys yn gymathiad o bobl mor wahanol ag Iddewon a Groegiaid, y caeth a'r rhydd, y breintiedig a'r difreintiedig?

Dyna un o ryfeddodau'r eglwys. Iesu yw'r hwn sy'n 'heddwch i ni' (adnod14). Bydd pob math o atgasedd ac amheuaeth, casineb a rhagfarn yn medru gwahanu pobl, ond mae gras a chariad yn trawsnewid y natur atgas i fod yn bersonoliaeth ddeniadol.

Mae diweddglo'r ail bennod yn heriol. Wrth ddatgan bod y teulu Cristnogol yn 'deml i Dduw', yna mae i fod yn 'breswylfod i Dduw yn yr Ysbryd'. Pa fath o ysbryd a wêl y byd yn yr eglwys? A yw yn profi awyrgylch trugarog a thangnefeddus, cymwynasgar a chariadlawn, neu rywbeth arall? Darllenwn yn hanes eglwysi'r Ffydd fod yna ymgecru cyson a hwnnw weithiau yn troi'n atgasedd llwyr. Ai dyna'r adeg pan fydd hunanoldeb dynol wedi cau'r drws ar Ysbryd Duw? Erys y cwestiwn gan gyflwyno ei her.

Gweddi

Maddau i mi, Dad Nefol, pan wy'n amharod i gyfaddawdu a chwilio am heddwch rhyngof ac eraill. Planna ysbryd newydd ynof, fel y gallaf ddarganfod brawd newydd yng nghalon hen elyn. Amen.

Yr Eglwys yn un

Gweddi

Plygaf o'th flaen, Nefol Dad, yn gofyn i ti faddau fy mai a'm harwain ar hyd dy lwybr. Er mor fach wyf i, gwn fy mod yn perthyn i deulu mawr y ffydd ac yn aelod cyfartal yng nghorff yr eglwys. Amen.

Darllen Effesiaid 4

Cyflwyniad

Pwy bynnag oedd i dderbyn y llythyr hwn yn wreiddiol, boed yn eglwys unigol fel Effesus neu Laodicea, sylweddolwn fod llythyron Paul wedi cael eu copïo a'u dosbarthu ymysg cynulleidfaoedd yr ardal. Mae'n siŵr y byddai'r eglwysi o Jerwsalem i Rufain wedi gweld copïau yn ystod yr ail ganrif. Byddai'r eglwysi yn ymwybodol o'i gilydd, ac yn sylweddoli arwyddocâd neges Paul iddynt yn unigol ac fel teulu estynedig o gymunedau ffydd. Er bod teithio yn amhosibl i lawer o aelodau'r cynulleidfaoedd hyn, roedd gwybod eu bod yn perthyn i deulu estynedig yn sicrwydd cadarn iawn. Dywed Paul fod Iesu wedi dod o'r nef, ac wedi dychwelyd yno. Roedd undod felly rhwng y byd ysbrydol a'r daearol. Oddi mewn i bob eglwys roedd doniau amrywiol. Nodir hwy yn adnod 11, a'u bod i 'gymhwyso'r saint'. Er yr amrywiaeth oddi mewn i'r eglwys o ran cefndir, iaith, statws a doniau, roedd pawb yn un. Pa gorff Iddewig, Groegaidd neu Rufeinig a allai gynnal perthynas felly? Pa gorff sydd yn y byd heddiw a all gyhoeddi'r fath unoliaeth?

Myfyrdod

Byddwn yn perthyn i lu o fudiadau ac yn gweithredu oddi mewn i strwythurau gweinyddol. Bydd natur amcanion y cyrff hyn yn amrywio, ond mae'r amcanion yn glir, a'r ffiniau yn amlwg. Prin y gellir cymharu nod neu amcan elusen leol â phlaid wleidyddol, a bydd nod corff amaethyddol yn wahanol i amcan corff diwylliannol. Wrth symud i fyd masnach ceir gwedd wahanol ar y *raison d'être* er bod llawer o'r cyrff a'r mudiadau yn gwasanaethu pobl eraill.

Mae Paul yn gosod nod eithriadol yn adnodau 12–14 sef cymhwyso'r saint, undod rhwng y saint a'r Duwdod, a dynoliaeth lawn dwf. Roedd yn eistedd yn ei gell mewn carchar yn Rhufain, a beth bynnag oedd cyfyngiadau ei gell roedd ei weledigaeth yn fwy nag eiddo ymerawdwr Rhufain. Byddai gan yr ymerawdwr gyfundrefn wleidyddol eang i ddatblygu ei amcanion ef, ond y cyfan oedd gan Paul oedd pobl fel Luc a Tychicus, Philemon ac Onesimus, Timotheus a Titus. Gwae i ni anghofio gweddill aelodau dinod yr eglwys roedd Paul yn ymwybodol ohonynt pan oedd yn ysgrifennu tua 58 OC. Roedd Paul yn gwybod bod holl arfogaeth Duw o'i blaid, ac nad ei nod ef ydoedd mewn gwirionedd ond amcan Duw ei hun. Mae'r un nod gennym heddiw, ac er mor wan ein ffydd a chyfyng ein hadnoddau, mae Duw a'i gariad ar waith ynom ni.

Gweddi

Bendigedig fyddo dy enw, Arglwydd, yn ein galw i waith sydd mor eithriadol fawr, ond o fewn cwmpawd dy allu di. Arwain fi i weld fy nghyfle i'th wasanaethu o ddydd i ddydd wrth geisio cymhwyso'r saint a chynorthwyo i sicrhau dynoliaeth lawn dwf. Amen.

Dilynaf fy Mugail drwy f'oes...

Gweddi

Maddau i mi, Nefol Dad, am fynnu agor fy nghwys fy hun, a chreu fy nysgeidiaeth i fodloni fy rhagdybiaethau personol. Heddiw rwy'n dewis dilyn Iesu, a'r cyfan mae hynny yn ei olygu. Amen.

Darllen 1 Timotheus 1:12–2

Cyflwyniad

Cyfeirir at y tri llythyr o eiddo Paul at Timotheus a Titus fel yr Epistolau Bugeiliol. Ceir trafodaeth ddiddorol am eu hawduraeth, a bydd hynny yn cynnwys ystyriaeth o'u dyddiad. Mae'n rhaid bod Paul wedi llunio llawer o nodiadau personol a'u hanfon at arweinwyr yr eglwysi, naill ai i rybuddio, i gyfarwyddo neu i gynghori. Oddi mewn i'r enghreifftiau hyfryd hyn, cawn syniad o awydd Paul i sicrhau'r olyniaeth ac i rannu gyda'r eglwysi'n gyffredinol beth oedd ei farn ef am arfer a threfn teulu'r ffydd. Mwy na thebyg fod y tri darn yma wedi eu llunio i'r amcan a nodir ynddynt. Mae'n ddigon rhesymol fod darnau o blith llythyron o'r fath wedi eu rhan-gopïo a'u defnyddio fel canllawiau i arweinwyr yr eglwys fore yn ddiweddarach.

Gwyddom fod Paul yn ystyried Timotheus yn 'fab annwyl yn y ffydd', ac iddo gael ei fagu ar aelwyd grefyddol. Enwir Lois ei fam ac Eunice ei fam-gu. Yn ddiddorol, ar ddiwedd ail bennod y llythyr cyntaf at Timotheus, mae'n gwneud gosodiadau rhyfedd i glyw ein cyfnod a'n diwylliant ni am le gwragedd yn yr eglwys, ond dyna fyddai'n adlewyrchu cefndir Iddewig Paul. Serch hynny mae'r cyfeiriad at Eunice a Lois yn 2 Timotheus 1 yn dangos mor bwysig oedd cyfraniad y ddwy i ddefosiwn a chred Timotheus. Rhoddodd Paul le amlwg i esiampl y naill i'r llall, ac wrth gymell Timotheus i sylwi ar ei esiampl ef, mae hefyd yn annog Timotheus i gynnig arweiniad da i eraill.

Myfyrdod

Bydd y rhan fwyaf ohonom yn cofio amrywiad ar y gweithgarwch ar fuarth ysgol lle bydd un plentyn yn arwain a'r gweddill yn dilyn. 'Follow my leader' fyddai un enw iddo. Bydd gan y rhan fwyaf ohonom arwyr sy'n esiamplau da ar daith bywyd, ac yn amlach na pheidio byddwn yn ceisio efelychu arfer da pobl yr ydym o'r farn eu bod wedi cyrraedd safonau uchel. Efelychu pwy a wnawn fel pobl a beth a dybiwn yw'r rhinweddau priodol i'w meithrin? Efallai y bydd gennym atebion gwahanol o fewn meysydd proffesiynol a chymdeithasol, fel cymdogion neu rieni. Beth felly am y bywyd ysbrydol?

Nid broliant ohono'i hun sydd gan Paul yn adnod 16 o'r bennod gyntaf pan ddywed: 'a'm gwneud felly yn batrwm i'r rhai fyddai'n dod i gredu ynddo a chael bywyd tragwyddol'. Synnu wna Paul ei fod ef, y blaenaf o bechaduriaid, wedi derbyn trugaredd Iesu. Os gallai ef, un fu'n erlid Cristnogion, gael trugaredd, yna mae'n bosibl y byddai pobl lai gelyniaethus i'r ffydd Gristnogol yn profi'r un fraint.

Yn ei anogaeth – siars yw'r gair yma yn adnod 18 – mae'n gofyn i Timotheus gofio'r dystiolaeth broffwydol a gafodd gynt ac ymddiried ynddi, bod yn ddewr yn y frwydr a dal gafael yn y ffydd gyda chydwybod dda. Bu Paul ei hun yn ffyddlon i'r profiad a gafodd ar y ffordd i Ddamascus, a bu'n ddewr yn brwydro yn erbyn y ddysgeidiaeth ffals a gyflwynwyd gan rai o blith crefyddwyr y dydd. Roedd yn glir ei gydwybod. Yr un yw'r neges yn 4:6: rhaid peidio â gwrando ar 'chwedlau bydol hen wrachod'. Cafodd yr ail genhedlaeth o arweinwyr eglwysig batrwm da yn Paul ei hun, ac mae'n siŵr i un genhedlaeth ar ôl y llall fod yn ysbrydoliaeth ac yn anogaeth i'r nesaf. Yn ein gweddïau heddiw, ni allwn ond gofyn pa fath o esiamplau ydym ni, ac a ydym yn driw i'r ddysgeidiaeth sylfaenol ac yn brwydro yn erbyn drygioni? Gallwn ofyn hefyd am nerth dwyfol i fyw yn debyg i Iesu mewn gair a gweithred. 'O na bawn yn fwy tebyg i Iesu Grist yn byw' (Eleazar Roberts, *C.Ff.* 721).

Gweddi

Diolch, Arglwydd, am y bobl hynny a fu'n esiamplau da i ni, a chymorth ni i arwain eraill atat ac i fod yn ffyddlon i Iesu. Amen.

Moli Duw a gofalu am eraill

Gweddi

Maddau i mi, Nefol Dad, pan fyddaf yn dy addoli di, heb garu cymydog. Yn yr un modd, mae perygl i ni feddwl ein bod yn dy addoli di yn llwyr wrth arfer gofal dros eraill, heb feddwl o gwbl am dy berson a'th waith. Helpa fi i arfer cydbwysedd yn fy mywyd fel bod fy amser a'm hegni yn gweld y ddwy wedd yn rhan o'r un gwaith. Amen.

Darllen 1 Timotheus 5

Cyflwyniad

Weithiau byddwn yn tybio bod yr Eglwys Fore yn canolbwyntio cymaint ar yr athrawiaethol fel nad oeddent yn ymwybodol o bynciau ymarferol a dyngarol. Yn y rhan fwyaf o lythyron Paul at yr eglwysi a'r unigolion ceir pryderon dwfn dros bobl yn gyffredinol, ac yn y bennod dan sylw gwelir bod y meddwl mawr diwinyddol yn ymwybodol o amgylchiadau eraill. Law yn llaw â thrafod credoau a chamgymeriadau dysgeidiaethau eraill, roedd Paul yn awyddus i gynnig canllawiau ymarferol i Timotheus a thrwyddo ef i arweinwyr eraill yr Eglwys Fore. Roedd Paul wedi deall yn iawn beth oedd arwyddocâd y geiriau 'Câr yr Arglwydd dy Dduw, a châr dy gymydog fel ti dy hun.'

Myfyrdod

Roedd Paul fel Pedr yn sylweddoli'n iawn bod gan y cymunedau Cristnogol gyfrifoldeb tuag at eraill oddi mewn ac oddi allan i'r teulu Cristnogol. I sawl diwylliant byddai llwyddiant yn edrych ar rym militaraidd, economi gadarn, eiddo a dylanwad fel ffyn mesur llwyddiant. Onid felly y bu erioed? Roedd Iddewiaeth wedi byw dan ddeddf Moses, ac un o'r cymalau ynddi oedd 'Anrhydedda dy dad a'th fam' tra bod estyn rhodd i'r gweiniaid wedi bod yn nodwedd o'u cydwybod gymdeithasol. Rhan o fantra cyson yr Iddew oedd dangos parch a lletygarwch i'r dieithryn.

Bu'r traddodiad Cristnogol ar draws y canrifoedd yn cynnig lloches ac ymgeledd i'r claf, yr unig a'r llesg. Roedd y mynachlogydd yn dwyn sylw at y nodwedd o ofal dros eraill. Ceir gwreiddyn y gair 'ysbyty' a 'hosbis' yn y ddarpariaeth a gynigid i eraill, ymhell cyn bod adeiladau pwrpasol yn cael eu galw wrth yr enwau hyn.

Un o bobl fawr yr ugeinfed ganrif oedd y Fam Teresa, ac mae ei hanes hi yn annog pobl i weld wyneb Duw yn y mwyaf truenus o blant y byd. Yn yr un modd daeth gwaith Cymorth Cristnogol a mudiadau dyngarol eraill i hawlio ein cefnogaeth. Bydd dameg y Defaid a'r Geifr (Mathew 25) yn arweiniad cadarn: 'yn gymaint ag ichwi ei wneud i un o'r lleiaf o'r rhain, fy mrodyr annwyl, i mi y'i gwnaethoch'.

Mae perygl i ni feddwl bod rhywrai eraill yn arfer gweinidogaeth gofal dros y llesg a'r oedrannus, heb ymgymryd â'r 'ddyletswydd' ein hunain. Faint o amser a roddwn i gynnal braich y gwan, ac i hyrwyddo achos y diymgeledd yn ein byd yn gyffredinol ac yn ein cymunedau yn benodol?

Gweddi

Rho imi nerth i wneud fy rhan,
  i gario baich fy mrawd,
i weini'n dirion ar y gwan
  a chynorthwyo'r tlawd. Amen.

(E. A. Dingley, *cyf.* Nantlais, *C.Ff.* 805)

I'r Gad

Gweddi

Arglwydd Iesu, gwn dy fod yn athro ac yn Arglwydd fy mywyd, ond byddaf yn ei chael yn anodd dweud wrth eraill amdanat. Helpa fi i fod yn fwy hyderus ac yn ddewrach i rannu fy mhrofiad ohonot. Amen.

Darllen 2 Timotheus 2

Cyflwyniad

Llwyddodd y Parch Ddr Isaac Thomas i grynhoi'r drafodaeth ar ddyddiad ysgrifennu'r Epistolau Bugeiliol yn ei *Arweiniad i'r Testament Newydd* – nid oes ateb sicr i'r broblem. Gellir dweud bod Paul, yn awyddus i addysgu'r ail genhedlaeth o arweinwyr yr Eglwys Fore, wedi crynhoi egwyddorion sylfaenol gweiniaddiad a gweinidogaeth y cymunedau newydd o Gristnogion. Os dyddir y tri epistol, y ddau at Timotheus a'r llall at Titus, tua 59 OC, byddai pum mlynedd arall cyn merthyrdod Paul (tua 64 OC). Ni fyddai ef yn gwybod beth oedd yr awdurdodau yn mynd i wneud iddo ef nac i aelodau'r eglwysi Cristnogol. Mae'n ddigon posibl y byddai yn rhagweld erledigaeth a dioddefaint i ddilynwyr Iesu, a defnyddia ddelwedd y milwr i annog yr arweinwyr ifanc i fod yn hyderus a chadarnhaol wrth ddwyn tystiolaeth i fywyd ac atgyfodiad Iesu. Wrth ddarllen holl lythyron Paul, mae angen cofio ei fod wedi ei baratoi ei hun i farw a'i fod yn awyddus i atgoffa'r eglwys nad oedd llawer o amser ar ôl. Naill ai byddai Iesu yn dychwelyd cyn hir, a dyna ddiwedd y byd, neu byddai dyfodol yr eglwys yn golygu dioddef erledigaeth. Sylweddolai Paul fod yn rhaid iddo ef a'i debyg fod yn eofn a chadarnhaol yn eu tystiolaeth a'u cenhadaeth i eraill.

Myfyrdod

Mae'n amhosibl i'r sawl na fu erioed yn aelod o'r Lluoedd Arfog ddychmygu sut mae'r milwyr yn eu paratoi eu hunain i wynebu maes y gad. Mae'r hyfforddiant yn eu paratoi i ymosod fel rhan o frigâd ond tybed beth sy'n mynd drwy feddwl yr unigolion, gan wybod yn iawn fod eraill yn paratoi i'w lladd hwythau? Ffenomen arswydus bellach yw gweld pobl yn cael eu paratoi i fod yn hunanladdwyr, gyda'r amcan o ladd eraill ar yr un pryd. Bydd Al Qaeda yn hyfforddi pobl i wneud hynny. Gwyddom eu bod yn credu bod eu tynged yn un ogoneddus, a'u bod yn rhan o filwriaeth sy'n cael ei chyfiawnhau gan ei chred yn Allah. Beth bynnag eu hymateb i'w cred a'u parodrwydd i ladd, ni ellir ond parchu eu teyrngarwch i'w cred a'u hagwedd anhunanol. Byddai Paul wedi deall yn iawn.

Beth fyddai Paul wedi'i ddweud wrthym ni yn ein hamgylchiadau presennol? Yn adnod 15, mae'n annog Timotheus i wneud ei orau i fod yn 'gymeradwy gan Dduw', i fod yn 'weithiwr heb achos i gywilyddio am ei waith', yn 'ddiwyro wrth gyflwyno gair y gwirionedd'. Efallai na fyddai unrhyw un yn teimlo'n gyfforddus wrth sylweddoli bod aelodau'r eglwys dros y canrifoedd wedi rhoi popeth i hyrwyddo'r dystiolaeth Gristnogol, tra bod yr eglwysi yng Nghymru yn ei chael yn hawdd i ymesgusodi.

Gweddi

Trugarha wrthyf ,Arglwydd, yn fy nifaterwch, ac agor fy llygaid i weld y cyfleoedd newydd. Arfoga fi gyda dewrder ac ymroddiad i geisio efelychu Timotheus yn ein hoes a'n hardal. Amen.

Herio pob rhagrith

Gweddi
Diolch, Nefol Dad, am arweinwyr yr eglwysi a'r bobl hynny sy'n ceisio cynnig arweiniad doeth ar bynciau moesol a chymdeithasol yn enw'r ffydd. Amen.

Darllen Titus 2

Cyflwyniad
Mae'r Epistolau Bugeiliol yn dystiolaeth o'r modd roedd Paul yn gweld yr eglwysi Cristnogol yn datblygu, a sylweddolir pa fath o broblemau a wynebwyd ganddynt. Rhan o ofid Paul oedd bod lleisiau dieithr yn cyflwyno dysgeidiaeth wahanol i'r hyn roedd Paul a'r apostolion eraill yn ei gadarnhau a'i gymeradwyo. Mae'n rhyfedd meddwl bod Paul yn disgrifio'r credinwyr o dras Iddewig fel pobl 'afreolus, ac yn twyllo dynion â'u dadleuon diffaith' (Titus 1:10).

Gwelwyd yn y llythyron at eglwysi fel roedd Paul yn herio dysgeidiaeth ddieithr – fel dysgeidiaeth y Gnosticiaid – ond yn sylweddoli bod angen i eraill hefyd ddadlau yn gadarn ac yn glir. Meithrin pobl fel Timotheus a Titus wnaeth Paul. Roedd yn ddigon hirben i sylweddoli bod cynnydd yr eglwys yn gofyn am leisiau i geryddu'r anwiredd ac i hyrwyddo'r ffydd (Titus 1:13).

Yn Titus 2 darllenir sylwadau Paul yn dadlau o blaid moesoldeb Cristnogol. Cymeradwyir sobrwydd a hunanddisgyblaeth gan ddweud bod ymarweddiad gwael gan Gristnogion yn dibrisio neu yn sarhau Iesu.

Myfyrdod
Does neb am gael ei gyhuddo o fod yn rhagrithiwr dauwynebog. Mae'r wasg wedi cael hwyl yn aml ar danseilio hygrededd gwleidydd neu sêr poblogaidd y dydd pan fyddant wedi byw yn groes i'w datganiadau gwleidyddol, moesol neu grefyddol. Pe bai comiwnydd neu sosialydd yn cuddio'i fod yn byw yn fras ar arian twyll, byddai'r cyhoedd yn ei feio. Yn yr un modd, byddai dirwestwr yn meddwi, neu farnwr yn twyllo, yn haeddu condemniad cyhoeddus.

Yng ngolwg Paul, roedd unrhyw un a oedd yn arddel Iesu Grist fel Gwaredwr ac yn ymddwyn yn anfoesol yn euog o ragrith. Siarsiwyd Titus i herio pob ymarweddiad dauwynebog. Galwyd ar Titus i fod yn llawn sêl dros y da ac i wrthwynebu'r drwg. Mae perygl wrth gyfaddawdu â drygioni o hyd, ac wrth ddarllen nodiadau ymarferol bugeiliol Paul, roedd egwyddorion pwysig yn cael eu cyhoeddi. Serch hynny, beth fyddai Paul wedi ei ddweud ar bynciau fel rhyfel a chaethwasiaeth?

Pa wedd ar yr eglwys Gristnogol yng Nghymru heddiw sy'n dwyn anfri ar ei thystiolaeth? Byddai rhai yn dadlau nad oes modd i Gristnogaeth arddel agweddau gwleidyddol penodol. Pa agweddau? Addaswyd safbwyntiau'r Eglwys ar nifer o bynciau cymdeithasol. Pwy sydd i osod seiliau'r gwerthoedd?

Gweddi

Maddau i mi, Arglwydd, am ddychmygu beth sy'n iawn, heb wrando arnat a cheisio arweiniad yr Ysbryd Glân. Arwain fi yn dy wirionedd di, fel y gallaf fyw yn dy ddaioni. Amen.

Y Mwyaf Un

Gweddi

Nefol Dad, cyfaddefaf fy mod yn cael y darn hwn o lenyddiaeth yn arbennig o anodd. Helpa fi i feddwl sut y gallaf gyfieithu syniadau'r llythyr hwn i Gymru, ac i gyflwyno Iesu i bobl fy myd a'm cefndir i. Amen.

Darllen Hebreaid 3

Cyflwyniad

Nid oes syniad, hyd yn oed o'r cyfnod cynnar, pwy yw awdur yr 'epistol' hwn. Nid yw ar ffurf llythyr arferol, a derbynnir i'r gwaith gael ei lunio i osod y ffydd Gristnogol mewn iaith a delweddau a fyddai'n ddealladwy i Iddewon. Darllener yr adnod glo ym mhennod 4:14–16; ac yn y penodau blaenorol cawn bortread o fawredd Iesu o'i gymharu â phobl a delweddau mawr Iddewiaeth. Yna cawn gyflwyno Iesu fel archoffeiriad yn gwireddu perthynas newydd rhwng Duw a dyn ac yn deml, sef man cyfarfod ac addoli, fel bod cyfamod a chymod rhwng nef a daear. Yn y diweddglo cawn ddilyniant ffydd cymeriadau'r Hen Destament yn arwain at anogaeth i aelodau'r eglwys dderbyn gras Duw ar waith yn eu bywydau. Yn y bennod olaf, cawn nodiadau ar gyfer gweinyddu'r eglwys a chais am weddïau'r eglwys dros arweinwyr yr eglwys gyfan. (Am drafodaeth helaethach gweler esboniad y Parch. D. Hugh Matthews ar yr adran hon, *Y Llythyr at yr Hebreaid* [2003]).

Myfyrdod

Bydd gennym syniadau amrywiol wrth feddwl am Gymro mwyaf ein cyfnod, ac os gofynnir am enw Cymro mwyaf y ganrif ddiwethaf, byddwn yn pendroni mwy fyth. Os byddwn yn chwilio am Gymro mwyaf hanes, bydd y rhan fwyaf ohonom yn dweud nad oes modd cymharu pobl o gyfnodau ac amgylchiadau mor wahanol i'w gilydd. A ellir cymharu chwaraewr rygbi fel Gareth Edwards gyda bardd fel Dic Jones? Beth am gerddor fel Joseph Parry gyda gwleidydd fel Lloyd George? Pwy all ddweud?

Roedd Iddewiaeth yn medru edrych yn ôl a gweld Moses fel deddf-roddwr amlwg, ac Eseia fel proffwyd disglair. Byddai cyfraniad Dafydd fel y brenin mwyaf, ac ni ellir anghofio'r proffwydi mawr eraill yn eu hanes – pobl fel Eseciel a Jeremeia, Esra a Nehemeia. Pa ryfedd felly fod awdur y gwaith hwn yn awyddus i ddweud bod Iesu yn fwy na Moses hyd yn oed? Un o blith y gweision oedd Moses, ond Mab Duw oedd Iesu. Yn y bennod hon, disgrifir pobl Dduw fel adeilad ac Iesu yn byw yn y tŷ, fel perchennog.

Mae'r anian Gymreig yn fwy na'r un Cymro, ond pan welwn yr anian honno yn cael ei hamlygu mewn person, gwerthfawrogwn y ddeubeth. Mae profi bendith Duw yn brofiad breintiedig, ac yn Iesu gallwn dystio i ni brofi cyffyrddiad a chynhaliaeth Duw ym mherson ei Fab. Iesu yw'r ffordd, y bywyd a'r gwirionedd. Iesu yw'r fendith a ffordd Duw o ddwyn pobl i berthynas ag ef ei hun.

Gweddi

Arglwydd Iesu, molaf dy enw a diolch am dy fendith. Ynot ti mae cyfeiriad ac ystyr bywyd. Diolch i ti am fy nghynnwys i. Amen.

Y Perffaith Un

Gweddi

Arglwydd, gwn nad wyf yn berffaith. Yn wir, sylweddolaf mor amherffaith ydwyf. Bydd drugarog wrthyf, a derbyn fi i'th fynwes heddiw. Amen.

Darllen Hebreaid 7

Cyflwyniad

Mae awdur y llythyr yn cymryd yn ganiataol bod ei ddarllenwyr yn gyfarwydd â'r cefndir Iddewig ac yn deall y gyfeiriadaeth at Urdd Melchisedec. Ymddangosodd yr enw hwn yn gynnar yn hanes yr Hebreaid, ac mae'n cynrychioli'r brenin cyfiawn a'r offeiriad oesol. Nid oes ganddo deulu ac nid oes cyfeiriad at ei farwolaeth. Saif fel ffigwr yn cynrychioli'r dwyfol ac a fydd yn cyflawni ewyllys Duw. Cyfeirir ato yn Genesis 14:17–20 a hefyd yn Salm 110, ac mae'n ddelfryd o farnwr sanctaidd. Dywedir yn adn. 3 ei fod yn 'gyffelyb i Fab Duw' ac yn 'aros yn offeiriad am byth'. Mae'r 'am byth' yn arwyddocaol gan nad oes unrhyw beth yn barhaol oni bai ei fod o Dduw. Byddai'r darllenwyr o gefndir Hebreig yn gwerthfawrogi'r neges hon ac yn derbyn y genhadaeth.

Roedd yr Iddew yn pwyso'n drwm ar y Gyfraith, ac ni fyddai unrhyw Iddew yn hawlio bod y Gyfraith yn gyflawn nac yn berffaith. Byddai hynny yn rhoi'r Ysgrythur ar yr un gwastad â Duw, a thâl hynny ddim. Caiff y garfan o ddiwinyddion sy'n pwyso'n drwm ar lythrenoldeb y Beibl wynebu'r un anhawster. Os honnir fod yr Ysgrythur yn awdurdod terfynol, yna pa fersiwn ohoni? Onid yw pob cyfnod yn cynnig dealltwriaeth amgenach o'r testun? Un awdurdod sydd, ac Iesu yw hwnnw.

Myfyrdod

Pwy neu beth sy'n berffaith? A yw dyn ar ei orau yn dda, neu a yw pob dyn, hyd yn oed y gorau, yn debyg i'r afal gorau, yn cario'r nodweddion sy'n peri iddo bydru ymhen amser? Nid yw daioni dyn yn gwarantu perthynas gyflawn a thragwyddol gyda Duw. Nid oes unrhyw berson perffaith, ac nid yw unrhyw beth sydd ag olion bysedd dyn arno yn berffaith chwaith. Nododd awdur y llythyr fod y Gyfraith yn penodi archoffeiriaid sy'n llawn gwendidau. Onid gofid llawer yw ceisio bod yn debyg i'r ddelwedd ddelfrydol, boed yn gorff o siâp arbennig, yn berson o nodweddion penodol neu'n berchennog ar fath o dŷ, car o frand penodol ac mewn swydd sy'n ennill cyflog uchel?

Unwaith y bydd person yn sylweddoli ei fod yn amherffaith, gall edrych arno'i hun yn y drych ac wynebu ei fyd heb orfod teimlo'n annigonol. Unwaith y bydd yn deall bod Iesu yn ei garu fel y mae, bydd ganddo hyder yn ei gam a gobaith i'w yfory.

Gweddi
Diolch, Iesu, dy fod yn gyfaill ac yn waredwr i mi. Ti yw fy ffordd, fy mywyd a'r gwirionedd rwyf yn ei gredu. Berffaith Un, dilynaf di. Amen.

Cryfha fy ffydd, Arglwydd

Gweddi
Arglwydd Dduw, o dro i dro mae fy ffydd ynot yn ansicr ac mae'n flin gen i dy siomi. Dal fi'n dynn a chadarnha fy ffydd, fel y gallaf innau helpu eraill i gredu ac i gerdded ffordd Iesu. Amen.

Darllen Hebreaid 11:32–12:13

Cyflwyniad
Amcan amlwg yr awdur yw cyflwyno'r ffydd newydd i'r sawl a fyddai'n gyfarwydd â hanes Iddewiaeth. Bu'r penodau blaenorol yn cyfeirio sylw'r darllenwyr at Iesu. Ar ôl cyfeirio yn y bennod at y ffydd a welid gan lawer o gymeriadau amlwg hanes y genedl, gwahoddir pobl i 'edrych ar Iesu, awdur a pherffeithydd ffydd'. Gwelai'r awdur y grefydd Iddewig yn fagwrfa i'r grefydd newydd, a bod angen deall a pharchu'r naill er mwyn sylweddoli arwyddocâd a gwerth y llall.

Amcan arall gan yr awdur yw calonogi'r Cristnogion, a hyrwyddo ffydd a dalifyndrwydd yr Eglwys Fore. Ceir anogaeth i'r aelodau helpu ei gilydd wrth wynebu dyddiau blin erledigaeth ar yr eglwys. Mae'n siŵr bod yr awdur yn ymwybodol fod rhai o blith yr eglwys yn gwangalonni ac yn colli ffydd. Dywed fod angen cerdded llwybr syth, a pheidio ag ildio i'r demtasiwn ar awr wan o roi'r gorau iddi. Pwysleisir bod y Cristion yn rhan o dorf fawr, ac mai nod y dyrfa honno yw dwyn tystiolaeth i'r Arglwydd.

Myfyrdod
Bydd rhai yn brolio eu bod yn bobl sydd yn ymwrthod â chredu mewn unrhyw beth tu hwnt iddynt eu hunain. Mae bywyd pawb yn ddibynnol ar ymddiriedaeth, fel gallu'r meddyg i ddeall ein hafiechydon, a dawn y llawfeddyg i wneud yr hyn sydd ei eisiau, os a phan ddaw adeg felly yn ein bywyd. Ymddiriedwn yn y person sy'n gosod teiars newydd ar ein car, ac yn y sawl a bwythodd y parasiwt cyn neidio o'r awyren. Mae ffydd mewn pethau a phobl yn naturiol a hanfodol neu ni fyddem yn mentro allan o'r tŷ.

Bydd llawer o bobl yn cael profiadau ysbrydol heb sylweddoli beth ydynt. Pan fydd y person hwnnw yn clywed y dystiolaeth Gristnogol ac yn sylweddoli bod presenoldeb dwyfol a real yn cyffwrdd ag ef, yna daw i fentro mewn ffydd, fel neidio o'r awyren a pharasiwt ar ei gefn. Pan fydd yn tynnu'r cortyn priodol a phrofi gwefr y diogelwch, yna gall arddel ffydd a dathlu'r sicrwydd. Rhyfeddod y profiad yw deall bod eraill yn rhannu'r un argyhoeddiad ac yn sicr o'r un presenoldeb dwyfol. Er bod cyrraedd y profiad o ffydd yn amrywio, mae'r gorfoledd yn sefyll a daw'r credinwyr ynghyd fel corff o bobl sy'n rhannu'r argyhoeddiad.

Goddefodd Cristnogion ar draws y canrifoedd a'r cyfandiroedd gael eu poenydio oherwydd eu ffydd. Mae Cristnogion yn cael eu harteithio heddiw mewn nifer o wledydd. Pe bai hynny'n digwydd i ni, ai ildio a gwadu Iesu y byddem ni, neu fod yn gadarnach ein ffydd ac yn eofn ein tystiolaeth?

Gweddi

Arglwydd Iesu, diolch iti am fy argyhoeddi ac am gynnal fy ffydd. Rwyt yn drysor nad oes modd rhoi gwerth arno yn nhermau'r byd hwn ac yn un rwyf yn ymddiried ynddo. Diolch i ti, fy Arglwydd a'm Duw. Amen.

Siarad gwag

Gweddi

Arglwydd, gwn fod Llythyr Iago yn trafod moesoldeb a'r modd mae ymddygiad dyn yn adlewyrchu ei gredo a'i werthoedd. Helpa fi i fod yn agored a gonest ger dy fron. Trugarha wrthyf yn fy meiau ac arwain fi i fod yn fwy gostyngedig ger dy fron di ac yn llai awyddus i ddathlu gwendidau pobl eraill. Amen.

Darllen Iago 1:9–27

Cyflwyniad

Dyfynnir y diwinydd Martin Luther yn dweud mai epistol o wellt oedd cyfraniad Iago i'r Testament Newydd. Bydd eraill am gynnig ei fod yn derbyn sylfaen y ffydd fel gweddill yr Eglwys Fore ond ei fod am gynnig arweiniad ar oblygiadau'r ffydd yng nghyd-destun gweithgarwch yr eglwys a moesoldeb yr unigolyn. Nid oes sicrwydd pwy oedd yr awdur, er i rai awgrymu mai'r Apostol Iago neu Iago Jerwsalem, brawd naturiol Iesu, a'i lluniodd. Gan fod y deunydd yn ymddangos fel neges fugeiliol i'r eglwys yn gyffredinol, a hynny yn wyneb daliadau Groegaidd a fyddai'n ddiweddarach nag oes Iago'r Apostol neu Iago brawd Iesu, lluniwyd y llythyr o bosibl gan athro Cristnogol o gyfnod diwedd y ganrif gyntaf, ac mae'n llenyddiaeth sy'n adlewyrchu daliadau moesol yr Eglwys Fore. Wrth i ni ei darllen heddiw, mae'n ein herio i ofyn beth yw natur a gwerth y moesoldeb Cristnogol a ddangoswn ni i'n cyfnod a'n cymdeithas?

Myfyrdod

Gair dieithr i lawer yw'r gair 'moesol', ac fe geir y syniad fod amryw yn byw bywyd arwynebol sydd ond yn ceisio pleser y funud, a hynny heb gyfrif canlyniad y digwyddiad. Byddwn yn meddwl am y sawl sy'n gyrru ceir yn wyllt a difeddwl, neu'r bobl hynny sy'n gwario arian y dyfodol heb boeni am effaith hynny. Bydd gor-yfed a gor-fwyta yn dwyn eu canlyniadau corfforol, ac mae'r sawl sy'n dweud celwydd yn ddiddiwedd yn mynd i wynebu anawsterau enbyd ryw ddydd.

Mae'r sawl sy'n methu ffrwyno'i dafod yn ei dwyllo'i hun yn ôl Iago, ac mae gofyn i'r sawl sy'n arddel Iesu fel Arglwydd ei fywyd osgoi dweud unrhyw beth sy'n achosi poen a gofid i eraill. Pa mor aml y byddwn yn defnyddio iaith anweddus, neu yn derbyn geiriau anllad pobl eraill fel iaith normal? Eithriad yw gweld ffilm heb fod rhegfeydd anweddus ynddi, ac nid oes ots gan gymdeithas yn gyffredinol pan ddefnyddir enw'r Arglwydd yn ofer. Roedd Iago yn glir fod iaith person yn adlewyrchu ei ddaliadau crefyddol.

Gall y person tafotrydd greu sefyllfaoedd anodd i eraill, ac wrth ailadrodd storïau arwynebol a gwag am bobl eraill achosi storm ddi-fudd mewn teulu, cymuned neu eglwys. Tybed a oedd Iago wedi cael achos i boeni am gynulleidfa oherwydd gwendid unigolion? Efallai i Iago feirniadu'r bobl a dybiai fod y bywyd crefyddol yn galw ar y credadun i fod yn feirniad llafar o bobl eraill heb ystyried pa mor amhur oedd ei fywyd ei hun.

Gweddi

Gwyddost, Arglwydd, fy mod i'n aml yn euog o farnu eraill heb weld y beiau amlwg yn fy mywyd fy hun. Maddau i mi am fod yn llafar fy meirniadaeth heb ystyried y niwed rwy'n ei achosi. Amen.

Amynedd ac agosrwydd

Gweddi

Arglwydd Dduw, gwn fy mod yn dioddef o ddiffyg amynedd yn aml, ac yn dymuno gweld newidiadau yn fy mywyd ac yn yr eglwys yn unol â'm hamserlen i. Helpa fi heddiw i feddwl mwy am dy ddisgwyliadau di ohonof i na'm disgwyliadau i o fywyd yr eglwys. Amen.

Darllen Iago 5:7–20

Cyflwyniad

Fel llawer o arweinwyr eglwysig ddiwedd y ganrif gyntaf, roedd Iago yn awyddus i gadarnhau fel Paul bod yr Ail Ddyfodiad ar ddigwydd, a bod y Deyrnas Nefol yn mynd i gael ei chyflawni a diwedd y byd ar ddigwydd. Wrth i'r misoedd droi'n flynyddoedd, ac yna'n ddegawdau, pa ryfedd iddynt weld aelodau'r eglwysi yn colli amynedd, ac yna yn cilio? Mae'r epistol cyffredinol hwn yn apêl am deyrngarwch a ffyddlondeb, a bod angen i'r aelodau gynorthwyo'i gilydd i fod yn deyrngar. Mae'r negeseuon yn y bedwaredd bennod yn berthnasol i bob oes: na ddylai aelodau'r eglwys fod yn ddiamynedd, ond disgwyl wrth Dduw yn gyson. Hefyd anogir yr aelodau eglwysig i beidio â chollfarnu ei gilydd nac ymffrostio ynddynt eu hunain, a bod y sawl sy'n byw i gasglu cyfoeth neu ddyheu am gyfoeth yn eu peryglu eu hunain gerbron Duw. Pwyslais y paragraffau olaf yn y gwaith yw cymell yr aelodau i fod yn selog i ddysgeidiaeth foesol a defosiynol yr eglwys, a cherdded llwybr union ac ysbrydol.

Myfyrdod

Rydym yn byw mewn oes sy'n pwysleisio bod llwyddiant neu aflwyddiant yn dibynnu ar ganlyniadau. Collfernir llywodraeth os nad yw wedi gwireddu ei dyheadau, er efallai nad oedd modd rhagweld ffactorau newydd a fyddai'n newid y sefyllfa. Ym myd awdurdodau addysg a byrddau iechyd, mae yna ystadegwyr sy'n dadansoddi llwyddiant ac aflwyddiant eu gwasanaethau, pan fo eisiau mwy o amser i wella'r sefyllfaoedd. Aeth bywyd llawer o bobl, fel byd y clybiau pêl-droed, yn fregus ac ansicr.

Gwyddom fwy na'n cyndadau am ddiwylliant sy'n hynod barod i weld bai, heb ystyried tegwch ac ymarferoldeb y gwaith.

Sut mae deall amser dyn a'i ddisgwyliadau, a pha fodd sydd gan bobl i ddeall amser Duw yn ei gynlluniau ef? Beth tybed oedd ym meddwl y cynulleidfaoedd roedd Iago yn eu cyfarch? A oeddent yn colli amynedd gyda Duw ac efallai am gefnu ar eu crefydd? Ateb Iago oedd cymell yr aelodau eglwysig i weddïo'n daerach a dyfnhau eu bywydau ysbrydol. Byddai hynny yn arwain y credadun i adnabod Duw yn well, ac yn ei chael yn haws ymddiried ynddo.

Mae gan gymaint ohonom syniadau pendant am gyfeiriad penodol i'r eglwys – boed yn lleol, yn enwadol neu yn gyffredinol – a hynny cyn gweddïo'n daer. Mae perygl i ni droi gweddi'n rhywbeth ffurfiol heb chwysu wrth wneud. Dywed Alfred Tennyson fod llawer mwy yn digwydd o ganlyniad i weddi nag y gallwn ei freuddwydio. Beth yw helaethrwydd ein breuddwydion tybed?

Gweddi

Maddau fy niffyg amynedd, Arglwydd, a chaniatâ i mi gael profiadau dyfnach ohonot. Helpa fi i weld fy ngwaith i yn yr eglwys yn gliriach o'th safbwynt di. Amen.

Gobaith bywiol

Gweddi

Drugarog Dduw, wrth i mi agor fy Meibl heddiw i ddarllen am obaith Pedr wrth wynebu erledigaeth, helpa fi i gynnal fy ngobaith ynot ti, beth bynnag a ddaw ger fy mron. Amen.

Darllen 1 Pedr 1

Cyflwyniad

Bu'n arfer ers y canrifoedd cynnar i drafod awduraeth y llythyron a welir yn y Testament Newydd. Mae'n siŵr bod llawer o lythyron wedi eu hanfon oddi wrth yr apostolion at wahanol gynulleidfaoedd a sefydlwyd ganddynt. Dros bedair canrif, bu trafod ar werth a dilysrwydd y llenyddiaeth hon, ac roeddent yn trafod copïau a chyfieithiadau o'r gwreiddiol. Mae'n rhyfeddol fel y daeth cymaint o'r deunydd yn ddiogel i'n dwylo ni ar draws y canrifoedd. Adlewyrchir yn y llenyddiaeth hon gredo ac amgylchiadau'r Eglwys Fore, a'r modd roedd yr aelodau yn ystyried eu dyletswydd a'u ffydd. Roeddent o hyd dan ormes, a bychanwyd y cynulleidfaoedd hyn o bob tu. Roedd Pedr gyda'r cyntaf i'w ferthyru. Yn ôl traddodiad cafodd ei groeshoelio a'i ben i lawr a hynny o'i ddewis ei hun, gan iddo gredu nad oedd yn ddigon da i'w groeshoelio fel y gwnaed i Iesu. Gan dderbyn mai Pedr yr Apostol a luniodd y llythyr, byddai dyddiad o gwmpas 58 OC yn rhesymol ac iddo ei lunio ar gyfer eglwysi'r ardaloedd a enwir yn yr adnod gyntaf. Ei amcan yw calonogi'r eglwysi a sefydlwyd ganddo, i gadarnhau eu ffydd a'u gobaith yn Iesu. Mae'r bennod gyntaf yn annog y darllenwyr i werthfawrogi eu bod wedi eu geni o'r newydd i fywyd o obaith, a bod y bywyd hwnnw i'w fyw mor Grist-debyg ag oedd yn bosibl.

Myfyrdod

Mae'n anodd portreadu anobaith. Sut deimlad yw hi i ddeall bod yna filiau pwysig fel nwy a thrydan, Treth y Cyngor, Treth Incwm, rhent neu forgais i'w talu a ninnau heb arian ar gael? Anobaith fyddai afiechyd nad oes gwella arno neu weld anwylyn yn gorwedd ar wely ysbyty a'r meddyg yn sôn am dynnu'r cynorthwy-ydd anadlu i ffwrdd.

Mewn maes arall, efallai y gallwn weld o hirbell arswyd y sawl sy'n byw ynghanol terfysg rhyfel cartref a neb yn medru ymyrryd. Bu sawl gwlad yn wynebu sefyllfa debyg ac yn sicr o fewn y blynyddoedd diweddar. Ac eto, onid oedd gan drigolion Derry yng Ngogledd Iwerddon obaith am ddiwedd i'r terfysg, ac onid yw'r sawl sydd mewn lloches digartref ar ffiniau gwlad fel Syria yn gobeithio yn wyneb pob arswyd y byddant yn cael dychwelyd i'w cymunedau ryw ddydd? Efallai mai optimistiaeth yw peth felly mewn sawl sefyllfa, gan nad oes sicrwydd o unrhyw beth.

I Pedr, roedd ei adnabyddiaeth ef o Iesu Grist wedi cynnal ei obaith yn wyneb pob gofid, ac er ei fod yn synhwyro bod yr Eglwys Gristnogol yn mynd i ddioddef erledigaeth, roedd yn sicr bod Iesu yn mynd i'w gynnal. Dyma oedd yr hyn a gyhoeddodd yn 'etifeddiaeth na ellir na'i difrodi, na'i difwyno, na'i difa' (1:4). Nid ym myd y daearol yr oedd ei obaith ef, ond ym myd yr ysbrydol. Roedd credu yn Efengyl Iesu yn golygu sicrwydd o fywyd wedi marwolaeth nad oedd angen ei amau o gwbl. Dyma oedd y gobaith bywiol roedd yr Apostol yn ei gymeradwyo i'r Cristnogion yn y ganrif gyntaf. Dyma'r un gobaith sydd ym meddiant pob Cristion beth bynnag yw ei amgylchiadau.

Gweddi

Trugarha wrthyf, Arglwydd Iesu, pan fyddaf weithiau yn colli golwg arnat, ac wedyn yn colli gafael ar fy ffydd ynot ti. Helpa fi i'th weld yn gliriach a'th garu'n anwylach, fel y gallaf rannu gobaith gyda'r sawl sy'n anobeithio a sôn am fywyd wrth y sawl sy'n wynebu marwolaeth. Amen.

Dioddef fel Cristion

Gweddi

Arglwydd Iesu, wrth imi ddarllen uned arall o eiriau Pedr heddiw, helpa fi i fod yn wylaidd a gostyngedig wrth gofio'r sawl a wynebodd erledigaeth yn dy enw di. Amen.

Darllen 1 Pedr 4:12–5:11

Cyflwyniad

Gellid meddwl bod Pedr wedi gorffen ei nodiadau yn 4:11, ond mae ganddo syniadau ychwanegol i'w trafod. Calonogi'r darllenwyr yw'r nod bob amser, ac mae'n cymell y gynulleidfa i ddioddef yn wrol ac i ofalu am ei gilydd. Mae'r llythyr cyfan yn cyfeirio at ddioddefaint Iesu a dioddefaint aelodau'r eglwys. Ceir ymresymu clir yn yr ohebiaeth fod yna reswm da dros eu dioddefaint a bod y dioddefaint yn dystiolaeth o ddilysrwydd eu ffydd. Pe na bai'r sawl oedd yn eu poenydio yn sylweddoli bod yna wirionedd i'r ffydd Gristnogol, yna pam y byddent yn eu herlid? 'Gwyn eich byd,' meddai Pedr, 'pan gewch eich gwaradwyddo.' Nid dioddef fel lladron na drwgweithredwyr sy'n digwydd, ond dioddef fel Cristnogion, ac nid oes cywilydd yn hynny. Yn y bennod olaf, cyfeirir at y gwrthwynebwr fel llew rheibus ac fel diafol. Bydd y wobr a ddaw i'r Cristion yn fwy na digon yn y diwedd. Anogir arweinwyr yr eglwysi i arfer arweinyddiaeth mewn sawl ffordd ac yn bennaf drwy fod yn 'esiamplau i'r praidd'.

Myfyrdod

Nid oes cyfrif sawl Cristion a laddwyd yn y pedair canrif gyntaf. Roeddent wedi eu croeshoelio, eu taflu i'r llewod a'u lladd mewn ffyrdd eraill am iddynt wrthod gwadu enw Iesu. Ar draws y canrifoedd hyd heddiw bydd Cristnogion yn cael eu carcharu am eu ffydd ac yn dioddef erledigaeth enbyd. Mae'r cylchgrawn *Barnabas* yn adrodd amgylchiadau dioddefwyr yn rheolaidd a bydd y mudiad Cristnogion yn Erbyn Poenydio yn tynnu sylw at bobl o sawl crefydd sy'n dioddef anghyfiawnder oherwydd eu cred. Mae'n wirionedd amlwg nad oes lle i gyfiawnhau erledigaeth na phoenydio pobl unrhyw le, ond gwêl Pedr fodd i godi calon y dioddefwyr drwy ddweud fod eu poen yn gadarnhad o effeithiolrwydd eu tystiolaeth. Gallwn gefnogi apeliadau Cristnogion yn Erbyn Poenydio yn ddigon hawdd drwy anfon cardiau Nadolig at y sawl sy'n cael eu carcharu ar gam, a bydd Amnest Rhyngwladol yn cynnig gwybodaeth ac arweiniad i ni yn gyson.

Cyfeiria Pedr at 'ddioddef fel Cristion'. Sut mae deall hynny? Oni olyga ddioddef heb rwgnach na cheisio dial, a gweddïo y cawn nerth dwyfol i oddiweddyd ein poenau corfforol a meddyliol? Pan aeth Dietrich Bonhoeffer i'r crocbren yn 1945, dywedir i'r tystion weld wyneb sanctaidd dirwgnach yn derbyn ei dynged fel Cristion. Ai fel yna y byddem ni yn cael ein gweld?

Gweddi

Arglwydd Iesu, mae sylweddoli bod Cristnogion ar draws y canrifoedd a'r cyfandiroedd wedi dioddef oherwydd eu ffydd ynot ti yn peri imi deimlo'n fach ac annigonol. Wn i ddim sut y byddwn i yn ymateb pe gwyddwn y byddwn yn cael fy mhoenydio neu fy lladd oherwydd imi gredu ynot. Diolch am ddewrder eraill, a chynorthwya fi i fod yn fwy gwrol yn fy ffydd. Amen.

Yr alwad i fyw fel Cristion

Gweddi
Dduw pob daioni, bydd wrth fy ymyl wrth i mi blygu ger dy fron a cheisio myfyrio ar dy wirionedd yn yr Ysgrythur heddiw. Amen.

Darllen 2 Pedr 1

Cyflwyniad
Er bod mwy o ansicrwydd pa un ai Pedr neu rywun arall a luniodd y llythyr hwn, mae olion meddwl Pedr ynddo, a lluniwyd y llythyr i gadarnhau ffydd y darllenwyr. Roedd hefyd i galonogi'r eglwysi a fyddai'n ei dderbyn i fyw yn unol â disgwyliadau Duw ohonynt. Mae llawer o'r gwaith yn pwysleisio dyletswydd y Cristion i fyw yn unol â moesoldeb Iesu, a daw'r pwyslais yn glir yn yr adrannau cyntaf a'r olaf fod Duw yn galw ei bobl ac yn amyneddgar wrth eu trafod. Roedd yr awdur yn glir nad oedd pawb wedi cael eu galw, ond bod aelodau'r eglwysi wedi derbyn y gwahoddiad i fod yn gredinwyr. Ystyriai Pedr hyn yn fraint, a bod disgwyl i ymarweddiad y bobl hyn arddangos Iesu i'r byd. Deallai Pedr fod Duw yn bendithio'r bobl a alwodd â rhinweddau moesol. Geilw hwy yn 'freintiau moesol'. Cam cyntaf y bererindod hon yw ffydd sy'n cael ei chadarnhau gan rinwedd foesol, a hithau yn ei thro yn profi gwybodaeth a hunanddisgyblaeth. Bydd Cristion wedyn yn meddu ar ddyfalbarhad, ac yna dduwioldeb, brawdgarwch a chariad. Bydd y person hwn yn gweld yn glir, tra bod yr aelod eglwysig nad yw wedi profi a defnyddio'r rhinweddau hyn yn fyr ei olwg.

Credai Pedr fod 'etholedigaeth' yn nodwedd amlwg o gredo'r eglwys. Roedd wedi derbyn yn ddigwestiwn bod Israel yn 'genedl etholedig' a chan fod yr eglwys yn Israel newydd nid braint i bawb mohoni. Ar y llaw arall, roedd Iesu yn gwahodd pawb i'w wledd ac roedd Duw am weld yr holl ddynoliaeth yn perthyn iddo. Mae trafod 'etholedigaeth' yn bwnc enfawr, ac ni allwn symleiddio'r drafodaeth i ychydig eiriau. Erys datganiad Pedr, serch hynny, fod ar y sawl sy'n credu yn Iesu ac yn ei dderbyn fel Arglwydd angen derbyn y fraint a byw yn unol â'r anrhydedd honno.

Myfyrdod

Nid pawb sy'n medru canu fel Shirley Bassey neu Bryn Terfel. Nid pob un sydd â sgiliau Gareth Edwards neu Leigh Halfpenny. Mae'r bobl hyn – ym mha faes bynnag y bo hynny – sydd â thalentau eithriadol yn hynod wylaidd a gostyngedig. Os bydd person talentog yn brolio ei ddoniau a hawlio sylw oherwydd ei allu, yna mae wedi colli'r nod ac yn ei iselhau ei hun. Credai Pedr fod Duw yn galw person i ffydd ac yn estyn y fendith. Roedd dyletswydd ar bawb i ddefnyddio'r ddawn neu'r fendith er lles y deyrnas. A fyddwn yn credu ein bod wedi cael ein galw gan Dduw i'r teulu eglwysig ac i ba raddau rydym yn ymwybodol o'r anrhydedd honno?

Sut deimlad yw derbyn y gwahoddiad i chwarae dros ein cenedl? Dywedodd llawer o chwaraewyr yn y gorffennol, faint bynnag o gapiau rhyngwladol sydd ganddynt, mai'r cap cyntaf yw'r pwysicaf. Mae yna wyleidd-dra a rhyfeddod, y WAW ffactor yn y broses. Wrth edrych yn ôl dros ysgwydd amser onid oes 'na ryfeddod tebyg i ddeall ein bod bellach yn aelodau o gymuned ffydd a bod goblygiadau hynny yn ymestyn am byth, ymhell tu hwnt i ddiwedd oes? Unwaith y bydd Cristion yn cadarnhau ei fod yn credu yn Nuw ac yn derbyn Iesu yn Arglwydd, mae 'na oblygiadau a chyfrifoldebau. Bydd y cyfryngau a'r wasg yn rhuthro i dynnu sylw at berson sy'n enwog, a hynny mewn unrhyw faes, os bydd wedi dwyn cywilydd arno'i hun ac ar eraill. Dywed Pedr fod disgwyliadau ar Gristion hefyd i fyw yn unol â'i ffydd. Pa ddisgwyliadau a synhwyrwn sydd arnom ni, a beth yw'r ymdrech i'w cadw?

Gweddi

Trugarha wrthyf, Arglwydd, am dy siomi yn aml. Annog fi i fyw yn unol â'r hyn sydd ynghlwm yn y ddysgeidiaeth a rannodd Iesu gyda ni. Amen.

Y goleuni sy'n gweld y gwar

Gweddi

Dduw'r Goleuni, gwn pan fyddaf yn dod yn agos atat y byddaf yn cywilyddio am yr hyn a ddywedais ac a wneuthum. Glanha fi o'm bryntni a sgwria fi o'm hunanoldeb. Trugarha wrthyf a helpa fi i ymateb i bob sefyllfa, yn ymwybodol fy mod yn ceisio byw bywyd Iesu yn y byd. Amen.

Darllen 1 Ioan 1

Cyflwyniad

Derbynnir ers y dyddiau cynnar mai Ioan y disgybl annwyl a'r Apostol a luniodd 1 Ioan a'i fod yn fwy o fyfyrdod nag o epistol. Nid oes iddo gyfarchiad na diweddglo llythyr, ond mae'n fyfyrdod y bu i'r Tadau Apostolaidd ei ddyfynnu. Mae'n crynhoi rhai o'r prif bwyntiau sydd i'w gweld yn yr Efengyl, ac nid yw'n defnyddio cyfeiriadau a delweddau Iddewig. Pwysleisir cadw gorchmynion Duw a galw ar yr aelodau eglwysig i garu ei gilydd. Dyma'r modd i'r eglwys ddwyn tystiolaeth i ewyllys a dyhead Duw dros ei bobl. Ceir y syniad gan Ioan am 'oes newydd' neu 'gyfnod newydd' sy'n cael ei gyfieithu yn yr ail adnod fel 'bywyd tragwyddol'. Yr un oedd y syniad gyda Paul pan yw'n cyfeirio at ei fywyd heb Iesu a'i fywyd gyda Iesu, fel yn Galatiaid 2:20. Roedd yr Eglwys Fore yn glir fod bywyd yr hunan yn fydol a materol ei wedd, tra bod y bywyd newydd fel Cristion yn agor pennod arall. Yn yr ordinhad o fedydd y crediniwr, mae'r syniad o'r hen hunaniaeth yn cael ei adael ar ôl, a'r hunaniaeth newydd yn codi o'r dŵr ac yn cerdded ymlaen i'w fywyd yng Nghrist, a Christ ynddo yntau.

Myfyrdod

Mae'r cwtsh-dan-stâr yn ardal hwylus i daflu pob math o annibendod o'r golwg. Efallai fod cwpwrdd, a hyd yn oed ystafell, gan rai i guddio annibendod ein cartrefi. Bydd dod o hyd i eitemau a aeth i'r tywyllwch hwn yn dipyn o gamp. Bydd angen clirio'r annibendod, a chael golau effeithiol ynddo. Faint o gwtsh-dan-stâr yw'n bywyd ni? Y lle sy'n llawn o annibendod, cuddfan pob cydwybod. Wrth gyhoeddi bod Duw yn oleuni, mae Ioan yn sylweddoli nad oes unrhyw beth yn guddiedig rhagddo.

Yn y gwyll, ni ellir gweld y baw sydd ar y ffenestr, ond pan fydd y golau yn disgleirio arno, mae popeth i'w weld. Prin fod yna werth i ddweud nad ydym yn pechu, medd Ioan, ond bydd y sawl sy'n profi maddeuant Duw yn debyg i'r sawl sydd wedi clirio'r cwtsh-dan-stâr neu olchi'r ffenestri.

Noda Ioan fod 'gwaed Iesu' ynom. Dywed fod cymdeithas gyda Iesu 'yn ein glanhau'. Fel y bydd gwaed ein cyrff dynol yn clirio'n sustem o amhuredd, bydd presenoldeb Iesu yn ein bywydau yn tynnu oddi arnom y dylanwadau hunanol a bydol. Wrth fyw i Grist, ni fyddwn yn byw i'r hunan. Po amlaf y byddwn yn ceisio cymundeb gyda Iesu, byddwn yn gynyddol o ymdebygu iddo. Pa mor aml y buom yn canu 'golch fi'n burlan yn y gwaed a gaed ar Galfarî', ac ystyried beth yn union yr oedd hyn yn ei olygu?

Gweddi

Diolch i ti, Arglwydd, am dy amynedd yn fy nglanhau o ddylanwad y bydol a'r hunanol. Helpa fi i aros yn dy gwmni a meddwl amdanat bob awr. Dylanwada ar fy sgwrs a'm hagwedd, fy ngweithgarwch a'm bywyd o ddydd i ddydd. Amen.

Cytgord neu ddisgord

Gweddi
Arglwydd Iesu, gelwaist dy bobl o bob cefndir a chyfeiriad a'u cymell i fyw ynghyd yn dy gwmni di. Wrth ddarllen yr Ysgrythur heddiw, helpa fi i feddwl am fy nghyfraniad i i fywyd yr eglwys. Amen.

Darllen 3 Llythyr Ioan

Cyflwyniad
Ystyrir bod ail a thrydydd llythyr Ioan wedi cael eu hysgrifennu gan berson arall a oedd yn cael ei gydnabod gan yr Eglwys Fore fel arweinydd o barch ac o bwys. Bydd rhai yn derbyn mai Ioan yr Apostol a'r disgybl annwyl yw awdur y tri llythyr, er nad oes unfrydiaeth barn ar hynny. Tybir bod y drafodaeth yn cyfeirio at amgylchiadau'r Eglwys Fore mewn cyfnod yn dilyn erledigaeth Domitianus, a bod modd dyddio'r llythyrau rhwng 96 a 110 OC. Mae'r trydydd llythyr yn un personol at Gaius, un a safodd yn gadarn gyda'r henuriaid apostolaidd, ac yn gwrthwynebu gŵr o'r enw Diotreffes, un a wrthwynebodd y cenhadon a fu'n ymweld â'r eglwysi yng Ngogledd Asia Leiaf. Mae'n amlwg fod Diotreffes yn awyddus i gael ei gydnabod yn arweinydd, er bod yr awdur ac eraill am ddysgu gwers iddo. Dywedir bod Diotreffes yn 'clebran yn ein herbyn â geiriau drygionus'.

Myfyrdod
Bydd llawer yn gyfarwydd â'r sefyllfa o fod ynghanol grŵp o bobl, a nifer yn cynnig eu hunain fel arweinwyr, a hwythau yn croes-dynnu yn erbyn ei gilydd. Mewn côr a chlwb, pleidiau gwleidyddol a mudiadau dyngarol, derbynnir bod llais y mwyafrif yn cario, a dyna sy'n rhoi llyw i'r mater dan sylw. Mewn eglwys, tybir bod yn rhaid i'r gynulleidfa geisio meddwl Duw ar y pwnc ac yn amlach na pheidio bydd offrymu gweddi i ofyn am arweiniad. Credir bod yr Ysbryd Glân yn dylanwadu ar feddwl a deall y sawl sy'n bresennol, ond weithiau bydd rhai yn tybied bod eu barn hwy yn gywirach na barn y rhelyw ac yn ymwthgar eu syniadau.

Yn anffodus, bydd y mwyafrif o gyrff a chymunedau eglwysig yn gwybod am y profiad ac yn cydnabod weithiau nad oes ffordd o oresgyn y sefyllfa. Ymrannodd eglwysi yn y gorffennol oherwydd anghydfod, er prin y byddai unrhyw un am ddadlau bod clywed am eglwysi sy'n ymgecran neu fod carfanau yn gadael er mwyn sefydlu achos newydd, yn dystiolaeth o deulu cariadlon.

Beth ddigwyddodd i Diotreffes tybed? Bu ei ysbryd yn amlwg mewn sawl ardal, a bydd cynnen eglwys 'sblit' yn medru parhau am sawl cenhedlaeth, gwaetha'r modd. Geilw awdur y llythyr hwn ar bawb i wneud daioni, a cheisio meddwl a dylanwad Duw yn ei genhadaeth. Ni ddylem fyw fel pobl hunanol a hunangyfiawn. Bydd eglwysi yn aml fel corau yn canu, gyda'r alaw a'r gyfalaw yn plethu ynghyd ac nid yn creu synau aflafar, disgordaidd. Tybed pa synau a glyw y byd o berthynas aelodau eglwysi â'i gilydd, a chydweithio eglwysi ac enwadau mewn cymuned a chenhedloedd?

Gweddi

Maddau i mi, Nefol Dad, am unrhyw duedd ynof i hawlio fy mod i'n gyson gywir, ac yn amharod i wrando ar feddwl ac argyhoeddiad aelodau eraill oddi mewn i deulu'r ffydd. Bydd yn arweinydd arnom, fel y clyw eraill foliant i ti yn ein cyd-fyw â'n gilydd. Amen.

Byw'r ffydd

Gweddi

Nefol Dad, diolch am y sawl a gopïodd lythyron yr Eglwys Fore, gan sicrhau eu bod yn ein Beiblau. Gwerthfawrogwn y fraint o geisio deall hyder ac ofnau yr Eglwys Fore. Helpa ni i fod yn gliriach ein deall o bynciau'r ffydd ac i rannu hynny gydag eraill. Amen.

Darllen Llythyr Jwdas

Cyflwyniad

Mae llawer yn debyg rhwng y llythyr hwn a darnau o Epistolau Ioan a Pedr, ac er nad oes sicrwydd pwy oedd yr awdur, mae'r cyfeiriadau mewnol yn y testun yn dangos iddo gyfeirio at gyfnod tua 100 OC. Mae'n llais awdurdodol, ac er ei fod yn rhy ddiweddar i fod yn Jwdas, brawd Iesu, gallai fod yn Jwdas Iago, sef trydydd esgob Jerwsalem. Ceir ynddo feirniadaeth o aelodau o'r Eglwys nad oedd eu hymddygiad yn gyson â'r ffydd Gristnogol. Roeddent yn 'halogi'r cnawd, a sarhau'r bodau nefol' (adnod 8).

Mae'n amlwg fod yr Eglwys Fore wedi copïo a rhannu gohebiaethau tebyg i lythyron y sawl sy'n amlwg yn y Testament Newydd, ac nad oes modd gwybod faint o lenyddiaeth Gristnogol a aeth ar goll. Bu'r Eglwys yn cadarnhau dilysrwydd rhai darnau ac yn dileu darnau eraill. Roedd clywed safbwynt pobl a berchid yn yr Eglwys yn bwysig, gan nad oedd ganddynt lawer o ddefnyddiau i'w darllen. Pwysent yn drwm ar yr ychydig ysgrifau a llythyron a oedd ganddynt, ac mae'n rhyfeddol fel y bu iddynt ddal gafael ar eu ffydd yn wyneb yr erlid.

Myfyrdod

Bydd arweinwyr yr eglwysi ar draws y canrifoedd yn barod i ganmol neu gondemnio agweddau ar fywydau pobl yn ôl eu crebwyll a'u cyfnod. Bu goddefgarwch ac anoddefgarwch yr enwadau yn pendilio o un eithaf i'r llall. Ar un cyfnod roedd 'cwrw'r achos' yn dderbyniol, ond o fewn cenhedlaeth neu ddwy roedd arweinwyr eglwysig yn llwyrymwrthodwyr tanbaid. Bu cyfnod pan oedd arweinwyr eglwysig yn ddigon parod i dderbyn rhoddion o fwydydd helaeth, ac roedd eu byrddau yn llwythog, tra bu cyfnodau eraill pan oedd bywyd syml a bwyd symlach yn nodweddion i'w cymeradwyo.

Beth tybed oedd wedi peri arswyd i Jwdas? Ai rhywbeth a greithiai'r corff, neu weithgarwch rhywiol ei natur? Ai cam-drin pobl eraill neu wneud rhywbeth arswydus gydag anifeiliaid? Bu Cristnogion o Brydain a'r Amerig yn hawlio perchenogaeth ar gaethweision, ac yn aml yn eu trin mewn ffordd annynol. Onid oedd Paul heb gondemnio'r arfer o gadw caethweision, ond yn barod i restru pechodau cnawdol? Sut y gall Cristnogion hyrwyddo'r holl erchylltra sy'n digwydd ar faes y gad a hynny yn enw Duw? Erys y drafodaeth foesol yn ein plith, fel ag erioed.

Gweddi

Arglwydd Iesu, mae cymaint gennyf i'w ddeall ynglŷn â'r modd i gysoni fy ffydd yn Iesu â'm bywyd bob dydd. Goleua fy meddwl ac arwain fi i dderbyn yn well dy feddyliau di yn hytrach na thybio dy fod yn arddel fy rhagdybiaethau i. Amen.

Edrych yn y drych

Gweddi

Sanctaidd Dduw, gwn fod darllen Llyfr y Datguddiad yn waith anodd, ond gweddïaf y byddi'n fy arwain i ddeall rhywfaint o'r gwirionedd. Diolch dy fod yn Dduw amyneddgar a thrugarog. Amen.

Darllen Datguddiad 1–3

Cyflwyniad

Mae Llyfr y Datguddiad yn wahanol i bob llyfr arall yn y Testament Newydd. Mae'r enw o bosibl yn gamarweiniol i'r graddau ei fod yn llyfr cudd sydd yn ceisio dweud wrth y darllenydd bod angen deall heddiw yng nghyd-destun yr hyn a ddigwydd yn y dyfodol. Datguddir darlun o'r terfynol cyn iddo ddigwydd. Mae'n llyfr wedi ei ysgrifennu yn y traddodiad apocalyptaidd sy'n ceisio cynnal cred yr eglwys yn wyneb erledigaeth Ymerodraeth Rhufain, gan gredu y deuai goruchafiaeth yn y dyfodol. Fel llyfr wedi ei ysgrifennu mewn iaith gyfrin (côd), nad oedd yn amlwg ddealladwy i'r gelyn, mae'r gwaith yn portreadu amgylchiadau ac anghenion yr eglwysi, cyn cyflwyno'r cynllun mawr am waith Duw a fydd yn ennill y dydd ar y Bwystfil. Rhufain yw'r bwystfil wrth reswm, ond mae'r oruchafiaeth i'w gweld yn y Jerwsalem Newydd fuddugoliaethus. Er bod llawer o ddyfalu pwy oedd awdur y gwaith, y gwir yw ei fod yn ddirgelwch llwyr. Heb os, roedd yn Gristion medrus ac yn deall ei gyfnod a'i gyfrwng. Mae'r gwaith wedi profi i fod yn fendith i'r eglwys ar draws y canrifoedd, ond bod angen i'r darllenydd fod yn gyfarwydd â'r llyfr côd ar yr un pryd. I'r sawl sydd am gymorth pellach yn y Gymraeg, mae esboniadau D. Hugh Matthews a Catrin Haf Williams yn weithiau defnyddiol a darllenadwy.

Myfyrdod

Profiad anodd i'r rhelyw o bobl yw gweld llun ohonynt eu hunain. Byddwn yn amau'r edrychiad ac yn hynod feirniadol. Yn yr un modd, bydd hi'n her i wylio darn o ffilm neu wrando recordiad lleisiol ohonom ein hunain heb fod yn feirniadol. Pwy sydd am feirniadaeth gan eraill? Serch hynny bydd bardd, canwr ac adroddwr yn barod i gystadlu er mwyn cael beirniadaeth, a hynny'n fodd i wella perfformiad.

Pan fydd ysgolion ac ysbytai yn cael asesiad o'u gwaith, bydd y staff yn ofni'r gwaethaf ac yn gobeithio'r gorau. Mae'n siŵr fod y gwir yn brifo. Mae'r portread a geir o'r saith eglwys yn y penodau dan sylw yn gyfarwydd, a byddwn yn eu gweld fel drychau o eglwysi ein cyfnod ni. Does yna 'run eglwys berffaith, ac mae'n deg dweud bod 'lle i wella' yn sylw ar adroddiad pob cynulleidfa mae'n siŵr. Bydd rhai yn cael hwyl yn beirniadu eglwysi a nodi eu gwendidau. Bydd eraill yn fwy gochelgar ac yn cydnabod eu gwendidau eu hunain, a cheisio arweiniad i weld beth fyddai eu dyletswydd i gryfhau eu cyfraniad i fywyd yr eglwys. Sut atebwn ni'r cwestiwn, 'Beth y mae'r Ysbryd yn ei ddweud' wrthym ni?

Gweddi

Dduw'r Ysbryd, helpa fi i glywed dy anogaeth i mi'n bersonol fel y gallaf ymroi i waith dy eglwys gyda mwy o frwdfrydedd a gonestrwydd, a bod yn dyst cryfach i Iesu. Amen.

Yr Eglwys yn cael ei chymhwyso ar y daith

Gweddi

Gwn, Arglwydd, fod yr Eglwys Fore wedi cael anawsterau mawr wrth geisio arddel Iesu mewn byd a oedd yn erlid Cristnogion. Bydd yn amyneddgar gyda mi pan fyddaf yn cloffi wrth gerdded y daith yn dilyn Iesu drwy fy mywyd. Cadarnha fy ffydd o'r newydd, ac ysbrydola fi i weld wyneb Iesu wrth fy ochr bob dydd. Amen.

Darllen Datguddiad 7

Cyflwyniad

Yn yr adran hon o'r llyfr mae'r awdur am gadarnhau dwy ffaith ganolog i'r gredo ynglŷn â dyfodol yr Eglwys. Yn gyntaf, mae'n cadarnhau nad oes modd osgoi dioddefaint. Yna, mae'n awyddus i ddweud bod Duw ei hun yn gwarantu dyfodol ei bobl. Mae'r rhif 144,000 yn cynrychioli'r rhif cyflawn, sef bod deuddeng mil o blith y deuddeg llwyth yn cael sicrwydd o fod yn bresennol yn nheyrnas Dduw. Nid rhifyddeg mo'r datganiad ond bod yr Israel newydd, sef yr Eglwys, yn cael cynrychiolaeth ar draws y cenhedloedd. Nod yr Eglwys fydd cyhoeddi'r neges gadarnhaol a welir yn adnod 10, sef bod Duw yn fuddugoliaethus ac yn rhannu ei fuddugoliaeth â'i eglwys. Roedd yr eglwys yn profi erledigaeth yn gyson, ac yn y bennod hon, fel y daw'n amlycach ar hyd Llyfr y Datguddiad, bydd yr oruchafiaeth yn perthyn i'r sawl sy'n ymddiried yn yr Oen. Iesu yw'r Oen a fu farw ac yn aberth ei farwolaeth ef ceir sicrwydd o lendid ysbrydol – yn gyfiawnhad ac yn sancteiddhad. Dyma dermau sy'n codi o'r grefydd Iddewig ac a ddefnyddiwyd gan ddiwinyddion Cristnogol ar draws y canrifoedd. Mae cyfiawnhad yn codi o gefndir llys barn, ac yn cadarnhau fod Duw yn cyfiawnhau'r anghyfiawn. Mae'r syniad o sancteiddhad yn ymwneud â chanlyniad y berthynas rhwng Duw a dyn, lle bo'r ysbryd sanctaidd yn glanhau a phuro'r aflan fel ei fod yn cael byw yng nghymdeithas Duw.

Myfyrdod

Bydd pob teulu'n gyfarwydd â'r olygfa o deganau plant wedi eu chwalu dros lawr ystafell, ac nad yw'n hawdd gweld pa eitem sy'n perthyn i ba focs. Gall y cwpwrdd teganau mwyaf taclus ymddangos fel llanast llwyr unwaith y bydd plentyn teirblwydd wedi cael penrhyddid yno. Bydd gweld jig-sos wedi eu cymysgu yn blith-draphlith yn fwy o benbleth i'w ddatrys. Adroddir yr hanes am y rhiant a oedd wedi cael digon ar ei blentyn yn swnian am sylw'n barhaol. Cymerodd ddarn o bapur a'i dorri'n ddarnau â siswrn gan gymell y plentyn i osod y darnau yn eu lle. Daeth y plentyn yn ôl mewn ychydig funudau wedi gorffen y dasg. Rhyfeddodd y rhiant, a gofyn sut y gorffennwyd y dasg mor fuan. Eglurodd y plentyn fod llun person ar yr ochr arall i'r papur, a'r cyfan oedd angen ei wneud oedd rhoi'r llun ynghyd. Weithiau mae crefydd yn ymddangos fel pos anodd, tebyg i ddeall Llyfr y Datguddiad. Unwaith y gwelir wyneb Iesu yn y canol, gellir deall yr annealladwy ac mae'r amhosibl yn bosibl. Gwahoddir ni i weld wyneb Duw yn wyneb y dieithryn ac i sylweddoli bod Iesu ymysg yr anghenus a'r tlodion. Gweithio tuag at berffeithrwydd oedd yr anogaeth yn y bennod hon, a gweld bod pob un yn blentyn i Dduw, gan gynnwys y sawl a oedd yn elyn. Unwaith y bydd Cristion wedi dysgu caru'r gelyn a maddau iddo, mae cymod a chymuned yn gwbl naturiol.

Gweddi

Arglwydd Iesu, helpa fi i'th weld ynghanol pob cymhlethdod, ac i ddilyn dy arweiniad ac i fyw yn rasol a chariadlon ynghanol pob sefyllfa heriol. Amen.

Y profiad angylaidd

Gweddi

Dduw trugaredd, clyw fy ngweddi wrth i mi blygu o'th flaen a cheisio gwrando arnat. Rwyt wedi siarad â mi mewn sawl modd, a gweddïaf y byddaf yn dal i glywed dy lais a theimlo dy bresenoldeb. Amen.

Darllen Datguddiad 19:1–10

Cyflwyniad

Nodwyd ynghynt bod llawer o'r llyfr hwn mewn iaith a delweddau sy'n gofyn esboniadaeth fanwl a gofalus. Mae'n drysor o gyfraniad i lenyddiaeth gynnar y ffydd Gristnogol. Ym mhenodau 4–18 cawn yr ymdeimlad fod yr awdur yn ceisio rhybuddio'r Eglwys Fore o'r elfennau drwg a fydd yn eu herio ac weithiau yn eu hawlio. Ceir delweddau o natur bechadurus a hunanol dynion a'r modd y maent yn ceisio temtio a pherchenogi meddwl a theyrngarwch aelodau'r eglwysi. Wrth gofio hanes y diafol yn ceisio teyrngarwch Iesu yn yr anialwch (Luc 4) cawn yr awdur yma yn rhybuddio'r Cristnogion cynnar o'r peryglon hyn. Drygioni pobl yw cyfrwng y temtio, nid cymeriadau arallfydol dieflig. Byddwn yn gyfarwydd â gweithiau ffuglennol cyfoes fel *Star Wars* a *Dr Who* sy'n cynnig lluniau graffig o ddrygioni oddi allan i ddyn. Ym mhennod 19, daw awyrgylch newydd, ac mae'r awdur yn clywed sŵn tebyg i sŵn côr mawr nefolaidd. Mae'r awdur yn codi ei galon, fel bod negeseuwyr Duw yn cyrraedd ei bobl, ac yn sôn wrthynt am lwyddiant a buddugoliaeth. Aeth sawl esboniwr i dir corsiog drwy wadu bodolaeth angylion, ac felly yn ei chael yn anodd i dderbyn Duw. Sut bynnag y deallwn ystyr y gair 'angel', maent yn cynrychioli presenoldeb a gweithgarwch Duw yn y Testament Newydd. Mae'r gair bach 'fel' yn allweddol i ddeall a derbyn bod yr awdur yn ymwybodol fod Duw yn parhau yn Dduw gweithredol, ac na fydd drygioni yn trechu. Yma cawn ymdeimlad o lawenydd, ac eglura yn adnod 8 mai symbolaeth sydd yn y darn o'r realiti dwyfol yn cadarnhau bywyd o hapusrwydd a ffyddlondeb. Mae'r daith yn y llyfr bellach yn cyhoeddi buddugoliaeth, a bod yr angylion, fel yn hanes genedigaeth Iesu, yn sôn am achos i'w ddathlu ym muddugoliaeth Iesu.

Myfyrdod

Pwy sy'n ddigon ffôl i wadu bod yna angylion? Negesydd yw angel sydd yn dwyn cyfarchiad a chyfarwyddyd Duw i'w bobl. Bydd sawl llenor a cherddor, bardd a cherflunydd yn gwybod am y dylanwad arallfydol sydd wedi ei annog i wneud yr hyn na feddyliodd ef ei wneud, ac i'r gwaith terfynol fod yn brofiad ysbrydol a chyffrous. Bydd sawl pregethwr ac esboniwr wedi rhyfeddu iddo/i ddweud rhywbeth nad oedd wedi ei fwriadu, a wnaeth adael effaith arbennig ar y sawl a oedd yn gwrando. Eiliadau angylaidd yw'r rheini.

Weithiau bydd y gymwynas symlaf yn gyfrwng bendith fawr, a bydd y sawl sy'n derbyn y fendith, boed y rhoddwr neu'r derbynnydd, yn dathlu eiliad yr Halelwia. Efallai mai'r sawl sy'n estyn y cwpan dŵr i'r person sychedig yw'r angel, neu'r sawl sy'n mynd yr ail filltir wrth dywys dieithryn i'w hafan ddiogel. Dro arall, caiff unigolyn brofiad na all rheswm ei egluro, ond mae fel fflach ar draws y ffurfafen, a daw ystyr a synnwyr pan oedd popeth mor niwlog gynt. Delwedd yw'r gair 'angel' o realiti Duw ar waith, yn cyfathrebu gyda'i bobl mewn sawl dull a modd. Golau yn yr awyr a welodd y bugeiliaid, a seren yn symud a welodd y doethion. Breuddwyd gafodd Joseff a pherson dwyfol wrth ei hochr fu'n egluro popeth i Mair. Sut mae Duw yn cyfathrebu gyda ni tybed? Heb os, cyfathrebwr yw Duw, ac fel Samuel gynt, ein cyfrifoldeb ni yw gwrando arno ac ymateb yn ffyddlon.

Gweddi

Diolch i ti, Iesu, am dy fendithion i mi. Rwyt yn siarad â mi drwy sawl cyfrwng. Cyfaddefaf nad wyf o hyd yn clywed nac yn deall yn iawn. Rwyt yn Arglwydd bendigedig, ac ymddiriedaf fy yfory i'th ddwylo. Amen.

Y fuddugoliaeth fawr

Gweddi

Arglwydd Iesu, gwyddost fy mod yn esgeulus o'm dyletswydd ac yn brwydro yn f'erbyn fy hun yn aml. Wrth feddwl am yr Eglwys Fore yn cael ei herlid a hynny am ganrifoedd, agor fy meddwl i gofio am y bobl sy'n cael eu herio hyd at angau oherwydd eu ffydd yn y byd heddiw. Diolch am eu tystiolaeth a'u teyrngarwch i ti. Amen.

Darllen Datguddiad 21:9–22:5

Cyflwyniad

Mae'r awdur wedi bod yn cyflwyno darluniau a delweddau o'r heriau a wynebai'r eglwysi. Roedd yn sylweddoli bod yr Eglwys Fore yn cael ei herlid gan amrywiaeth o elynion, nid lleiaf gan Iddewiaeth. Y grym mwyaf ymosodol oedd yr Ymerodraeth Rufeinig, a gelwir hi yn butain ganddo. Gwelodd yr Eglwys Fore dair canrif o erledigaeth eithriadol, ac ni ellir dychmygu sut roedd y ffyddloniaid hyn yn wynebu'r artaith am dros ddeuddeg cenhedlaeth a mwy. Yn yr adran a ddarllenwyd, ceir disgrifiad o faint a natur Eglwys Crist, a byddwn yn gwerthfawrogi bod yr awdur yn cyfeirio at ehangder a chynllun y syniad o Deml newydd. Roedd yn hardd ac yn gyflawn, yn drigfan Duw ac roedd lle i bawb yno.

Mae delwedd y dŵr bywiol a'r goeden yn pontio ar draws y cenhedloedd yn gyhyrog a gwerthfawr. Nid eglwys wan oedd hon, ond un a'i dyfodol yn sicr, a'i ffrwyth yn sicr. Duw ei hun sy'n cynnal ac yn bendithio'r saint, ac mae hyder yr awdur yn wyneb pob arswyd yn ysgogiad i Gristnogion pob cyfnod a phob argyfwng. Galwad sydd yma i ymddiried ac wynebu'r dyfodol gan wybod bod Duw yn ffyddlon i'w bobl.

Myfyrdod

Mae'n anodd dychmygu unrhyw un ar ddiwedd y ganrif gyntaf yn gweld yr Ymerodraeth Rufeinig yn troi o fod yn gorff a fyddai'n erlid yr Eglwys Gristnogol i fod yn gymdeithas a fyddai'n gyfrwng hyrwyddo'r ffydd. Serch hynny, dyna a ddigwyddodd. Pwy allai ddychmygu Sacheus yn cael tröedigaeth, neu Saul o Darsus yn troi o fod yn erlidiwr i fod yn

Apostol? Dyna'r hyn sy'n wir. Faint o bobl fyddwn yn eu cofio yn cefnu ar y Ffydd Gristnogol ac yn ei bychanu, ond a drodd yn dystion cadarn ac ymroddedig? Mae miloedd ar filoedd o bobl yn cael tröedigaeth bob blwyddyn ar draws y byd, ac nid oes eglurhad rhesymegol dros hynny.

Beth sy'n argyhoeddi'r anffyddiwr i gredu neu'r sawl a gefnodd i ailgydio yn ei fywyd ysbrydol? Nid nodweddion dynol yn sicr, ond y profiad dwyfol. Sut bynnag y byddwn yn deall y 'Jerwsalem Newydd', lleoliad a chymdeithas Duw yw hi, ac nid yw byth yn rhy fach na'i darpariaeth yn annigonol i gwrdd ag anghenion dynion.

Ar hyd y gyfres hon o fyfyrdodau, o Lyfr Genesis i Lyfr y Datguddiad, yr un elfen gyson yw bod Ysbryd Duw yn ymsymud ymhlith pobl ac yn arwain, cysuro, cynnal a bendithio. Duw'r gogoniant a Duw'r goleuni, Duw'r gobaith a Duw'r gras sydd yn dewis ei ddatguddio ei hun ar draws y cyfnodau. Mae natur Duw yn rhyfeddol ac mae ei ffordd o weithredu yn anhygoel i feddwl meidrol, ond yn gwbl naturiol pan fyddwn yn ymateb mewn ffydd ac ymddiriedaeth. Os nad ydym yn deall pob gair o'r testun Beiblaidd, ac os oes agweddau o ddysgeidiaeth ac arfer yr Eglwys yn rhyfedd i ni, mae rhannu gweddi yn gofyn am gymorth i ddeall ac i dderbyn yn cael canlyniad gwyrthiol. Gwahoddiad sydd yn nhudalennau'r Beibl i dderbyn ac i ddilyn. Ein cyfrifoldeb ni fel unigolion yw dewis.

Gweddi

Drugarog Dduw, rwy'n dewis Iesu a'i farwol glwyf fel fy ffordd i o fyw. Helpa fi yn fy ngwendid i dderbyn yr hyn na ddeallaf ac i ddilyn er nad wyf yn gweld popeth yn glir, fel y bydd fy mywyd i yn arddangos gogoniant a gwirionedd Duw i'r byd. Amen.